Schutzlos wie nasse Welpen saßen sie da. Sie warteten. Sie hatten schon immer gewartet. Ein Leben lang. Auf die Verwandlung, auf die Erlösung, auf den magischen Moment, in dem alles anders wird. Sanft und beharrlich tropfte es aus den feuchten Strähnen.

Die Blicke, eben noch kristallhart und siegesgewiss, glitten aus auf der silbrigen Oberfläche der Spiegel. Prallten ab. Rutschten ins Leere. Nur ein unsicheres Flackern blieb übrig. Die Aschenputtel wollten so gern Prinzessinnen sein und die Prinzessinnen Schulmädchen. Und die Schulmädchen wurden von den Herren zum Formatieren hergebracht. Einmal bitte vernissagentauglich machen. Kein Problem.

Verstohlen irrlichterten die Blicke nach rechts und links. Warum nur waren nasse Haare eine besonders perfide Form der Nacktheit? Die Intimität des Boudoirs mischte sich verstörend mit der Öffentlichkeit des Salons. Hier wurde niemand übersehen. Trotz der fiebrig aufgeladenen Wärme zogen die Damen ihre Handtücher fester um den Hals, fröstelten im kalten Licht. Das Aufheulen der Föhne fegte über wattierte Klänge hinweg, über das gedämpfte Parlando hinter Säulen und Paravents und über die flockige Lautlosigkeit, mit der Haare zu Boden fielen wie Neuschnee am Heiligabend.

»Er kommt gleich.«

Sie lächelten tapfer. Suchten sich erneut im Spiegel. Und warteten. Jetzt half kein Gucci-Pumps mehr und kein Einkaräter. Nackt und bloß erwarteten sie den, der ihnen Gestalt gab, der ihre Haare ordnete und ihr Leben.

Ein paar ganz Routinierte hatten Aktenordner dabei, zeichneten Briefe ab, hämmerten auf Laptops ein, gurrten Verschwörerisches ins Handy. Tändelnde Attitüden.

»Gleich, noch eine Sekunde.«

Tabula rasa. Das Make-up hatte das rituelle Haarewaschen ohne größere Verwüstungen überstanden, aber der morgendliche Bürstenstrich war hinweggespült, die Disziplinierungsmaßnahmen des Haarsprays, die kleinen Handgriffe, mit denen hundertmal am Tag eine Frisur simuliert wurde, hundertmal der Versuch, das ewig Widerspenstige mit allen zehn Fingern zu zähmen, um jemand anderem ähnlich zu sein. All das war verschwunden. Seltsam anonym waren diese nassen Haare, unbewohnt und fremd.

»Jetzt geht's los.«

Ein Rauschen lag plötzlich in der Luft. Als trete die unsichtbare Entourage eines Herrschers auf. Doch es war weder Fächerwind noch Robenrascheln, es war die Aura von Autorität, die sich wie schwere Seide auf Gabriele Himmerls Schultern legte.

Sie sah auf. Noch bevor sie sein Gesicht erkannte, spürte sie die geschmeidige Bewegungslogik des Profis, der so sicher dahingleitet, als habe ein Ballettmeister seinen Auftritt choreographiert.

Gabriele straffte sich. Und lächelte. Himmel hilf! Ob er es bemerken würde? Dass sie ihm – untreu geworden war?

Julian hatte sich schon einen Hocker herangerollt. Sein dunkelblauer Anzug saß perfekt. Ahnungslose hätten ihn für einen bemerkenswert attraktiven Banker halten können, der die frisch gestylte Gattin abholt. Kein Goldkettchen, keine Föhnfrisur. Das tausendfach fotografierte Jungsgesicht war konzentriert.

»Hallo Mäuserl«, rief er und legte die Zigarette ab.

Gabriele lächelte nun breiter und zeigte ihre Zähne. Schließlich waren die wieder makellos weiß, seit sie sich nachts eine Bleichschiene in den Mund zwängte. Erleichtert stellte sie fest, dass Julian zurücklächelte. Vielleicht ging es ja gut, vielleicht würde er in einem traumwandlerischen Moment der Zerstreutheit nicht bemerken, dass sie auf Abwege geraten war, einmal nur, dieses eine Mal.

Sie war emotional weitgehend entkernt, doch wenn es um Julian ging, loderten alle Symptome einstiger Verliebtheiten auf wie Phantomschmerzen. Er war ihr Held und ihr Gönner. Ihre Instanz. Sein Rat, sein Urteil waren Gesetz.

Der Griff ins Haar ersetzte das Händeschütteln. Gleich darauf verschwand sein Lächeln.

»Ja sag mal, wo warst *du* denn?«

Backfischröte schimmerte jäh durch Gabrieles Puder hindurch, Scham und Zerknirschung erledigten den letzten Rest Haltung. Stand nicht am Anfang des Dekalogs die Forderung, es gebe nur einen Gott und keine anderen Götter neben ihm?

»Das war im Urlaub, wie soll ich sagen, ich fühlte mich so grauenvoll, es regnete auf Mauritius, alles war grau, ich hatte einen unterirdischen ›bad hair day‹, und da habe ich, ich meine, da bin ich eben dort mal zum, äh, zum – Haareschneiden gegangen ....«

Der Rest war Flüstern.

Stumm ließ Julian seine Hände durch ihr Haar gleiten, prüfte jede Strähne, erfühlte jeden Eingriff, ertastete das ganze Ungemach eines misslungenen Schnitts. Immer wieder erlebte er, dass gerade die eingeschworensten Stammkundinnen plötzlich mit formalästhetischem Totalschaden von fremder Hand auftauchten. So, als sei seine Autorität dermaßen übermächtig, dass pubertäre Züge der Auflehnung unumgänglich wurden, auch wenn sie rasch in tiefe Reue umschlugen.

Gabriele verfolgte die inquisitorische Prozedur mit waidwundem Blick. Alles konnte sie sich leisten – den Mann der besten Freundin verführen, hochgeheime Telefonnummern weitergeben, die Meinung wechseln wie die Lippenstiftfarbe. Aber das hier, das war Hochverrat. Ergeben wartete sie auf den Urteilsspruch.

Julian ließ die Hände sinken und betrachtete gedankenverloren ihren Hinterkopf. Sie schlug die Augen nieder. Bitte, bitte, sag doch was.

»Das muss runter.«

Sie nickte. Ich mache alles wieder gut. Du bist der Einzige, der Beste, der Wahre. Verfahre nach deinem Gutdünken. Schneide alles weg. Tilge alle Spuren der fremden Anmaßung.

Unwillkürlich fuhr ihre Hand ins Haar, mit der gewohnten Geste, doch es war zwecklos. Dann war nichts weiter zu hören als das Geräusch der Schere, die mit der Präzision eines operativen Eingriffs geführt wurde.

Julian spürte Gabrieles Beklommenheit und beschloss, die Absolution in Gestalt des vertrauten Smalltalks noch ein wenig hinauszuzögern. Gabriele brauchte eine strenge Hand. Da sie als Klatschkolumnistin der »Society« nie vergaß, ihn auf die symbiotische Natur ihrer Beziehung hinzuweisen, verschaffte ihm die Autorität seines Handwerks eine willkommene Gelegenheit, ihren Machtansprüchen etwas entgegenzusetzen.

Schweigend warf er ihren Kopf hin und her, drehte sie auf dem Stuhl herum, befahl ihr, sich vorzubeugen. Willig ließ sie es geschehen.

Duldungsstarre, dachte er und lächelte. Sein Blick wanderte durch die unwirklich hellen Räume. Obwohl alles klinisch aufgeräumt und strahlend wirkte, erschien ihm sein Salon manchmal wie ein Alchimistenkabinett. Ich bringe die Materie durch Läuterung von einem unvollkommenen Zustand in einen vollkommenen, sagte er sich.

Es war ein Spiel, und er beherrschte es von der ersten Stunde an. Ich sehe was, was du nicht siehst. Ich sehe dich so, wie du gemeint bist.

Gabriele hatte sich der eher rüden Bearbeitung eine Weile lang ohne Widerspruch gefügt, jetzt sah sie fragend auf. Also gut, dachte Julian. Das Antiblockiersystem ist aktiviert.

»Geh, Mäuserl«, rief er über die feuchten Strähnen hinweg in den Spiegel, »jetzt schaut's wieder sssuper aus!«

Erleichtert tastete Gabriele nach der Zigarettenschachtel in ihrer Kelly-Bag.

»Erzähl doch mal, was hast du für mich?«, fragte sie und zündete sich eine Zigarette an. Ich sollte die Friseurkosten auf die Spesenrechnung setzen, dachte sie, während Julian die neuesten Interna ausbreitete.

*

»Ich sage nur – Vasari.«

Etwas mitgenommen setzte sich Gabriele auf einen Barhocker und deutete stumm auf die Flasche Champagner, die in einer silbernen Schale auf zerstoßenem Eis lagerte. Sogleich wurde ihr eingeschenkt.

»Vasari?«, fragte Alexa, ein Neuzugang der Partygesellschaft, eine Novizin, die sich arglos zu der luftig aufgeföhnten Kolumnistin gesellt hatte. Gönnerhaft senkte Gabriele die Stimme.

»Na, der Italiener, der …«

»Ach so, Vasari, wurde der nicht von seinem Lover in Miami erschossen?«

Gabriele seufzte und tauschte einen Blick mit ihrem neuen Spiegelbild, das sie zwischen den Flaschen der Bar anstarrte. Oha, dachte sie. Es ist leichter, sich an einen neuen Mann zu gewöhnen als an eine neue Frisur. Dennoch hatte sie längst Ersteres zugunsten des Zweiten aufgegeben.

»Schätzchen, ich spreche doch nicht von Versace!«, rief sie ein wenig zu laut, denn soeben hatte sie im Spiegel Beate Budenbach entdeckt, ihre erbittertste Konkurrentin, die am Entree über einen Termin verhandelte. Auf keinen Fall sollte Beate entgehen, dass das Terrain bereits okkupiert war.

»Der ist ja auch sowieso …« versuchte es Alexa, doch Gabriele schnitt ihr das Wort ab.

»Vergiss es. Vasari war ein kultureller Revolutionär, der Erste, der die Künstler aus dem Stand von Domestiken erhob und zu

Individuen machte. Vorher waren sie gewissermaßen Teil des Gesindes, namenlose Pinselsklaven in Palästen und Residenzen. Vasari aber erkannte ihre Bedeutung. Er porträtierte sie als Schöpfer, die Einfluss hatten und das Lebensgefühl prägten und ...«

»Wovon redest du eigentlich?«

Gabriele schloss entnervt die Augen. Es war sinnlos, einfach sinnlos. Alexa war wirklich ein ahnungsloses Hühnchen. Ein Girlie aus dem Nichts, ein Mädel ohne Eigenschaften, und dennoch galt sie als die neue Hoffnung des Hochadels. Das Grafengeschlecht, aus dem sie stammte, war zwar lediglich eine verarmte Nebenlinie, ohne Vermögen und Bedeutung; aber vor kurzem hatte Alexa diesen Mann geheiratet, der einfach alles hatte, das perfekte Bankkonto, das richtige Handicap, den bestbestückten Weinkeller. Und einen Namen, der durch die clevere Heiratspolitik seiner Vorfahren so lang war wie das Telefonbuch einer mittleren Kleinstadt.

Gabriele verfolgte Alexas gesellschaftlichen Aufstieg mit lauernder Neugier. Sie selber hatte so lange ihre Mesalliancen kultiviert, bis sie der Neid der monogamen Gattinnen langweilte. Nun galt sie als unbemannt und arbeitete hart an ihrem Ruf als überzeugter Single.

Alexa aber war nun eine veritable Fürstin. Allerdings sah man ihr das nicht an, fand Gabriele. Abschätzig musterte sie das brave Pünktchenkleid, in dem ihr Gegenüber erschienen war. Was hätte sie, Gabriele, nicht alles aus solch einem Status gemacht. Sie hatte das Know-how für das gesellschaftliche Parkett, sie war eine exzellente Kennerin all jener Verfeinerungen, jener eigenwilligen Mikroorganismen des Stils und des Umgangs, die sie als Gesellschaftskolumnistin mit dem hungrigen Blick der Außenseiterin studiert und verinnerlicht hatte. Sie war bereit. Doch niemand gab ihr die Gelegenheit, all das zu nutzen, niemand achtete auf sie, niemand goutierte ihr Wissen, ihre Professionalität. Sie fühlte sich wie eine übervorbereitete Examenskandidatin, die nicht zur Prüfung vorgelassen wird. Es war zum Verzweifeln.

»Wovon ich rede? Von Julian natürlich«, sagte sie ungeduldig.

»Was hat Julian damit zu tun?«

»Erinnerst du dich, wie Julian anfing, damals, in seinem kleinen Schwabinger Laden?«

»Ja sicher, ich war natürlich noch ein Teenager …«

»Danke, du Küken. Damals, da war er ein Dienstleister. Ein Domestik. Wie ein Hofmaler des siebzehnten Jahrhunderts. Verstehst du?«

»Hm.«

»Und was ist er heute?«

Alexa blickte kurz zu Julian hinüber, der gerade die sehr, sehr angesagte Schauspielerin umarmte, um dann per Handy den Flug nach New York zu bestätigen, während die Reporterin der Abendzeitung ihn unablässig fotografierte.

»Er ist ein – äh – Star?«

»Alexa-Mäuschen, Stars sind viele. Genau fünf Minuten lang, wie der Andy immer gesagt hat. Gerade denken sie noch: Ich bin drin! Und dann: Plopp! Aus die Maus! Julian aber ist da, wo seine Kundinnen gern sein möchten. Er ist ganz oben angekommen in der Gesellschaft. Und mehr als das: Er definiert, was diese Gesellschaft ist. Verstehst du es jetzt?«

Verlegen nippte Alexa am Champagner. Dann nickte sie vorsichtshalber, während Gabriele weiter an ihrem Privatissimum feilte.

»Als Vasari zum ersten Mal in der Geschichte die Biografien von Künstlern aufschrieb, da war noch der Adel stilbildend. Aber wer kennt heute noch die Herrschernamen? Keiner. Und wer kennt Michelangelo? Jeder.«

Ein kurzer Blick in Alexas staunendes Gesicht.

»Na ja, fast jeder. Vasari sei Dank. Und heute? Na? Wer ist heute stilbildend?«

»Versace?«

Gabriele seufzte erneut und orderte ein zweites Glas Champagner. Alexa verfiel in tiefes Grübeln.

»Stilbildend, nun ja – Jil Sander, Helmut Lang, Donna Karan …?«, schlug sie vor.

»Also gut.«

Gabriele blickte über das frisch gefürstete Hühnchen hinweg und fixierte den marmornen Jüngling, der sich überlebensgroß neben der Bar ausstreckte. Eine Nachbildung des Barberinischen Fauns, lasziv lagernd, wie nach ausgiebigem Liebesspiel ermattet. Einen Moment lang verharrte Gabrieles Blick dort, wo der Knabe recht männlich wirkte, dann rief sie sich zur Ordnung. Auch auf diesem Felde waren ihre Erfolge wenig überzeugend gewesen.

»Wer gibt die wichtigsten Essen?«, fuhr sie fort. »Wer sagt, was in und out ist? Wer führt noch einen echten Salon? Und ich rede jetzt nicht von Kamm und Schere. Ich rede von der Gesellschaft. Von der guten Gesellschaft. Wer nobilitiert alle diese Frauen und macht aus ihnen wahre Herzoginnen?«

»Julian?«

Alexa flüsterte nur noch.

»Genau.«

Zufrieden betrachtete Gabriele ihr frisch gefülltes Glas. Der Champagner danach. Ihr liebstes Ritual. Die Belohnung des immer wieder neuen Abenteuers, sich in die Hände eines Mannes zu begeben. Ihre reizarme Existenz wurde immer wieder lustvoll erschüttert durch die Berührungen des Friseurbesuchs, durch die angenehme Distanzlosigkeit der kleinen Handreichungen und Gesten, durch die verwirrende körperliche Nähe, die gleichermaßen erquicklich wie gefahrlos war.

Die Bar in Julians Salon war mittlerweile ihr Repräsentationsraum geworden. Hier hielt sie Hof, hier feierte sie die immer wieder neu sich gnädig einstellende Illusion, irgendetwas Entscheidendes habe sich geändert durch Shampoo, Schnitt und Styling. Sie nahm einen großen Schluck. Vergessen war die Demütigung ihres entdeckten Fehltritts. Sie war wieder intakt. Sie gehörte wieder ihm, sie gehörte wieder dazu.

»Und dieser Vasari – kenne ich den?«

Alexa gab sich wirklich Mühe.

»Ganz offensichtlich nicht. Hast du schon mal was von der Renaissance gehört? Re-nais-sance!«

»Für so was habe ich doch dich!«

Alexa lachte unsicher und umklammerte ihr Glas. Gabriele war wirklich anstrengend heute. Musste sie denn immer ihre Bildung heraushängen lassen wie ein Designer-Etikett?

»Kommen wir zum Punkt«, dozierte Gabriele unbeirrt. »Wenn alles gut geht, werde ich der Vasari des einundzwanzigsten Jahrhunderts.«

Geschenkt, dachte Alexa.

»Und Julian wird mein Michelangelo sein. Ich werde ein Buch über Julian schreiben, ein Buch, das zeigt, wie er wurde, was er ist. Und warum«, schloss Gabriele. Sie war nun sichtlich beeindruckt von ihren Worten. Ihren Job bei der »Society« hatte sie immer als Sprungbrett betrachtet, um eines Tages als Buchautorin zu reüssieren.

»Eine tolle Idee«, sekundierte Alexa. Man konnte ja nie wissen. Sie hatte keine Ahnung, was Gabriele sich wieder ausgedacht hatte, aber es klang irgendwie – spannend.

»Süße! Wie schön, dich zu sehen!«

Die beiden Frauen fuhren herum.

»Hallo Beate«, sagte Gabriele ohne Begeisterung und hielt reflexhaft ihre Wange zum Kuss hin, doch Beate Budenbach ließ Gabrieles erwartungsvolles Gesicht absichtsvoll in der Luft hängen und winkte stattdessen mit zappelnden Fingern in die Runde.

Umständlich deponierte sie ihren Prada-Rucksack auf dem Tresen, sodass niemand das Label übersehen konnte, und bestellte ebenfalls Champagner.

»Ist das nicht …«, fragte sie dann herablassend und deutete auf Alexa.

»Darf ich bekannt machen? Fürstin Alexa – Beate Budenbach,

Chefkolumnistin der ›LebensART‹«, stellte Gabriele die beiden einander vor.

»Wir sprechen gerade über Julian«, sagte Alexa unbefangen.

»Gabriele schreibt ein Buch über ihn!«

»Um Gottes willen!« Beate Budenbach schloss theatralisch die Augen. »Über Julian? Ein charmanter Kerl, keine Frage, aber man sollte ihn nicht zu wichtig nehmen. Ein Buch! Über einen Friseur! Was für eine Hybris! Du lieber Himmel, Gabriele, was zahlt er dir denn dafür?«

»Nicht einen Pfennig!«, rief Gabriele aufgebracht. »Warum bist du überhaupt hier?«, setzte sie nach, denn Beate Budenbachs eher nachlässige Frisur stand nicht gerade im Verdacht, von professioneller Hand betreut zu werden. Wild lockte sich eine diffuse Mähne um ihr freudloses Gesicht, eine durchgeschlagene Dauerwelle, die an einen ramponierten Flokatiteppich erinnerte.

»Ich will nur ein paar News abchecken, hier erfährt man ja immer alles«, antwortete Beate Budenbach. »Den ganzen Hype mit den Haaren nehme ich nur am Rande mit. Oh, hallo Julian, mein Schatz!«

Mit ausladenden Gesten umarmte sie Julian, der zur Bar geeilt war, um einen Kaffee zu trinken. Überschwänglich drückte sie ihn an sich, sodass er kurzfristig in den Falten ihres voluminösen schwarzen Kleides zu versinken drohte. Vergeblich versuchte er sich zu befreien, denn sie hielt ihn fest umschlungen wie eine Beute.

»Endlich sehe ich dich wieder! Ich hatte schon Entzugserscheinungen! Alles klar, mein Hase? Was geht denn so ab?«

Julian machte sich nun geradezu gewaltsam aus der drangvollen Umklammerung los und rückte seine Brille gerade.

»Eine Hochzeit. Chantals Drittversuch«, keuchte er und richtete seine Krawatte. Warum müssen die immer so an mir herumdrücken wie Hausfrauen, die am Obststand den Reifegrad von Avocados testen, dachte er. Eines Tages werden die mich noch fressen. Manchmal sehnte er sich nach den Zeiten, als ein Handkuss Ausdruck höchster gesellschaftlicher Intimität gewesen war.

14

»Ach, die Chantal«, sagte Beate Budenbach gedehnt. »Andere schlafen sich hoch, die heiratet sich runter. Der Erste war ja noch ein Prinz, dann kam ein Freiherr vom Lande, und jetzt soll sie einen arabischen Ölmulti aufgetan haben.«

»Er kommt aus New York«, ergänzte Gabriele Himmerl. »Die Familie sitzt in London, Chantal hat ihn beim Segeln auf Capri kennen gelernt. Und Julian macht die Hochzeitsfrisur!«

Beate Budenbach sah mit einem Mal leidend aus. Sie konnte schwer ertragen, wenn andere Herrschaftswissen zum Besten gaben, an das sie nicht als Erste herangekommen war.

»Heute war Gabriele schneller«, lachte Julian. »Du solltest öfter in den Salon kommen, Beate. Das wäre nicht nur haartechnisch ein Gewinn, sondern auch für deinen Job, gell?«

Du bist auch noch dran, dachte Beate Budenbach. Du bist schon viel zu lange der Sonnyboy. Aber eines Tages knips ich dir die Sonne aus, verlass dich drauf.

*

Die Hochzeit war so fein, dass selbst für die Chauffeure ein Büfett bereitstand, wenn sie auch statt Champagner einen unspektakulären Prosecco bekamen. Sie hatten die grauen und dunkelblauen Uniformjacken ausgezogen und machten sich in der festlich geschmückten Scheune über Weißwurst und Brezeln her. Die Jüngeren vergnügten sich noch damit, ihre Herrschaft zu parodieren, die älteren schwadronierten längst über Motoren und Bremssysteme, und die alten Hasen lasen gelangweilt Zeitung.

»Total abgedreht, die Braut«, fachsimpelte Marc, der Anfänger. Er war noch nicht lange genug im Geschäft, um sich das Wundern abgewöhnt zu haben. Er konnte immer noch staunen. Über nächtliche Ausflüge zu Partys, die Hunderte von Kilometern entfernt stattfanden, über improvisierte Gelage im Fond, die rasch an der Tankstelle gecatered wurden, über Shoppingtouren, bei denen er einen Vormittag lang nur ein paar hundert Meter fuhr, einmal die Maximilianstraße hinauf und herunter, während sich im Kofferraum die Tüten stauten.

»Drei, nein, vier Hochzeitskleider hat sie gekauft! Wahnsinn! Die konnte sich bis zuletzt nicht entscheiden. Würde mich nicht überraschen, wenn sie sich auch nicht für einen einzigen Kerl entscheiden könnte.«

»Ist ja schließlich schon der Dritte«, sagte sein Nachbar und öffnete routiniert seine Tupperdose. »Ich steh auf Rohkost, dieses Oktoberfestzeug macht mich ganz krank. Außerdem muss ich im Auto dann immer blubbsen. Kommt nicht gut bei diesem Job.«

»Der hat jedenfalls so viel Kohle, dass er sich die Wasserhähne im Privatjet vergolden lässt. So ein Araber aus London«, erzählte Marc.

»Dann pass mal auf, dass du nicht arbeitslos wirst. Die nehmen jetzt immer den Fliegenden Teppich!«

Marc machte nicht einmal den Versuch, die stumpfe Pointe mit einem Lächeln zu belohnen.

»Und dann die Gästeliste! Seit Wochen hat sie an der Gästeliste rumgemacht! Den ganzen Tag hat sie im Auto telefoniert. Und weißt du, mit wem? Mit ihrem Friseur! Stell dir das mal vor! Das ging immer nur: Julian – sollen wir wirklich diesen abgelöffelten Oberlangweiler einladen? Und die Lulu – ist die nicht seit der Scheidung durch? Wir brauchen noch ein paar Paradiesvögel! Hast du was fürs Auge? So richtig fettes Fotografenfutter?«

»So 'n Leben möchte ich nicht geschenkt haben«, brummelte der Tuppermann.

»Aber schöne Haare hat sie«, sinnierte Marc weiter. »Honigfarbene Haare, bis zur Hüfte. Stell dir das mal vor, ich meine ...«

»Nicht mal dran denken«, sagte der andere und biss krachend in seine Möhre.

Währenddessen streckte sich Julian im Schloss der Familie von Wetterau auf einer Récamière aus und besprach mit dem Visagisten die letzten Feinheiten.

»Alles in Rosa«, ordnete er an, »unschuldig soll sie aussehen, taufrisch! Als sei's das erste Mal! Also Apfelbäckchen, Lipgloss in Pink und alles hell abpudern!«

»Tädää!«

Chantal Gräfin Wetterau sprang barfuß aus dem Badezimmer und persiflierte den großen Auftritt, während sie ein paar bunte Tabletten hinunterwürgte. Jetlag, Migräne, Langeweile – es gab immer einen Grund, etwas einzuwerfen.

Sie hatte das Dior-Kleid angezogen. Aber sie war sicher, dass sie es schon auf dem Weg zum Altar bedauern würde. Julian hatte ihr zum Westwood-Outfit geraten: aufreizend geschnürter Seidenmousseline, fließend und durchsichtig wie die Sünde. Und Julian hatte eigentlich immer recht. Aber was würde ihre Frau Mama dazu sagen? Und erst der arabische Clan?

Freudlos schnürte Chantal durch den hohen Raum und begutachtete sich in den mannshohen Schneiderspiegeln, die überall aufgestellt waren.

Ja, das Kleid war nett. Ein Traum, einfach ein Traum, hatte ihre Mutter, Marina Gräfin Wetterau, immer wieder verzückt ausgerufen. Eine ganze heillos verspannte Woche hatten sie zusammen in Paris verbracht, zum Kampfshoppen de luxe. Dort war auch dieses Kleid extra für sie angefertigt und täglich neu geändert worden. Wie hatte sie die Panik in den Augen der Näherinnen genossen, wenn sie wieder eine neue Idee zum Besten gab: Nein, keinen Gürtel, lieber eine Schärpe. Und ein Tuch, nein, was sag ich: Eine Stola! Eine Stola musste her. Doch, sehr schön. Aber leider, leider ein bisschen glanzlos. Das ist eine Hochzeit, kein Kaffeekränzchen! Compris? Wie wär's mit eingestickten Svarowski-Kristallen? So hundert oder zweihundert Stück? Oder tausend? Schaffen Sie das bis morgen früh? Pas de problème? Merci.

Die Auswahl des Bräutigams war ein Kinderspiel gewesen gegen die Wahl des richtigen Kleides. Himmelherrgottnochmal, bei der nächsten Hochzeit würde sie ihre Mutter auf der Standspur lassen und mal richtig durchstarten.

Nur eines wusste sie: Julian hatte sie heute zur Königin gekrönt.

Er hatte weiße Babyorchideen in ihr Haar geflochten und die goldene Pracht zu einer diademartigen Frisur aufgetürmt. Und er hatte auch nicht vergessen, den Eindruck unnahbarer Herrscherwürde durch ein paar herausgezupfte Strähnen ins dezent Menschliche abzutönen.

Der Visagist hatte Tränen in den Augen.

»Chantal, oh Gott, Chantal, es ist, als ob ich heute selber heirate«, schluchzte er und stäubte wieder und wieder die Puderquaste auf seinem Handrücken ab, der schon recht mehlig wirkte.

Mürrisch setzte sich Chantal an den Schminktisch. Wenigstens hatte sie in dieser bangen Stunde Julian dabei. Und der hatte Uwe mitgebracht, den Meister der medienkompatiblen Maske. Anfangs hatte Uwe noch den Lockeren gegeben: »Na, Süße, was machen wir denn heute: Erst mal die Tränensäcke hochbinden oder was?« Doch inzwischen schlingerte er nervös um sie herum wie ein schwer betrunkener Salsatänzer.

»Den Mund, vergiss nicht den Mund! Zur Not schmink ihr die Mundwinkel nach oben. Kopf hoch, Mäuserl, die Hochzeit wird ssuper!«

Julians Stimme hatte wie immer eine leicht angeraute Kehligkeit, den Klang durchtriebener Unschuld. Er wusste, dass man von ihm die Rolle eines Zirkusdirektors erwartete, der nicht nur die optische Manegentauglichkeit seiner Hauptattraktion garantierte, sondern die Verantwortung für jedes denkbare Detail übernahm. Selbst für die Laune der Braut.

Vom Blumenschmuck bis zur Gästeliste hatte man ihm ins Vertrauen gezogen, mit jener Stilunsicherheit, die ihn immer wieder erstaunte, wenn es um die Catwalks der Society ging, um die strahlenden Events, die später so mühelos wirkten, so selbstverständlich, als seien sie mit leichter Hand improvisiert worden.

Rastlos lief er in der Suite umher und warf von Zeit zu Zeit einen Blick auf Chantal, die lustlos vor dem Spiegel kauerte. Hochzeiten waren die psychologischen Härtetests seines Metiers. Chantal hatte zwar bereits eine gewisse Übung in diesem Genre, doch mit jedem Mal wuchs ihre tiefe Beklemmung, und es erforderte heute alle seine Entertainerqualitäten und Beichtvaterkompetenzen, um ihre verzagte kleine Seele wieder aufzurichten. Aber dieses verirrte reiche Mädchen zu betreuen, hätte selbst den geübtesten Bewährungshelfer auf eine harte Probe gestellt.

In einer Stunde musste sie die glückliche Braut geben, es blieb nicht viel Zeit. Er zündete sich eine Zigarette an. Wenigstens muss ich nie heiraten, dachte er.

Erschwerend kam hinzu, dass er Chantals Nöte nicht nur verstand, sondern nur allzu gut kannte. Mit Schrecken dachte er an die edle Einfalt seiner Anfangsjahre zurück, als er sich noch treuherzig in alle Messer gestürzt hatte, die vor ihm aufblinkten, weil er sie für das glamouröse Funkeln seines beginnenden Ruhms hielt. Wie oft hatte er beim Morgenkaffee fassungslos lesen müssen, dass sich seine gut gelaunten Statements über Nacht zu indiskreten Sottisen verwandelt hatten, wie zur billigen Belustigung verkam, dass er im Überschwang eines partyseligen Augenblicks wild getanzt oder geflirtet hatte. Und obwohl er sich auf wundersame Weise seine Gutartigkeit erhalten hatte, war er doch wachsam geworden, sobald sich der gierige Schlund der Öffentlichkeit auftat, sobald Kameras und Mikrofone in Position gerückt wurden wie Geschütze.

Er hatte gelitten und gelernt. Und er war fest entschlossen, Chantal zu beschützen. Armes Hascherl. Die Männer kommen und gehen, der Friseur bleibt, dachte er. Ich bin die einzige Konstante in deinem vertrackten Leben.

»Nun lächle doch mal, Süße. Du siehst fantastisch aus, der Bräutigam hat den ultimativen Neidfaktor inklusive Exotenbonus, die Location ist unerreicht, die Gäste sind A-Liga. Wenn du willst, trage ich dich huckepack in die Kirche. Uwe, wo bleibt die Kontur?«

Mit fliegenden Fingern griff der Visagist zu einem weißen Stift und bemühte sich, eine perfekte Linie rund um Chantals Lippen anzulegen. Gewissenhaft überwachte Julian die Prozedur.

»Wo hast du denn die Lippen machen lassen, die sind ja super fluffig!«, raunte er anerkennend.

»Schließlich wollte ich nicht so ein Schlauchboot wie Gabriele, habt ihr DAS schon gesehen?«, presste Chantal mit bewegungslosem Mund hervor.

Julian zündete sich eine weitere Zigarette an. Die professionelle Nähe zu seinen Kundinnen bescherte ihm bizarre Einblicke in den aktuellen Stand der operativen Beauty-Szene. Er sah die Verätzungen des Laserstrahls und die Einstiche der Spritzen, wenn die Damen sich zur Botox-Party getroffen hatten, wo smarte Ärzte das Spritzbesteck nicht eher aus der Hand legten, bis sie die letzten Spuren mimischer Lebendigkeit getilgt hatten. Er sah die winzigen Nähte hinter den Ohren und am Dekolletee, und er war zuverlässig zur Stelle, wenn noch die kleine Strähne fehlte, die einen schlecht verheilten Eingriff verdecken sollte.

»Gabriele?«, fragte er belustigt. »Ich habe sie kaum wiedererkannt neulich, was für ein gigantischer Mund, du liebe Güte, wenn die da Eigenfett reingespritzt haben, dann hat sie jetzt mindestens zwei Konfektionsgrößen weniger.«

»Nein!«, schrie Uwe und hielt sich mit gespieltem Entsetzen die Ohren zu.

Julian legte die Zigarette im Aschenbecher ab.

»Wenn Gabriele lacht, dann sieht es so aus, als hätte sie die Winterbereifung aufgezogen!«

Chantal kicherte, ohne die Miene zu verziehen, wie eine Bauchrednerin.

»Aber die beste Nummer war die mit ihren Augen«, erzählte sie. »Ich traf Gabriele vor ein paar Wochen in der Klinik. Fast wäre ich erblindet, kreischte sie, nun stell dir das mal vor, wenn ich nicht meinen Retter gefunden hätte, einen fantastischen Arzt, der hat das Lid angehoben, und schau, ich kann wieder sehen! Er hat mir das Augenlicht neu geschenkt! Dabei hatte sie einfach nur Schlupflider wie Vorhangschlösser.«

Sie lachte mit reglosen Lippen, während Uwe fahrig den weißen

Stift anspitzte und aufs Neue die grafische Verschönerung ihres Mundes betrieb.

»Ach ja, Darling, Wimpern! Möchtest du Wimpern?«, fragte er beflissen. »Ich habe tolle Dinger dabei. Aber Vorsicht – wenn du vorhast, ein paar Tränchen zu vergießen, dann …«

»… dann hängen sie nach dem Jawort am Kinn«, beendete Julian den Satz. »Und dann schreibt Beate Budenbach: ›Die Braut trug Bart.‹«

»Nicht lachen!«, rief Uwe. Unter seinem kecken Piratentüchlein lösten sich die ersten Schweißtropfen.

»Obacht vor Beate Budenbach. Die hat Arsen in der Tinte«, warnte Julian.

»Geheult wird heute nicht. Die gerührte Version hatte ich schon, in doppelter Ausführung. Also her mit den Wimpern!«, befahl Chantal.

»Hach Gott, eine echte Hochzeit, wie gut, dass ich jetzt einen Permanent-Lidstrich habe, da rutscht nichts weg – ICH werde auf jeden Fall heulen!«, juchzte Uwe.

Chantal winkte ab.

»Warte erst mal, wenn die Musik spielt! Das wird so tränentreibend, die müssen hinterher die Kapelle wischen. Meine Mutter hat wochenlang alle abgekaspert: Was kann man denn bloß eventen? Wer soll denn spielen für die Kleine? Der Julian hat ihr dann den ultimativen Tipp gegeben: Keith Jarrett an der Orgel! Keith Jarrett!! Das macht der nie, hat meine Mutter gesagt, als wir ihr erklärt haben, wer das ist. Der liebe Gott des Jazz! Der Hohepriester des Purismus! Aber Julian hat ein bissel telefoniert und – bingo!«

»Oh Gott, oh Gott …«, stöhnte Uwe. Er griff zur Coladose und sog mit Schmollmündchen am bunten Strohhalm.

»Immer noch besser als Grethe Weiser am Synthesizer«, platzte es aus Chantal heraus.

*

Das Glas beschrieb einen eleganten Bogen, blieb während seines Fluges dank der Zentrifugalkraft teppichschonend gefüllt und zersprang dann umso wirkungsvoller am Spiegel, der das Bild der Braut flugs in tausend kleine Facetten zerteilte.

»Rosenresli!«, schrie Chantal und zerrte an ihrem Brautkleid, sodass die Knöpfe absprangen. »Rosenresli hat sie mich genannt! Diese blöde Kuh!«

Sie ließ sich in einen Sessel fallen und rupfte sich eine Baby-Orchidee nach der anderen aus dem Haar.

»Ich wusste es, ich wusste es gleich, dass Viviennes Kleid besser gekommen wäre. Oder das durchgeknallte Gaultier-Teil. Oder – – egal. Wer trägt denn heute noch Dior? TÜLL!«

Sie riss sich die zarte Stola vom Hals, in der die winzigen Svarowski-Kristalle blinkten.

»TAFT!«

Sie sprang auf, riss Uwe die Coladose aus der Hand und leerte sie auf dem strahlend weißen Stoff.

»SCHNUCKELIGE SCHÜHCHEN!«

Sie schleuderte die handgenähten Satinpumps in die Ecke.

»SHIT!«

Uwe bedeckte sein Gesicht mit den Händen.

»Du warst schön, wunderschön! Wunder-wunder …«, stammelte er.

»Ja – schön. Schön blöd. Beate hat völlig Recht. Ich sah aus wie das Rosenresli. Das niedliche Dummchen. Die süße kleine Prinzessin. Wie ich das alles SATT habe!«

Julian lag auf dem Sofa und betrachtete leicht abwesend das Boudoir-Theater. Nur ein bleistiftfeines Grübchen verriet, wie sehr ihn die Szene amüsierte. Chantal wirkte filmreif in ihrer Empörung, dabei war die allgemeine Begeisterung überwältigend gewesen. Trotz aller Regeln, die ein diskretes Verhalten am heiligen Ort vorschrieben, hatte man hemmungslos geklatscht, als Chantal zum Altar geschritten war. Doch ein Halbsatz von Beate Budenbach beim anschließenden Champagnerempfang hatte genügt, um Chantals Euphorie in tiefe Depression umschlagen zu lassen.

Er kannte Beate Budenbachs Vorliebe für winzige, aber gut platzierte Widerhaken, die sie mit sicherem Instinkt diesmal in Chantals wundes Herz gesenkt hatte. Touché, Beate, dachte er. Du hast mal wieder über die Bande gespielt und Chantal verletzt, aber mich gemeint. Er war fest entschlossen, dieser Kampfansage angemessen zu begegnen.

Währenddessen tobte Chantal mit unverminderter Heftigkeit weiter.

»Traumhochzeit am Starnberger See! Boahhh! Fad und süß wie ein alter Krapfen! Warum haben wir bloß nicht in New York geheiratet? Erst mit dem Pfarrer in die Subway, dann Champagner auf dem Empire State Building und abends heftig abschmieren im ›Butcher's‹. Das wär's gewesen. Na ja. Nächstes Mal.«

Sie hatte sich das Kleid vom Körper gerissen und stopfte es in den Papierkorb. Tiefschwarze Tränen lösten sich aus ihren Augen und bahnten sich einen Weg durch die rosige Puderschicht. Dann schleppte sie sich zum Schminktisch.

»Heute Abend, heute Abend …«, schluchzte sie. »Da werden wir es denen zeigen! Oh ja, da werden sie staunen. Julian, du musst mich retten! Geh, Putzi, was machen wir denn bloß?«

Julian erhob sich langsam.

»Ja, was machen wir denn nun mit dem Rosenresli?«, echote er sanft und begann, die Nadeln aus ihrem Haar zu nehmen. Seidig und leicht gewellt glitten die Strähnen durch seine Hände, flossen über ihre Schultern und fielen bis auf die mageren Hüften.

Chantal fingerte eine Zigarette hervor, die sie in den Spitzenrand ihrer halterlosen weißen Strümpfe geklemmt hatte und ließ sich von Uwe Feuer geben. Ungeduldig suchte sie ihr Bild im zersprungenen Spiegel. Die weiße Spitzenunterwäsche verdeckte nur notdürftig ihren sorgsam ausgehungerten Körper. Einzig ihre Haare schienen sie noch zu schützen, wie ein Fell, das die gütige Natur ihr geschenkt hatte, um in einem unwirtlichen

23

Klima zu überleben. Sie warf den Kopf in den Nacken, während Julian unablässig die weich schimmernde Pracht bürstete.

»Du wirst alles hinter dir lassen«, flüsterte er. »Dein altes Leben, diese ganze Prinzessinnen-Nummer.«

Chantal atmete schwer.

»Was – was hast du vor?«

Ohne ihr Haar aus den Händen zu lassen, suchte Julian ihre Augen im Spiegel. Irgendwo, zwischen den Scherben, trafen sich ihre Blicke. Dann griff er zu seinem Necessaire, das auf dem Schminktisch lag. Das Geräusch des Reißverschlusses ließ Chantal erschauern.

Noch einmal liebkoste Julian ihr Haar. Dann sagte er leise, so leise, dass Uwe es nicht gleich verstand: »Erinnerst du dich an Jean Seberg? Außer Atem?«

Chantals Augen weiteten sich entsetzt. Sie nickte.

Als sich eine Stunde später die Tür zum Bankettsaal öffnete, zerschnitten ein paar spitze Schreie die Luft. Dann war es still, bis auf das eigentümliche Geräusch völlig synchronen kollektiven Einatmens.

Ein Glas fiel zu Boden. Eine Fliege summte.

Chantal betrat den Saal mit der angestauten Energie eines Tieres, das sich nach langer Gefangenschaft im Käfig zum ersten Mal wieder frei bewegt. Kein Haar auf ihrem Kopf war länger als zwei Zentimeter.

Julian hatte sich seitlich neben das Buffet gestellt und betrachtete die Gesichter der Hochzeitsgäste, ein pointensicherer Regisseur, der die Wirkung seiner Inszenierung überprüfte.

Der Brautvater stöhnte.

»Kind, was haben sie mit dir gemacht?«

Doch niemand hörte seine Worte, denn nun brandete Applaus auf, den Chantal mit erhobenem Kinn entgegennahm. Selbstbewusst schritt sie auf ihren neuen Mann zu, dessen eingefrorene Gesichtszüge nur mühsam zu einem Lächeln auftauten.

Gabriele kritzelte hektisch auf einem winzigen Block herum.

»Wahnsinn …«, murmelte sie, »Wahnsinn …«

Tatjana von Hohenstein lächelte säuerlich.

»Vom Dornröschen zur Amazone, mein Gott, dieser – wie heißt er noch? Julian? Der hat's mal wieder geschafft.«

»Das ist es ja«, sagte Gabriele andächtig und sah von ihrem Block auf, »er ist kein Augendiener, kein Courschneider, kein Lakai und kein Vasall – er ist der Herrscher über dieses Reich!«

»Na, na, nicht zu viel Emphase, bitte. Schätzchen, was ist los? Was hat der kleine Figaro mit Ihnen gemacht?«

Nadelfeiner Hass steig in Gabriele hoch. Kleiner Figaro? Wie konnte diese walkürenhaft aufgebrezelte Schnepfe so von ihm sprechen! Von IHM! Wer war sie denn? Es hatte Gabriele schon immer empört, dass Tatjana von Hohenstein als unangefochtene Grande Dame galt, obwohl sie im Rufe stand, sich ihre Haare selbst zu schneiden. Mit der Nagelschere über dem Waschbecken. Das war gleichermaßen unappetitlich wie stillos, aber Tatjana von Hohenstein erzählte es jedem so ungeniert, als sei sie auch noch stolz darauf.

Gabriele atmete tief ein. Jetzt nur nicht die Nerven verlieren. Sie musste dazu gehören, um ihre Kolumne zu schreiben. Sie durfte natürlich auch wieder nicht so sehr dazugehören, dass die Distanz verloren ging. Das vernichtende Etikett der Hofberichterstattung hatte der Chefredakteur ihr nur zu oft ans Designerkostüm geklebt. O nein, sie war keine seifige Opportunistin. Aber eins war klar: Sie musste Kreide fressen, um Champagner zu trinken.

Sie war ein Zwitter, ein Doppelagent, ein glückloser Kurier, der sich zwischen den Fronten zerrieb. Und jetzt war es einfach schlauer, nicht offen zu widersprechen.

»Was er mit mir gemacht hat? Unwichtig. Sehen Sie sich Chantal an: Er hat sie neu geboren, er hat ihr eine neue Identität gegeben.«

»What's that – Identität?«

Die Frau des Schweizer Botschafters klinkte sich ein. Sie war der neue Stern am Himmel der Klatschblätter, ein marylineskes Geschöpf mit gebleichtem Haar und Kirschmundlächeln. Eine leicht angeschrägte Lady, der übereinstimmend das Attribut »bezaubernd« aufgedrängt wurde, auch wenn sie – shocking! – zuweilen auf dem Schoß gänzlich fremder Herren posierte. Selbst eine so hochkarätige Adelshochzeit wie die auf Schloss Wetterau kam nicht mehr aus ohne solche Farbtupfer, die erst das distinguierte Beige der Gotha-Fraktion zum Leuchten brachten.

»Stellen Sie mir die – äh, Dame mal vor?«

Tatjana von Hohenstein liebte es ganz offensichtlich nicht, einfach so von der Seite angesprochen zu werden.

»Aber gern mache ich Sie miteinander bekannt«, sagte Gabriele artig. Sie kannte Debbie Cunningham-Weiler nur flüchtig, aber sie wusste, dass es ein Tipp von Julian gewesen war, dieses frische, warme Fleisch einzufliegen. Debbie war ein hoch talentiertes Kameratier, keine Frage, und die Presseleute hatten sie prompt auch weit häufiger fotografiert als die Braut. Ihre einstige Karriere als Schönheitskönigin war ein ideales Training gewesen für die kamerataugliche Pose, während Chantal neben ihr allenfalls als begabte Dilettantin durchging.

Pflichtbewusst schnurrte Gabriele die Titel der Gräfin herunter, was die Botschaftergattin mit einem arglosen »Whow!« quittierte.

»Now – what's up with this identity?«

»Wir sprechen über den aufhaltsamen Aufstieg eines Friseurs«, grantelte Tatjana von Hohenstein. »Dass so was heute mit am Tisch sitzt – noch vor ein paar Jahren hätt er seine Semmel mit den Chauffeuren essen müssen.«

Gabriele überging diese Kränkung, die sie stellvertretend für Julian hinnahm, und versuchte es nun mit ihrer neuen These.

»Tatjana, Verehrteste, Julian ist längst der Zeremonienmeister, ach, was sage ich, er ist das geheime Zentrum der Macht!«

»You talk about Julian? He's just great, he's gorgeous, oh my God! He's now in Berlin, too!«

Tatjana von Hohenstein musterte kurz den appetitlich hochgepressten Busen der amerikanischen Schweizerin, deren Dekolletees im Mutterland von Käse und Schokolade regelmäßig unter dem Aspekt diplomatischer Würde diskutiert wurden.

»Ihr seid's besser dran in Amerika, ihr braucht nicht die Friseure auf dem Parkett, ihr habt's als Hofnarren eure Psychotherapeuten. Und mit denen kann man sich wenigstens einigermaßen intelligent unterhalten, die haben schließlich studiert!«

Die Worte brannten auf Gabrieles Wangen wie Ohrfeigen. Was für eine unsägliche Dreckschleuder. Salzburg, dachte sie in ohnmächtiger Wut. In Salzburg gibt es Revanche, Madame. Tatjana von Hohenstein nahm die Festspiele immer zum Anlass, sich als amtierende Kultur-Päpstin zu gerieren. Es würde sich schon ein unvorteilhaftes Foto von ihr finden und einer ihrer dummenhaften Kommentare zur neuen Jedermann-Inszenierung. Dazu ein Hinweis auf die drohende Senilität dieser selbsternannten Institution, getarnt als Zitat aus nicht genannter Quelle. Gabriele kämpfte mit Stecknadeln, nicht mit dem Florett.

»Und wo haben Sie studiert, verehrte Gräfin?«

Wenigstens diese Stichelei musste sein. Sonst wäre Gabriele erstickt. Sie wusste, dass diese Tatjana ein Leben lang nichts anderes getan hatte, als zu heiraten, Dienstboten zu befehligen und ihren öffentlichen Müßiggang zu inszenieren.

Tatjana von Hohenstein öffnete kurz den Mund und klappte ihn wieder zu.

»Oh, da ist ja Julian, unser Held des Tages. Ich muss unbedingt mit ihm sprechen«, rief Gabriele betont munter und tänzelte davon.

»She's great! Who is she?«, fragte Debbie mit strahlendem Lächeln.

»Ein Wimmerl auf dem Antlitz der guten Gesellschaft«, antwortete Tatjana von Hohenstein übellaunig und steuerte grußlos das Buffet an.

»A la bonne heure!« Gabriele schmiegte sich eng an Julian.

»Schatzerl, das hast du einfach großartig gemacht mit der Chantal!«

Julian rieb sich die Wangen mit einem Stofftaschentuch, denn Gabrieles frisch aufgequollene Lippen hinterließen jede Menge Farbe, die er als fettigen Film auf seiner Haut spürte. Mit Genugtuung sah er in einiger Entfernung Beate Budenbach umherschnüren, die sich sichtlich unwohl fühlte und düsteren Blicks Kanapees in sich hineinstopfte. Das Rosenresli ist durch, dachte er befriedigt. Nun dichte mal schön. Gegen diesen Erfolg kannst nicht einmal du anschreiben.

Er hatte bereits mehrere Interviews gegeben und betrachtete gerührt Chantal, die sich mit fiebrigen Wangen feiern ließ. Es war geglückt. Wieder einmal. Aber das war nur eine Fingerübung gewesen. Er wollte mehr.

Schon immer hatte er nach einem Geschöpf Ausschau gehalten, das er mit seiner Verwandlungskunst in die vorderste Reihe katapultieren könnte. Ein unscheinbares Mädchen, das genug Ambition hatte, sich einem folgenreichen Relaunch zu unterziehen. Vom Pony bis zum Pumps. Vom Scheitel bis zur Sohle. Eine magische Metamorphose schwebte ihm vor, ein Experiment aus dem Alchimistenkabinett, bei dem sich in Gold verwandeln sollte, was vorher stumpfer Ton gewesen war.

Chantal war schon zu lange der Liebling der einschlägigen Blätter, um noch echte Überraschungen zeitigen zu können, auch wenn das heutige Wechselbad des Stylings wochenlang für Gesprächsstoff sorgen würde. Doch ihr Wankelmut, was Männer und Frisuren betraf, hatte sich bereits zum Stil verfestigt. Er brauchte ein unbeschriebenes Blatt, ein Mauerblümchen, das unter seinen Händen aufblühen würde.

Plötzlich entdeckte er Alexa, die brav am Arm ihres Mannes hing und mit der Brautmutter plauderte. In ihrem biederen cremefarbenen Kostüm wirkte sie wie eine Landarztgattin, die sich für die Eröffnung einer Zuchtbullen-Ausstellung fein gemacht hatte. Dem Fürsten war das vermutlich gerade recht, denn die arithmetischen Spekulationen der Presse hatten ihm bescheinigt, gut und gerne dreimal so alt wie seine äußerst jugendliche Frau zu sein.

Julian kannte Alexa schon seit Jahren. Sie war als junges Mädchen eher zufällig in seinen Salon gestolpert und dann dermaßen erschrocken gewesen über die Preise, dass er ihr auf der Stelle einen Sonderrabatt eingeräumt hatte. Seitdem verband sie eine Freundschaft, deren Motor neben tiefer Sympathie der gemeinsame gesellschaftliche Aufstieg war. Aufmerksam beobachtete Julian die junge Fürstin. Ihre mutlose Unauffälligkeit wurde einzig durchbrochen von ihrer Frisur, die auffallend munter wirkte. Warum bin ich nicht gleich darauf gekommen, durchfuhr es ihn. Sie ist es. Sie wird mein Meisterstück. Ich mache sie zum Star. Allen Beates und Gabrieles zum Trotz.

»Hast du schon Alexa gesehen?«, fragte er leichthin und deutete mit dem Kopf in Richtung Buffet.

Unwillig folgte Gabriele seinem Blick.

»Kaum zu glauben, was du aus ihrem Allerweltsgesicht gemacht hast«, sagte sie.

Alexas Gesicht strahlte inmitten fedrig wippender Strähnen, die in kunstvoller Verwirrung die Konturen verwischten. Ein viel zu prächtiger Rahmen für diese eilig hingeworfene Gelegenheits-Skizze der Natur, fand Gabriele. Hin und her gerissen zwischen der grenzenlosen Bewunderung für Julians Kunst und dem Neid auf die Ehre, die dieser unbedarften Mickey Mouse zuteil wurde, starrte sie Alexa an.

Julian spürte, dass Gabriele besonders ärgerte, mit welch ungezwungener Selbstverständlichkeit Alexa ihren neuen Look spazieren führte. Er wusste, dass sich Gabriele jedes Wort, jede Geste hart erkämpft hatte. Ihre Umgangsformen waren das Ergebnis erbitterter Disziplin, mit der sie die Gepflogenheiten ihrer Clientèle kopierte. Oft fragte sie ihn um Rat, wenn es darum ging, eine büttene Einladung angemessen zu beantworten oder das passende Mitbringsel für einen High Tea auszusuchen, denn noch immer, nach all den Jahren, bangte sie um ihre Rolle, fürchtete sie sich vor der finalen Demaskierung, vor dem einen Fehltritt, der sie auf immer als Parvenü brandmarken würde.

Auch Chantals Hochzeit hatte zu nächtelangen Telefonaten geführt, in denen sich Gabriele vergewisserte, wie sie ihren Auftritt im Wetterauschen Schloss gestalten sollte. Herausgekommen war dabei ein magentafarbenes Mantelkleid, für dessen Scheußlichkeit Julian jede Verantwortung ablehnte.

Alexa kannte solche Skrupel nicht. Obwohl sie in finanziell beschränkten Verhältnissen aufgewachsen war und sich ihre Schwester anlässlich von Alexas Hochzeit bei einem stadtbekannten Second-Hand-Geschäft eingekleidet hatte, so garantierte doch ihr üppig verzweigter Stammbaum einen Stil, der nicht erlernt, sondern gleichsam genetisch weitergereicht worden war. Unbefangen glitt sie durch die Hochzeitsgesellschaft, und mehr noch, jede Entgleisung, jede Nichtbeachtung der Regeln würde bei ihr völlig folgenlos bleiben, würde sogar als apart gelten.

»Also, was sagst du?«, fragte Julian nach, und der Stolz in seiner Stimme war nicht zu überhören.

Erbittert musterte Gabriele die junge Fürstin.

»Ganz niedlich, aber hoffnungsloser Durchschnitt«, sagte sie.

»Die wird noch richtig gut«, flüsterte Julian. »Die traut sich noch nicht richtig, aber wenn sie erst mal begriffen hat, was sie alles anstellen kann …«

»Sicher, das Häschen in der Grube hoppelt schon ganz hübsch«, flötete Gabriele. »Klasse jedoch hat sie nicht!«

»Gib mir ein Vierteljahr. Dann ist sie die Königin der Salons und der Titelblätter!«

»Niemals!«, widersprach Gabriele.

»Wetten wir?«, fragte Julian angriffslustig.

Gabriele sah noch einmal zu Alexa hinüber.

»Also gut«, sagte sie. »Worum geht es? Worum wetten wir?«

»Um die Ehre«, lächelte Julian.

»Hast du's nicht ein bisschen kleiner? Wie wär's mit einem Essen? Der Gewinner bestimmt das Restaurant, doch sei vorsichtig, ich habe einen teuren Geschmack!«

Wenn's doch so wäre, dachte Julian.

»Abgemacht«, sagte er. »Zehn Titelblätter und eine Talkshow. Dann wird geschlemmt.«

»Na, ihr Turteltauben? Worüber habt ihr denn geschnäbelt?«, fragte Beate Budenbach, die sich unbemerkt herangeschlichen hatte.

»Eine Wette. Er will die kleine Alexa pushen«, erklärte Gabriele.

»Du denkst wohl, dass du das Spiel nach deinen Regeln spielen kannst?«, sagte Beate Budenbach höhnisch.

»Aber klar«, erwiderte Julian.

»Vergiss nicht, dass wir dich hochgeschrieben haben. Wir können dich auch wieder runterschreiben, Süßer. Ein Satz, und du bist erledigt.«

Julians Lächeln brach jäh ab. Angewidert starrte er auf einen Rest Meerettichsahne, der an Beate Budenbachs Mundwinkeln klebte. Bitte nicht küssen, dachte er, sonst muss ich mich übergeben.

Schnell zog er Gabriele beiseite. Im selben Moment hatte Alexa Julian und Gabriele entdeckt, ließ ihren Mann stehen und trippelte auf die beiden zu.

»Hallo Gabriele, nettes Kleid! Hallo Julian, mein Michelangelo!«

Verdutzt fuhr Gabriele zusammen.

»Michelangelo?«, fragte Julian überrascht.

»Aber ja! Du bist doch das künstlerische Genie der Gegenwart, hat dir das noch nie jemand gesagt? Vasari hätte seine Freude an dir gehabt!«

»Tolles Mädel!«, sagte Julian, während Alexa zu ihrem Mann zurückkehrte und Gabriele in ohnmächtiger Wut ihr Abendtäschchen knetete.

*

»Himmel noch mal, Gabi! Spekulierst du etwa auf den Lyrik-preis allein erziehender Häkelclubs?«

Hermann Huber warf das Manuskript quer über den Schreib-tisch, sodass es sich in eine Kaskade einzelner Blätter auflöste.

»Ein Friedhof der Metaphern! Ein Garten der Stilblüten!«, bellte er.

Gabrieles rechte Hand näherte sich unwillkürlich ihrem Haar und prallte jäh an ihrer Tortengussfrisur ab. Sie konnte es ein-fach nicht lassen. Auch wenn Julian verzweifelte. Aber mit einer leichten Überdosis Haarspray hatte sie einfach so ein wunderbar sicheres Gefühl, wie ein Ritter in seiner schimmernden Rüstung.

»Wieso?«, fragte sie matt. »Was missfällt dir denn an dem Arti-kel?«

»Was mir missfällt? Ich fasse es einfach nicht! – ›Julian fährt sei-nen Kundinnen durchs Haar wie ein Taifun durchs Reisfeld.‹ ›Vibrierend wirkt die erotische Sinnlichkeit des afghanischen Marmorbodens, wo sich die Hündchen der Damen um ein paar Lockenwickler balgen.‹ Du großer Gott!«

Hermann Huber griff wahllos in den Blätterhaufen und spuckte die Früchte seiner Lektüre wie fauliges Fallobst aus.

»– ›Julian hat den Adel gegen den Strich gebürstet!‹ – ›Die Da-men lassen sich vom Gänsehautcoiffeur gerne den Kopf wa-schen!‹ ›Sein Salon ist das haarspezifische Hauptquartier der bayerischen Society!‹ Und das hier, das ist der Gipfel: ›Julian ver-steht es wie kein zweiter, eine langweilige Brigitte in eine flotte Biggi umzukämmen.‹ Glaubst du an den Trash, den du da schreibst oder hat der Typ dir die Birne weichgeföhnt?«

»Hermann! Julian ist ein Star!«

»Wenn du ihn weiter so zumüllst, dann wird er es nicht lange bleiben. Hier: ›Mit zarter Sinnenlust greift Julian in die Mähne!‹ Dein Artikel ist gecancelt, das versteht sich ja wohl von selbst. Italienische Ablage!«

Mit diesen Worten ließ Hermann Huber die Manuskriptseiten in den Papierkorb rieseln.

Gabriele fixierte ihren Chef. Der hatte auch mal einen anständigen Schnitt nötig. Kämmte sich seine drei Resthaare über den sonnenbankverbrannten Schädel. Gegrillte Glatze mit Deckblatt. Konnte man so was ernst nehmen?

»Was heißt hier – gecancelt? Da stecken drei Wochen Arbeit drin! Nun spiel hier bitte nicht den Primaten.«

»Gabi?«, Hermanns Stimme klang perfide sanft. Sie horchte auf. Das war schlimmer als sein Gepolter. Das war gefährlich. Sie musste diesen Artikel ins Blatt pushen. Er würde ihre Visitenkarte sein, mehr noch, ihre Eintrittskarte in Julians Leben. Herrgott, sie wollte dieses Buch über Julian. Sie konnte an nichts anders mehr denken.

»Gabimaus?«

»Was denn, Sputzerl?«

Sputzerl. Der wenig charmante Kosename sollte Hermann an eine längst verjährte Phase gieriger Flirterei erinnern, die einst nach einer Weihnachtsfeier zu einem planlos verrutschten Quickie in ihrem Kleinwagen geführt hatte.

»Du hast genau drei Tage Zeit. Cool den Text down, und dann: Gib dem Teil einen Kick, schreib irgendwas Angeschärftes, es muss doch was geben, du kennst ihn doch gut, komm schon, so eine kleine Sauerei …«

Gabriele zerrte hilflos an ihrer Perlenkette.

»… los, los, los, da war doch vor einiger Zeit was, habe ich doch bei der Konkurrenz gelesen, diese total verfloppte Frisurenshow!«

»Du meinst – die Show im Regina-Haus?«

»Genau! Was war denn da los?«

»Das war ein irres Happening! Grandios im Scheitern! Eine schrillgeniale Performance, ein …«

»Gabilein.«

Hermann umrundete langsam seinen elegant geschwungenen Schreibtisch mit der polierten Wurzelholzplatte und setzte sich auf die Armlehne von Gabrieles Sessel.

»Nun mal ganz von vorn. Was war denn da los?«

Sie sah zu ihm auf. Wie immer war sein Hemd weit geöffnet und gewährte Einblicke in den aktuellen Vergrauungszustand des nicht üppigen, aber bemerkenswert lang geratenen Brusthaars. Unter den dichten Brauen lauerten seine Augen mit der Wachsamkeit einer Selbstschussanlage.

»Es sollte so etwas werden wie das Triadische Ballett von Schlemmer.«

»Das – was?«

»Schon gut.« Lasse deinen Chef nie merken, dass du mehr weißt als er, dachte Gabriele.

»Nichts klappte«, erzählte sie stockend. »Die Musikbänder waren vertauscht worden. Das pure Chaos. Die Models gackerten wie ein Hühnerhaufen und stolperten menströs über den Laufsteg. Dann fiel der Strom aus, und alle saßen im Dunkeln. Fünfhundert Gäste! Im Dunkeln!«

»Na also, geht doch«, sagte Hermann Huber und begann, ihren Arm zu streicheln. »Weiter.«

Gabriele schluckte.

»Mitten im Gekreisch und Gewühl kletterte die Weller auf eine Empore, du weißt schon, die durchgeknallte Schauspielerin, sie kletterte einfach an einer drapierten Gardine hoch, wie Tarzans Jane im Dschungelkoller, ihr Kleid verrutschte, die Möpse wären ihr fast aufs Buffet gefallen, wenn sie die Dinger nicht einfach wieder zurückgestopft hätte. Sie kicherte und kletterte und endlich oben angekommen, trällerte sie Opernarien. Als der Strom wieder da war, begannen die Diaprojektoren zu brennen …«

»Was du nicht sagst, Gabimäuschen …«

»Die Gäste löschten die verschmorten Dias mit Champagner und …«

»… weiter?«

Hermann tippte lüstern auf Gabrieles Kostümjacke herum.

»Der Matthias, diese Edelfeder, stellte sich auf einen Stuhl und kreischte: Das ist die Schlagzeile der Saison! ›Hair-Ausfall im Regina!‹ Julian brach in Tränen aus …«

»In Tränen. Schön. Sehr schön.« Befriedigt erhob sich Hermann Huber und umkreiste Gabriele, ohne den Blick von ihr zu wenden, wie ein Hunde-Dompteur, der einen besonders zickigen kleinen Pudel dressieren muss.

»Und dann fehlt noch Sex, kann man ja andeuten, nicht, eine kleine Eskapade, eine ...«

»Du, da gibt es nix, ehrlich!«

Gabriele kämpfte um Julian wie eine Löwin um ihr Junges.

»Der ist mit Tommy zusammen und Ende aus. Ich schwör's dir!«

Hermann blieb hinter ihr stehen und blies ihr sacht in den ausrasierten Nacken. Julians Nachbesserungsarbeiten hatten einen konsequenten Kurzhaarschnitt erfordert.

»Es gibt immer was«, raunte er. »Einen Strichjungen, eine Swingerparty, ein Penis-Piercing, was weiß ich. Und du wirst es herausfinden. Ich gebe dir jetzt erst mal einen netten kleinen Appetizer im Blatt. Kürz deinen Schüleraufsatz auf ein Viertel, tob dich bei der Horror-Show aus, und komm wieder, wenn du ein paar süffige Sachen hast. Sonst setze ich die kleine Melanie dran, die hat noch den richtigen Jagdinstinkt. Alles klar?«

Gabriele nickte stumm.

»Strumpfhose oder halterlos heute?«, fragte Hermann unvermittelt.

»Bodenlos«, flüsterte sie.

*

»Schneller, schneller, schneller!«

Der Mann stand unter Strom. Eines wusste er ganz genau: Die Dinner-Partys bei Julian waren für ihn kulinarische Pressekonferenzen. Jede gourmettechnische Nachlässigkeit, jeder noch so kleine Makel der Logistik oder des Food-Designs würde am nächsten Tag in den einschlägigen Blättern und Kolumnen nachzulesen sein. Nervös kontrollierte er die Tischdekoration, das Arrangement der Bestecke.

»Ja sag mal, Mädel, hast du's immer noch nicht gedockt? Das Dessertbesteck liegt falsch! Hier!« Beherzt griff er zu.

»Der Löffel muss *über* der Gabel liegen! Merk's dir. Es ist wie im Bett: Er liegt auf ihr!«

Eingeschüchtert huschte die Kellnerin davon.

Konrad Falter war ein Profi. Sein Delikatessenhaus in München war längst kein Provinzpalast voller Schmankerl mehr, sondern eine Konzernzentrale, von der aus erlesene gastronomische Aktivitäten in ganz Deutschland gesteuert wurden. Sogar die Regierung im kalten, fernen Berlin belieferte er mittlerweile, wenn auch in der Hauptstadt ein scharfer Disput darüber entbrannt war, ob ein Bayer genießbare Buletten braten könnte. Das vorhersehbare Nein der Berliner, was diese Schicksalsfrage betraf, hatte Konrad Falters Ruhm eher vergrößert als geschmälert.

Aber wenn es um Julian ging, dann fühlte er sich stets wie ein Debütant. Im Sommer hatte er für ihn ein Zeltfest organisiert und hatte persönlich Probe gesessen an jedem einzelnen Tisch, um zu testen, ob der Ausblick gleichbleibend attraktiv blieb. Dabei war ihm aufgefallen, dass die Sitze des Plastikgestühls ungastlich kalt den Hosenboden berührten. Eine Kleinigkeit nur, aber für ihn lauerte unter jedem unstimmigen Detail eine Falltür. Und so hatten seine fluchenden Serviceleute eine halbe Stunde vor Beginn der Feier sämtliche hundert Sitze mit Föhnen erwärmen müssen.

Konrad seufzte tief.

»Probleme?«

Bella Schnitzler eilte herbei, in den Händen einen Stoß Tischkarten.

»Es muss schneller gehen! In einer Viertelstunde kommen die Gäste!«

»Wir sind ein Catering Service, kein Notruf-Team!«

»Hör mal Konny, in zehn Minuten hast du das hier durchgezogen! Nimm dir mal ein Beispiel an Julian! Der ist der Meister der Geschwindigkeit. Weißt du was? Als er in Paris gelernt hat, bei diesem Promi-Coiffeur, da war er berühmt für seine perfekten Schnitte. Doch er brauchte fast eine Stunde dafür. Alexandre hat sich das eine Weile angesehen, dann hat er gesagt: Julian, du bist brillant. Du hast *magic hands*. Aber wenn du das statt in einer Stunde in zwanzig Minuten schaffst, dann wirst du ein Star. Also, starte mal durch, ja?«

»Genau«, schaltete sich jetzt Tommy ein, Julians Freund und Geschäftspartner, der sich stets zurückhielt, aber die Rolle des beratenden Elder Statesman innehatte. Sein sympathisch verlebtes Gesicht stand in eigenartigem Kontrast zu Julians jungenhafter Frische, so, als sei Julian ein Dorian Gray, der das Altern nicht an ein Bildnis, sondern an einen ihm nahe stehenden Menschen delegiert hatte.

»Julian ist der Formel-Eins-Pilot an der Schere«, sagte Tommy. »Wenn ich die Mädels da so im Salon sitzen sehe, wie die Hühner auf der Leiter, dann sage ich immer: Der Julian macht das wie auf einer Hühnerfarm. Ruck, zuck!«

Er nahm mit spitzen Fingern einen millimeterkurzen, noch glühenden Zigarettenstummel auf, der auf dem Tresen herumlag und entsorgte ihn in einem Aschenbecher.

»Spätlese von Julian«, grinste er.

Der Salon erstrahlte im Licht hunderter roter Kerzen. Julian mochte es, wenn seine heimliche Bühne für einen Abend zur offensichtlichen wurde. Seine planvoll untermöblierten Räume, mit denen er der muffigen Schlösschen-Ästhetik traditioneller Friseursalons Valet gesagt hatte, waren ideal für Ereignisse dieser Art. Der genau ausbalancierte Purismus seines Salons war die weiße Leinwand, auf der er malte.

Auf den weiß gedeckten Tischen lagen winzige florale Gebilde aus roten Rosen, die in Herzform gebunden waren. In den Waschbecken schwammen statt Lockenwicklern Eiswürfel und Champagnerflaschen.

Das Dinner zum Valentinstag war Julians Idee gewesen. Ein Fest der Liebe. Ein romantisches Gelage. Sogar der Marmorfaun hatte Rosen im Arm. Und auch Bella war ganz in Rot erschienen, was ihrer bereits mürben Schönheit einen angenehm tragischen Touch gab.

»Gabrieles Tischkarte fehlt noch«, sagte sie.

»Wie, Gabriele? Die ist heute nicht dabei!«

»Sag bloß, du hast Gabilein nicht eingeladen? Das gibt Ärger, Schätzchen!«, rief Beate Budenbach, die sich vorzeitig durch die Hintertür eingeschmuggelt hatte und argwöhnisch die Vorbereitungen begutachtete.

»Das Dinner hat der Armor-Verlag organisiert. Und die haben Gabriele nun mal nicht auf der Liste, seit sie ihren Verriss über das neue Verlagsprogramm geschrieben hat!«, entschuldigte sich Julian.

»Oh, wie überaus unangenehm«, gluckste Bella.

Sie war einst Gabrieles Chefin gewesen und hatte sich nie verziehen, dass sie diese mäßige kleine Schreiberin im Taumel einer ebenso euphorischen wie kurzlebigen Frauenfreundschaft gefördert hatte. Nach ihrem nicht ganz freiwilligen Abgang aus der Chefredaktion galt Bella jetzt immerhin als institutionelle Herrscherin der Society Partys – gern sprach sie davon, dass sie ihre kommunikative Kompetenz auf Honorarbasis zur Verfügung stelle. Gerade kam sie aus Berlin, wo sie den Geburtstag einer Modelady ausgerichtet hatte, tuckig garniertes Kabarettprogramm und privates TV-Team inklusive.

»Arme Gabriele. Dabei zeigt sie überall ihre neuen Strähnchen herum. Einfach allerliebst! Sie ist dir ja völlig verfallen«, sagte Beate Budenbach.

»Das wurde auch Zeit. Früher hatte sie immer eine Frisur, die an einen Zimmerbrand erinnerte«, ergänzte Julian.

Beate Budenbach wand sich wohlig vor Schadenfreude, dann verschwand ihr Lächeln. Julian wurde allmählich vorwitzig, und das gefiel ihr ganz und gar nicht. Vorsicht, Sonnyboy, dachte sie grimmig, übernimm dich nicht.

Die Türen öffneten sich. Unaufhaltsam ergoss sich ein Strom

von Menschen in den Salon, eine Kaskade aus Pelz, Schmuck und Geplauder. Die Damen führten ihre textilen Einkäufe vor, und die Ehemänner inspizierten interessiert die Räume. Hier also brachten ihre Frauen die Zeit zu. Hier verwandelten sich die häuslichen Intimitäten zu glucksend zum Besten gegebenen Gossips, von den Beischlafgewohnheiten bis zum Bankkonto.

»Großer Gott, die sehen ja immer noch aus wie frisch dem Denver-Clan entsprungen«, sagte Bella.

»Schatzerl, wir sind hier in München, nicht in Hamburg oder Berlin, verstehst, hier lacht keiner über Seidendirndl und Chanel-Sonnenbrillen!«

Bella Schnitzler verzog den tiefrot geschminkten Mund. Sie hatte den Absprung geschafft in die ungemütliche, aber aufregende Mitte der neuen Hauptstadt, wo sie eine äußerst erfolgreiche Galerie betrieb und der Daheimgebliebenen mit kaum verhohlener Verachtung gedachte. Deshalb betrachtete sie die bayerische Hauptstadt inzwischen lediglich als Nebenschauplatz, als folkloristischen Satelliten. Mitleidig musterte sie die schulterpolsterfreudigen Damen mit den Paillettenapplikationen und den Moschinotäschchen.

»Also, meine Frau schwärmt immer von Julians Händen. Sie kann gar nicht genug davon bekommen. Seine Hände sind wie Schmetterlinge auf meiner Haut, sagt sie immer, wie ein Backfisch. Ist das nicht unglaublich?«, sagte Klaus-Dieter Weber, ein Journalist, der mit Theaterkritiken begonnen hatte und sich im Laufe der Jahrzehnte den Ruf einer nationalen Edelfeder erschrieben hatte, indem er einfach alles testete, was irgendwie unter Luxusverdacht stand, von der Golfsocke bis zum Fünf-Sterne-Hotel.

Er wirkte eher erleichtert als eifersüchtig, dass seine Frau eine pubertäre Verehrung für Julian hegte.

»Ist es nicht wunderbar, diese ganzen ebenso sentimentalen wie zeitraubenden Spezialbedürfnisse der Ehefrauen an geübte Fachkräfte zu delegieren?«, fragte er in die Runde.

»Tja, bei ihm hält jede still«, bemerkte Gerhard Wenz verdrossen. Als einst heftig umworbener Promi-Frauenarzt hatte er im Laufe der Jahre einen schweren Imageverlust hinnehmen müssen, denn Julian galt inzwischen als der konkurrenzlos beste Depressionsbetreuer der weiblichen guten Gesellschaft. Als Therapeut ohne Approbation.

»Das Allerschönste auf der Welt ist eine Frau, die stillehält«, witzelte Klaus-Dieter Weber, und Gerhard Wenz ergänzte: »Irrtum spricht der Russe. Ein bisschen wackeln musse.«

»Liebe Freunde!«, ergriff Julian das Wort. »Willkommen! Ich freue mich sehr, dass wir gerade am Valentinstag Gelegenheit haben, dieses Buch des Armor-Verlags zu präsentieren. ›Das Genie und sein Friseur‹ ist einfach herzwärmend. Mit einem Wort: Dieses Buch gehört unter jede Trockenhaube!«

»Was versteht der denn von Büchern?«, wisperte Beate Budenbach aufgebracht Bella Schnitzler zu. »Der liest doch eher Pilcher als Proust.«

In den Applaus mischte sich der Auftritt der Kellner, die einem lautlosen Partisanen-Geschwader gleich den Raum in Besitz nahmen.

»Also, viel Vergnügen und guten Appetit!«, schloss Julian.

Neugierig suchten alle nach ihren Tischkarten, sondierten den Status ihrer Platzierung, taxierten die Qualität der Tische und damit die Hierarchie der Sitzordnung, die zuverlässig wie ein Börsenkurs den aktuellen Marktwert festschrieb. Auf der nach unten offenen Richterskala gesellschaftlicher Klassifizierung spielten sich immer wieder Dramen ab, die Julian mit dem spielerischen Vergnügen eines Brokers inszenierte.

Die Kellner servierten die Vorspeisen. Sie lagerten auf vierstöckigen Etagèren, handliches Fingerfood in der modisch italienisch-asiatischen Variante.

»Aha. Hier wird heute à la carte gepampert. Was ist denn das für eine Mousse?«, fragte Ellen von Anhalt interessiert.

»Sieht ein wenig bläulich aus. Also, essen würde ich das nicht –

vielleicht ist Julian aus Versehen die Blondierung auf den Teller geraten!«, kicherte Beate Budenbach, die bereits an einem Grissini kaute. »Oh Julian, komm zu uns, wir sprechen gerade von dir!«

»Blondierung? Davon habe ich in meinem Leben ganze Pools voll verarbeitet!«

»Erinnert ihr euch noch an Helene?«, fragte Ellen von Anhalt und kontrollierte schnell den Sitz ihrer ausladenden Bulgari-Ohrringe, denn die Spuren des letzten Liftings bedurften noch eingehender Dekoration.

Die Damen lachten. Die Herren heuchelten aus purer Höflichkeit Interesse.

»Helene war klasse! Sie war die Strähnenqueen«, erläuterte Uschi Weller, eine Schauspielerin, die seit nunmehr fünfzig Jahren standhaft tiefes Nussbraun durchhielt, wenn sie auch gern als verhaltensblond bezeichnet wurde.

»Und alle sprachen nur von Helene. Trafen sich zwei Damen auf dem Tennisplatz und der Ansatz war wieder schön sauber blond, dann hieß es: Wie geht's Helene? Wenn der Scheitel sich unheilvoll verdunkelte, dann sagte man: Du musst dringend mal wieder bei Helene nach dem Rechten sehen!«

Die Herren lächelten nachsichtig. Klaus-Dieter Weber beugte sich kumpanesk zu Julian.

»Also, seit meine Frau blond ist, hat sie ihren Therapeuten in die Kartoffeln geschickt und stattdessen einen Personal Trainer engagiert. Die Stimmung ist aufgehellt und die Cellulitis – na ja, Schwamm drüber. Ich bin Ihnen ehrlich dankbar.«

Julian kannte solche Geschichten. Wie oft hatte er erlebt, dass die kompliziertesten seelischen Verschattungen sich in glückselige Gelassenheit auflösten, wenn die Frauen sich eins fühlten mit ihrem Äußeren. Genauer gesagt, mit ihrer Frisur. Kein Designerkostüm, keine labelübersäte Handtasche konnte auch nur annähernd diesen Schmelz des Blicks, diesen federleichten Übermut erzeugen, der sich durch eine gelungene Frisur einstellte. Und immer wieder konnte er staunen über die Segnungen jener recht simpel zusammengesetzten Chemikalie, die schon nach wenigen Minuten aus depressiven Brünetten strahlende Blondinen machte – lustvoll changierend zwischen Vamp und Range, im Bewusstsein, dass der frisch erbleichte Schopf höchst ambivalente, aber allemal beflügelnde Assoziationen mit sich brachte. Es war das Kinderblond ewiger Ferien am Meer, »sunkissed«, wie die Amerikaner sagten, und es war das obszöne Blond herausfordernder Diven, die sich der Mimikry halbwüchsiger Unschuld mit aller Gerissenheit bedienten. Blond ist keine Haarfarbe, pflegte Julian zu sagen, blond ist ein Zustand.

»Wahnsinn«, lachte er. »Ich habe mein Leben lang immer nur gesagt: Bleiche rein, zack, bumm! Das ging Jahrzehnte so, sie waren ja alle verrückt danach. Inzwischen versuche ich es schon wieder mancher auszureden. Und die Herren aus den Chefetagen schicken mir zuweilen ihre kleinen Freundinnen. Sie rufen dann vorher an und sagen: Heute kommt die Jacqueline. Sei so gut und entschärf sie mir. Und dann färbe ich sie um, von polnisch-blond auf Honig.«

Klaus-Dieter Weber schien auf der Stelle über etwas sehr Wichtiges nachzudenken.

»Zu blond ist ja inzwischen prollig, das machen nur noch die Damen mit den Zulu-Lippen«, erklärte Julian. »Am schlimmsten ist es in Berlin. Da wird meist in Heimarbeit aufgenordet, die Drogerie-Regale sind zuweilen wie leer gefegt. Und rund um den Ku'damm ist es immer noch Mode, vorn drei Strähnen blond und hinten dunkel zu tragen, die tiefer gelegte Variante gewissermaßen.«

Schnell griff Klaus-Dieter Weber zur Serviette, um nicht die Vorspeise in die Tischdekoration zu prusten. Bella Schnitzler kicherte verlegen. Es gefiel ihr nicht, dass ihr neuer Wirkungsort dermaßen diskreditiert wurde.

»Apart ist auch das Potsdamer Blond, das Joop-Blond. Kommt gut zu frisch gelaserten Krähenfüßen und knappen Lederhöschen«, ergänzte Julian sein frisurentechnisches Soziogramm.

»Kann man daraus schließen, dass blond endlich durch ist?«, fragte Uschi Weller erleichtert.

»Der neue Trend ist brünett mit kleinen, hellen Reflexen«, antwortete Julian. »Habt ihr Alexa in der letzten Zeit gesehen? So sieht die Frisur von übermorgen aus!«

»Alexa? Die ist eine graue Maus und bleibt es auch«, befand Beate Budenbach. »Da hilft auch keine Farbe.«

Wart's ab, dachte Julian. Auch du wirst sie noch featuren. Und zwar schneller, als du denkst.

»Was sind denn das für süße Ufos auf dem Tresen?«, rief nun Uschi Weller.

»Die kannst du kaufen, das sind Bananenschalen von einem Designer aus Holland«, erklärte Julian.

»Bananenschalen? Was du nicht sagst.«

»Und sieh dir mal die Regale an! Die macht so ein verrückter Spanier, der liebt Dalí über alles. Wir haben jetzt den Flagshipstore für dieses Designerlabel – wer hat schon Lust, durch alle diese zickigen Läden zu rennen? Hier bei uns kannst du eben alles ganz easy nebenbei mitnehmen. Hier liegen die hipsten Bücher, hier sehen die Möbel wirklich wie Einzelstücke aus.«

»Sagen Sie mal, Sie müssen ja rund um die Uhr arbeiten«, staunte Klaus-Dieter Weber.

»Klar, wenn ich nur social geworden wäre, dann würde das ganze Ding nicht laufen. Mein Platz ist an der Front. So. Und jetzt sehe ich mal nach den Fasanenbrüstchen.«

Julian erhob sich und verschwand in den hinteren Räumen, wo Konrad Falter seine kulinarische Ambulanz eingerichtet hatte.

»Irgendwie hat der was eingebaut, der bewegt sich so geschmeidig«, sagte Uschi Weller anerkennend. Ellen von Anhalt nahm einen Schluck Champagner.

»Er war mal Eiskunstläufer, wusstest du das nicht?«

Klaus-Dieter Weber sah Julian versonnen nach.

»Was ist nur los mit der Welt?«, fragte er in die Runde. »Früher ging man zum Friseur, bekam in zehn Minuten einen Fasson-schnitt, zahlte und ging. Aber heute – was für ein Getöse! Und so ist es ja nicht nur beim Friseur. Eine Freundin aus Berlin erzählte mir völlig begeistert von ihrem neuen Zahnarzt. Der fragt als Erstes, ob man die lokale Betäubung lieber mit Kiwi- oder mit Kirschgeschmack möchte. Dann reicht er eine Cyberbrille und Kopfhörer, damit man bei der Wurzelbehandlung die neuesten Videoclips ansehen kann.«

»Mein Zahnarzt stellt junge Künstler aus«, sagte Ellen von Anhalt eifrig.

Klaus-Dieter Weber winkte ab.

»Daran haben wir uns doch schon gewöhnt. Schließlich wundern wir uns ja auch nicht mehr, dass Tankstellen inzwischen zu Supermärkten mutiert sind und Kaffeeläden aussehen wie Schnäppchenmärkte. Wo soll das alles bloß enden?«

»Es fängt gerade erst an«, schaltete sich nun Bella Schnitzler ein. »In Berlin ...«

Alle stöhnten.

»In Berlin«, fuhr Bella unbeirrt fort, »da gibt es Lokale mit Zauberkünstlern und Restaurants, wo man ganz im Dunkeln isst. Nun stellt euch das mal vor. Es servieren ausschließlich blinde Kellner, die den Gast auch schon mal zur Toilette begleiten, ein blinder Pianist spielt auf und viele nutzen die Gelegenheit, na? Richtig – für ein Blind date!«

Die Erheiterung hielt sich in Grenzen. Der weißblaue Stolz vertrug sich nun einmal nicht mit dem neuen Mythos einer erwiesenermaßen uncharmanten Großstadt, deren preußische Scheußlichkeit nie und nimmer München den Rang ablaufen konnte, davon war man überzeugt. Hamburg galt als steif und langweilig, da kam kein Konkurrenzgedanke auf, aber Berlin wurde zunehmend zum Ärgernis.

»München, Berlin – egal«, erklärte Beate Budenbach. »Erstaunlich ist ja eher, dass der Trend zur entertainenden Dienstleistung zweifelhafte Karrieren anschiebt. Ich meine, Julian ist ein äußerst charmanter Dampfplauderer. Aber mehr doch nicht.«

Das Schweigen, das sich daraufhin einstellte, deutete sie als stumme Zustimmung. Aha, dachte sie triumphierend. Der sitzt nicht so fest im Sattel, wie er denkt. Ich werde einen bösen kleinen Artikel über diesen Abend schreiben, nahm sie sich vor. Nein, korrigierte sie sich, ich warte und sammle. Irgendwann habe ich genug Munition, um diesem anmaßenden Figaro eine fachgerechte Breitseite zu verpassen. Damit er endlich mal merkt, wo der Föhn hängt. Gabriele wird das gar nicht gefallen. Umso besser.

Ellen von Anhalt hatte unterdessen schon die zweite Flasche Wein geleert.

»Bellin? Wer willenn nach Bellin? Wir Bajuwaren können wenihistens feiern«, hickste sie. »Und wie!«

Sie erhob sich.

»Und sinnlich samma, gell?«

Dann kletterte sie behände auf den marmornen Faun und schmiegte sich in seine kalten Arme.

»Der steht auf Jungs«, rief Klaus-Dieter Weber, »schon vergessen?«

»Die gynäkophilen Männer werden sowieso immer weniger«, beklagte sich Bella Schnitzler. »Wenn du mal einen sensiblen, gut aussehenden Mann mit perfekten Umgangsformen kennen lernst – vergiss es. Der hat dann garantiert einen Lustknaben.«

»Männer gipps sowieso nur, weillein Vibrator nich Rasenmäähn kann!«, rief Ellen von Anhalt, bevor sie mitten in einen Tisch abstürzte.

Alle sprangen auf.

»Es ist immer wieder erstaunlich, dass sie auch nach exzessivem Alkoholgenuss noch gebunden Deutsch spricht«, sagte Beate Budenbach ungerührt. »Beim Friseur ist nichts zu schwör.«

Zielstrebig kroch Ellen von Anhalt nun auf Julian zu und machte sich an seinem Hosenbund zu schaffen. Beate winkte ihren Kollegen.

Die Fotografen waren zügig zur Stelle.

*

»Mausegrausegrau!«

Alexa schlug die Tür hinter sich zu und ließ sich auf einen Louis-Seize-Diwan fallen. Unten im Hof fuhren die Limousinen vor, eine nicht enden wollende Prozession der Luxuskarossen, die zum großen Teil eskortiert waren. Sacht knirschten die Reifen auf dem frisch gefallenen Schnee.

Alle waren sie da: vom Kanzler bis zum Popsänger. Wirtschaftstycoone ließen sich fotografieren, Bayreuth-Diven stellten ihr Geschmeide aus. Alle sechshundert Zimmer des Schlosses waren hell erleuchtet. Die Lakaien standen stramm wie Zinnsoldaten, und in der Schlossküche tobte das Gefecht der Köche, mit Walkie-Talkie befehligt vom berühmtesten Caterer der Republik.

Und obwohl diese grandiose Inszenierung eigentlich einem Ehrengast galt, dem Präsidenten Frankreichs, sollte dieses glanzvolle Dinner zugleich Alexas Debüt auf dem internationalen Parkett sein, der erste hochoffizielle Auftritt auf jener Bühne, die ihr Mann so umsichtig und verschwenderisch hatte dekorieren lassen.

Alles stimmte – nur einer fehlte.

Alexa starrte in das Schneetreiben. Er saß fest auf der Autobahn. Das übliche Desaster eines verspäteten Wintereinbruchs. Irgendwo da draußen, gefangen zwischen verkeilten Lastwagen und zeitlupenartig vorwärts holpernden Schneepflügen, saß er in einem Taxi. Julian.

Dabei hatten sie alles so schön geplant. Schon seit Wochen hatten sie über die passende Frisur debattiert, Aufsteckkunstwerke erwogen und Wasserwellen ausprobiert, hatten wild geföhnte Varianten durchgespielt und verwegen gegelte Bobs. Oh, wie weit weg war jetzt München.

Alexa verbot sich den Blick in den Spiegel. Sie wusste ja, was es da zu sehen gab. Diese mausegrauen Fransen waren einfach furchtbar provinziell. Was half da das Lacroix-Gebilde, das sie extra hatte anfertigen lassen und zu dessen Anprobe sie zweimal mit Julian nach Paris geflogen war? Der Dorftrottel im Designerkleid. Sehr witzig.

Im Grunde hätte sie ganz ruhig sein können. Niemand zweifelte an ihr, denn von den üblichen Klatschgeschichten einmal abgesehen, bescherte ihr der Fürstinnentitel ein verlässlich abrufbares Wohlwollen. Doch Julians Künste hatten ihren Ehrgeiz geweckt. In den bunten Blättern waren die ersten Fotos von ihr erschienen, die sie mit dem Eifer eines Starlets ausgeschnitten und in ein Album geklebt hatte.

Julians Satz, es reiche nicht, eine Fürstin zu sein, sie müsse auch eine Fürstin darstellen, ging ihr nicht mehr aus dem Kopf. Sie ahnte, dass eine neue Epoche anbrach, in der ein erstklassiger Name und ein unermesslicher Besitz sich zu virtuellen Qualitäten verflüchtigten. Jeder tumbe Soap-Star konnte ihr jederzeit den Rang ablaufen, wenn es um die Scheinwerfertauglichkeit ging. Das ärgerte Alexa maßlos. Julian hatte ihr die Augen geöffnet für das Show-Potenzial, das in ihrer neuen Rolle verborgen war. Und sie war fest entschlossen, dieses Potenzial zu nutzen.

Es klopfte.

»Ja sag mal, Alexa, Kleines, wo bleibst du denn?«

Der Fürst sah nicht so aus, als ob er sich gerade brennend für Lockenwickler und Haarlack interessierte. Er musterte seine Frau flüchtig und nahm dann eine weiße Lilie aus der Vase, die er mit geübten Bewegungen auf Knopflochformat herunterbrach.

»Sie wollen dich sehen. Sie warten auf dich. Also los. Worauf wartest du denn noch?«

»Julian ist noch nicht da«, flüsterte Alexa.

»Soso, der Julian ist noch nicht da. Pardon, aber da unten wartet der Präsident von Frankreich, meine Liebste. Und wir werden ihn nicht weiter warten lassen.«

»Ohgottogott, so kann ich doch nicht da runtergehen!«

Bekümmert griff sie sich ins Haar und ließ die schweren, glatten Strähnen durch ihre Finger rieseln.

»Aber natürlich kannst du. Eine Fürstin kann sogar mit einer

Badekappe auf den Opernball gehen. Merk dir das, Schatzerl. Stil ist eine Frage der Haltung.«

Der hatte gut reden. Auf seinem Kopf war das Haar bereits derart zurückgewichen, dass er mehr Zeit zum Eincremen als zum Kämmen brauchte. Doch aller Protest war zwecklos. Alexa nickte ergeben und ließ sich widerspruchslos nach unten führen.

Der riesige Bankettsaal mit seinen berühmten Deckenmalereien glänzte im Kerzenlicht, das sich tausendfach in den Spiegeln vervielfältigte. Üppige Goldstuckaturen leuchteten auf. Ein Summen lag in der Luft wie beim Winterschlussverkauf. Drei Harfinistinnen versuchten tapfer, das Ambiente akustisch aufzuwerten.

Alexa fühlte sich wie in einem Aquarium. Die Gesichter der Gäste glitten an ihr vorbei, ihr schlingernder Blick streifte Orden und Diademe, sie versuchte zu lächeln und duckte sich unwillkürlich unter dem Ansturm der Blitzlichter. Wie sie ihren braven kleinen Pagenkopf hasste.

Schnell drückte sie sich auf ihren Platz. Die Reden hörte sie mit gesenktem Kopf an. Apathisch zerpflückte sie ihren gehummerten Eiskraut-Salat in seine Einzelteile, als sie eine vertraute Stimme neben sich hörte.

»Hallo Mäuserl. Ich habe es gerade so geschafft.«

»Geschafft? O Julian, es ist eine Katastrophe«, flüsterte Alexa.

»Sieh doch nur, wie ich hier abhänge. Es ist zum Heulen.«

»Wart's ab. Wir werden es denen schon zeigen.«

Alexa drehte sich halb zu ihm um. Damals, in seinem kleinen Salon in einem Schwabinger Hinterhof, als sie das mittellose kleine Pummelchen im Tweedrock gewesen war, hatte Julian sie immer die »barfüßige Gräfin« genannt.

»Wie denn nur?«

»Kannst du mal raus hier?«, flüsterte Julian zurück.

»Raus? Keine Chance! Das hier ist schlimmer als ein Hochsicherheitstrakt! Psst, jetzt spricht der amerikanische Botschafter.«

»Aber auch eine Fürstin muss doch mal für kleine Jungs ...«

Alexa überlegte kurz, dann erhob sie sich.

Bei der Suppe war sie wieder da. Selbstsicher setzte sie sich neben den Fürsten. Wilde Locken umspielten ihren Kopf, gekonnt beiläufig eingefasst mit einem Rubin-Diadem, von dessen Verkauf eine fünfköpfige Familie ein paar Jahre hätte leben können. Während sie ihre Kressecrème mit den Wildlachscroutons löffelte, lächelte sie in die Kameras, die immer näher rückten.

»Wunderbar, Schatzerl«, raunte der Fürst.

Als der Entreacte sich ankündigte, eine Balletteinlage, bei der eine Hundertschaft tütüverzierter Tänzerinnen inmitten der Tische stumme Gesten einstudierter Grazie zum Besten gaben, entwischte sie aufs Neue.

»Zack, zack!«, empfing sie Julian. Und während sich Alexa noch schnell ein Stück Baguette in den Mund stopfte, begann er bereits energisch ihre Locken auszubürsten.

Mehr noch als die sportliche Herausforderung dieses Abends genoss er den demiurgischen Touch seiner Kunst. Alexa war seine Eliza Doolittle, ein ungeformter Werkstoff, kostbar, aber noch reichlich nichtssagend. Ihr schräger Humor, ihre Faible für Clownerien und Kapriolen – all das war bisher verborgen gewesen unter Twinsets und Seidenblusen. Julian hatte schon Tränen gelacht über ihre deftigen Kommentare und ihre respektlosen Späße, doch nur wenige ahnten, was sich da alles unter dem harmlosen Pagenkopf tat.

Ihr werdet euch noch wundern, dachte er. Das Entlein reift zum Schwan heran. Top, die Wette gilt.

Seine Hände flogen. Jeder Griff war Teil einer perfekt einstudierten und zur Hochgeschwindigkeit gesteigerten Fingerfertigkeit, vergleichbar den artistischen Künsten der Black-Jack-Croupiers von Las Vegas, wenn sie die Spielkarten wie von geheimen Turbulenzen erfasst aufwirbeln lassen. Doch bei aller circensischen Professionalität – nie wäre er auf den Gedanken gekommen, ein steifleinernes Prinzesschen zur mondänen Medien-Diva hochzusprayen. Er hatte bei Alexa vielmehr das sichere Empfinden, dass er einfach nur das Innen nach außen stülpen musste, dass er einen edlen, aber faden Cashmere-Mantel wendete und seinen bunt schillernden Futterstoff zu Tage förderte. Alexa war im Begriff, ein fulminantes Debüt als Societystar zu haben und er, Julian, arrangierte dieses Debüt mit Lust.

»Wo ist die zickige kleine Perlenagraffe, die du neulich bei Chantal an diesem cremefarbenen Kostüm getragen hast?«, rief er und verteilte mit beiden Händen eine enteneigroße Portion Haargel auf ihrem Kopf.

»Liegt hier irgendwo rum. Was wird denn das?«, fragte Alexa kauend.

»Kommt gut zum Perlhuhnparfait. Versprochen!«

Zehn Minuten später nahm Alexa wieder Platz. Aller Augen waren auf sie gerichtet. Sie war die perfekte Zwanziger-Jahre-Schönheit. Gelglänzend schmiegten sich akkurat gewellte Strähnen um ihren Kopf, geschmückt mit der kleinen Perlenagraffe. Ein Raunen breitete sich aus.

Debbie Cunningham-Weiler hielt es nicht auf ihrem Stuhl. Sie warf die Serviette von sich und stöckelte erregt zur Schlossherrin.

»Oh darling, what a surprise!«, brach es aus ihr heraus. »Who's the one? Tell me!«

»It's Julian, who else?«, antwortete Alexa lässig und lächelte den Fotografen zu, die sie umdrängten.

Schon begann das Kammerorchester zu spielen, und Luca Padovani, der monströs übergewichtige Tenor, der wie immer in ein buntgemustertes Tuch gehüllt war, setzte zu seiner erfolgreichsten Nummer an, der Arie »Nessun' dormo«.

Alexa summte pflichtschuldigst ein wenig mit, dann erhob sie sich erneut.

»Hast du Dünnpfiff heute, oder was ist los?«, blaffte der Fürst ungehalten. »Hier sitzt immerhin der Präsident von Frankreich, da kannst du nicht einfach desertieren.«

»See you soon«, zwitscherte Alexa in Debbies Richtung und verschwand.

»Was gibt's jetzt?«

Julian warf ihr schon beim Betreten des Boudoirs ein Handtuch um die Schultern, um ihre Robe zu schützen.

»Keine Ahnung. Mir ist schon ganz schwindelig!«

»Ich tippe mal auf Sorbet. Also Trockenshampoo und dann toupieren.« Stumm reichte Alexa Stielkamm und Haarspray. Kurze Zeit später rannte sie los.

»Treffer!«, hechelte sie atemlos, als sie wieder auf ihrem Platz saß. Ein Limonensorbet mit Minzblättern. Die Fotografen hatten sie schon erwartet.

»Hierher gucken, Fürstin! Ja, sehr schön! Und jetzt zu mir! Einmal noch bitte!«

Ihr Haar bauschte sich asymmetrisch, eine wüste kleine Wolke, die in allerliebstem Kontrast zu ihren glänzenden Augen stand. Aufgeregt näherte sich Gabriele, Notizblock und Stift in der Hand.

»Das ist ja der Wahnsinn«, sagte sie. »Ich dachte zuerst: Na, hat's nicht zur Frisur gereicht? Wie konnte ich denn ahnen, dass das schon seine begnadete Dramaturgie war? Das ist Julian! Einfach genial! Beginnt auf dem Nullpunkt und hebt dann ab. Wahnsinn.«

Gabrieles Wangen waren hochrot vor Erregung – und vor Scham. Gerade war ihre äußerst unfeine Regina-Geschichte erschienen, eine Ansammlung der Taktlosigkeiten und Indiskretionen. Ihr schlechtes Gewissen hatte sie damit beruhigt, dass sie keine Einladung zu Julians Valentins-Dinnerparty bekommen hatte. Denn das war einfach unverzeihlich. Ohne sie lief gar nichts, das musste auch Julian endlich mal begreifen. Nun waren sie quitt.

Und das hier, das war die Story, die alles wieder gutmachen würde. Die unappetitliche Auftragsarbeit für ihren Chef würde bald vergessen sein, wenn sie ihr Entzücken über Julians genialen Theatercoup heute Abend zur Eloge hochschäumen würde. Dass sie Gefahr lief, ihre Wette zu verlieren, schmerzte sie zwar, doch das Buch über Julian war inzwischen zur fixen Idee geworden. Und dafür konnte er ein paar Gefälligkeiten erwarten.

»Wir dachten eben, Überraschungen kommen immer gut!«, erwiderte Alexa tiefstapelnd.

»Und was kommt als Nächstes?«, wollte Gabriele wissen.

Alexa spuckte ein Minzblatt aus.

»Tja, lass mal deiner Fantasie freien Lauf. Gleich gibt's Hirschlende an Cranberryschaum!«

»Diese Frau muss man anketten!«, stöhnte der Fürst und hatte eine Sekunde später einen Lippenstiftabdruck auf der hohen Stirn, während Alexa schon wieder verschwunden war. Er erhob sich halb und sank auf seinen Stuhl zurück.

»Les femmes – comme des enfants«, sagte er entschuldigend zu dem französischen Staatsoberhaupt.

»Mais très jolie«, antwortete der Staatsmann und erhob sein Glas.

Währenddessen legte Julian achtlos seine filterlose Zigarette auf einem goldverzierten Marmortisch ab, neben Kamm und Bürste.

»Hirschlende? Halali! Los, ich brauche Federn!«

»Federn? Um Gottes willen! Was hast du vor?«

»Los, los, los! Dein Mann verbringt doch mehr Zeit auf der Jagd als im Bett.«

Gehorsam drückte Alexa auf den Klingelknopf aus glänzendem Perlmutt.

»Rosi? Bring mir einen Jagdhut meines Mannes!«

Die Zofe blinzelte erschrocken.

»Oder zwei!«

»Aber dalli!«, ergänzte Julian, der schon damit beschäftigt war, das toupierte Haarsoufflé über einer Rundbürste glatt zu föhnen.

»Gabriele ist völlig aus dem Häuschen. Sie kam gerade angerobbt und schrieb wichtig auf ihrem Block herum«, berichtete Alexa.

»Gabriele? Welche Gabriele?«, fragte Julian betont gelangweilt in den Spiegel hinein. Dann griff er sich zerstreut an den Kopf.

»Ach so. Die Gabriele. Hast du ihre abgestandenen kleinen Infamien gelesen in der ›Society‹?«

»Was für eine Gabriele? Was für ein Blatt?«

»Nicht so wichtig …«, antwortete Julian.

»Aber die Budenbach habe ich dir heute erspart«, kicherte Alexa. »Die guckt neuerdings immer wie ein Schneidbrenner. Und flupps – war sie runter von der Gästeliste.«

Die Zofe erschien mit einem Jägerhut. Julian begutachtete ihn lachend.

»Du liebe Güte, habt ihr hier einen Kostümfundus? Das ist ja Freischütz, die Wolfsschlucht. Mindestens.«

Im Gegensatz zu Alexa bevorzugte der Fürst eindeutig die leicht operettenhafte Variante nobler Selbstdarstellung. Er kam aus der alten Welt, wo Trachtenjanker und Seidentüchlein im Kragen ausreichten.

Vergnügt nahm Julian den Hut in die Hand.

»Und mit dem Ding kommt der zum Schuss? Sieht eher aus wie der Karneval der Tiere! Na gut. Ist genau richtig. Wir nehmen die Fasanenfedern. Ich mache dir so einen edlen kleinen Helm mit Innenrolle und Indianerschmuck. Wird sssuper!«

Als Alexa in der Tür des Bankettsaals erschien, begannen die Gäste spontan zu applaudieren. Prinz Eisenherz wäre stolz auf sie gewesen. Und Robin Hood nicht minder. Keck wippten die bräunlich gesprenkelten Federn bis auf ihren dekolletierten Rücken herab.

Der Fürst erhob sich.

»Ich glaube, dies ist der passende Moment, ein paar Worte über meine wunderbare Frau zu verlieren«, begann er feierlich. »Man kann zwar nie wissen, ob man mit ihrer geschätzten Anwesenheit rechnen darf – aber wenn sie denn mal da ist, dann ist sie einfach bezaubernd. Und damit möchte ich einen Toast auf unsere Gastgeberin ausbringen!«

Alle erhoben sich. Alexa drückte den Arm ihres Mannes. Sie hatte Tränen in den Augen und gleichzeitig das Bedürfnis, wild und kehlig zu lachen.

»Danke, mein Brilli!«, schnurrte sie. Danke, mein Julian, dachte sie. Was er sich wohl fürs Dessert ausgedacht hatte?

Ungeduldig sprang sie die Treppen hoch.

»Julian! Wir haben es geschafft!«, schrie sie und umarmte ihren Freund und Schöpfer.

»Noch nicht ganz. Setz dich, aber schnell.«

»Jetzt kommt die Eisbombe mit Wunderkerzen«, giggelte Alexa und trank Julians Wodka Tonic auf einen Zug aus.

»Ready for taking off?«, flüsterte Julian und Alexa nickte. Glücklich schloss sie die Augen.

Diesmal spielte das Orchester einen Tusch, als sie erschien. Dann wurde es still. Julian lehnte an der intarsiengeschmückten Türfüllung des schweren Eichenportals und sah zu, wie Alexa langsam den Saal durchschritt. Ein betretenes Getuschel und Geflüster hob an, als sei jemand gestorben.

»Das ist der Dolchstoß für den Hochadel«, ächzte Tatjana von Hohenstein.

Alexa hatte den Kopf erhoben wie eine Königin. Unverwandt blickte sie ihren Mann an, der sich instinktiv erhoben hatte.

Meter für Meter schritt sie die Tafeln ab, vorbei an den ungeniert starrenden Menschen in ihren Smokings und Galaroben, vorbei an den silbernen Kerzenleuchtern und den voluminösen Blumenarrangements. Noch war nicht klar, ob es sich um ein Spießrutenlaufen oder um einen Triumphzug handelte. Nie zuvor hatte sie die voyeuristische Energie einer Menschenmenge dermaßen körperlich gespürt. Frenetischer Jubel oder erbitterte Lynchjustiz, alles war möglich in diesem Moment.

Julian griff zu seinen Zigaretten. Er hatte hoch gepokert. Dabei ging es eigentlich nur um Haare. Eigentlich. Doch die folgenden Sekunden würden über sein weiteres Leben entscheiden, über seine Karriere. Und darüber, ob seine Vision sich erfüllte, das Aschenputtel zur Mediendiva zu stylen. Obacht, Gabriele, dachte er, unsere kleine Wette läuft.

Die Anspannung im Raum wurde unerträglich.

Als Alexa vor dem Fürsten stand, deutete sie einen mädchenhaften kleinen Knicks an, ergriff ihr Glas und erhob es zu einem

Toast. Julian hatte ganze Arbeit geleistet. Wild und stachelig reckte sich ihr Haar in die Höhe, eine rasante Mischung aus Punk und Ikebana. Strähne für Strähne hatte er angesprüht und den protestlerischen Look der Straße ins provokant Luxuriöse verwandelt. Die vordere Haarpartie aber leuchtete in flaschengrün. Das hatte es noch nicht gegeben. Alexa trug das Aroma des Klassenfeindes in die heiligen Hallen.

»Die Fürstin als Punklady. Das bedeutet Anarchie!«, flüsterte Gabriele ergriffen.

Der Fürst brach schließlich das Schweigen.

»Auf den ersten Blick habe ich das für einen Wischmob gehalten, aber ich denke, wir sollten es – äh, cool finden!«, rief er, und nun brauste ein Lachen und Klatschen über die Tafeln hinweg, in dem sich die ganze Atemlosigkeit der vergangenen Minute entlud.

*

»Ein Interview! Ich will ein Interview! Exklusiv! Und Fotos ohne Ende! Du bekommst sechs Blatt! Wir machen einen Titel! Hol mir diesen Julian ran! Und zwar sofort!«

Einige Gäste drehten vorwurfsvoll ihre Köpfe herum, um den Mann zu sehen, dessen ungeniert kreischendes Crescendo eher zum Viktualienmarkt passte als zur gedämpften Plüschigkeit der Münchner Vier-Jahreszeiten-Lounge. Nur der Barpianist, ein sanft gealterter Gentleman, spielte gleichmütig weiter sein »Tea for two«.

Gabriele stellte entnervt ihren Gin Tonic ab.

»Nun mach mir bitte keine Szene! Noch vor ein paar Tagen …«

»Vor ein paar Tagen? Was kümmert mich mein Geschwätz von gestern? Schon mal was von Intuition gehört? Von Flexibilität? Von Trends? Wir leben heute, hier, und du schleppst mir jetzt sofort diesen Kerl an.«

»Das ist nicht so einfach, wie du …«

»Was soll das heißen? Nicht so einfach? Alle Blätter sind voll von seinem irren Coup! Man spricht nur noch von ihm! Julian der Zauberer! Julian der Göttliche! Julian das Genie!«

Mit fliegenden Fingern zündete sich Hermann Huber eine Zigarette an.

»Der Figaro der Fürstin!«, japste er. »Der Rebell des Hochadels! Der König des Edel-Punk! Und wir? Wir haben stattdessen diese bescheuerte Geschichte aus dem Regina-Foyer im Blatt. Die Branche lacht sich tot. Alle schreiben ihn hoch, nur wir, die dämlichsten Dorfdeppen unter der Sonne, wir machen ihn runter!«

»Schon vergessen? Es war *deine* Idee …«, versuchte es Gabriele zaghaft, doch Hermann Huber schüttelte angewidert die perfekt manikürte Hand ab, die sie beschwichtigend auf seinen dunkelblauen Cashmere-Ärmel gelegt hatte.

»Noch eine Bloody Mary«, raunzte er den Kellner an, der sich eiligst davon machte.

»So eine Instinktlosigkeit habe ich seit Jahren nicht erlebt! Das musst du wieder gutmachen! Sonst fliegst du schneller als die Concorde!«

Gabriele verstummte. Die Geschichte war ja noch viel schlimmer, als Hermann ahnte. Ihr obsessiver Traum von einem bahnbrechenden Buch über Julian löste sich immer mehr in heiße Föhnluft auf. Das Galadiner hatte am Samstag stattgefunden, am Donnerstag zuvor war ihre unselige Geschichte erschienen. Heute war Montag, die Zeitungen feierten Julian und er – war verschwunden. Abgetaucht.

Den ganzen Sonntag über hatte er Interviews gegeben, hatte sich fotografieren lassen, mit und ohne Fürstin, von rechts, von links, von oben und von unten, mit der Haarspraydose in der einen und dem Champagnerglas in der anderen Hand.

Und den ganzen lieben langen Sonntag lang war er für sie unerreichbar gewesen. Immer und immer wieder hatte sie es versucht – sogar seine supergeheime Handynummer hatte sie für ein Vermögen einem seiner Freunde abgeschwatzt, am Ende hatte sie sogar SOS-Telegramme verschickt, ans Schloss, an den Salon, an seine Wohnung. Keine Reaktion. Nichts.

Wütend starrte Hermann Huber sie an.

Ihr Handy klingelte. Schweißnass fingerte sie es aus ihrem nerzbesetzten Handtäschchen.

»Chantal? Ja! Sag schon! Wo? Oh Gott.«

Augenblicklich fühlte sie eine solche Schwäche, dass sie es nur mit letzter Kraft schaffte, den roten Knopf zu drücken. ›Gespräch beendet‹ höhnte es neunmalklug auf ihrem Display. Dann wurde es darauf langsam dunkel. Sehr dunkel. Sie sah auf. Das Gesicht ihres Chefs war ein einziges himbeerrotes Fragezeichen.

»Aus«, sagte sie knapp. »Es ist alles aus.«

Dann griff sie zu ihrem seidenen Hermès-Tuch und weinte hemmungslos in die Pferdeköpfe hinein.

»Was denn? Was denn nun?«

»Mus … Mus- …«, schluchzte sie.

»Wie – Musmus? Mousse au chocolat oder was? Nun red schon!«

Gabriele gab sich ganz ihrem Weinkrampf hin. Hermann Huber musste sich schwer beherrschen, um sie nicht zu schütteln wie einen überreifen Pflaumenbaum.

»Mustique!«, schrie Gabriele in plötzlich aufloderndem Zorn. Diesmal fuhren alle Köpfe herum.

»Mustique? Was soll das sein? Ein neues Designer-Label?«

Gabriele lachte unfroh.

»Und so ein Bildungsnotstand wird Chefredakteur. Das ist eine INSEL! Südsee oder so. Princess Margret hat da ein Anwesen. Gute Freunde können es für ein paar Tage mieten. Und die Fürstin ist sehr gut mit …«, sie brach ab und ließ die Tränen achtlos über ihr Gesicht laufen.

»Aha – die Fürstin ist also auf diesem Kack-Mustique«, stieß Hermann hervor.

Gabriele fixierte den Mann, der soeben zum Totengräber ihrer

Karriere geworden war. Sie spürte, wie sich ihre Verzweiflung in heiße, ohnmächtige Wut verwandelte.

»Genau. Und nun RATE MAL, wer sie begleitet!!«

In das Vakuum, das sich unaufhaltsam ausbreitete, sickerte nur das weiche Parlando des Pianisten, der ein bittersüßes »As time goes by« spielte.

»... und diese Kack-Insel ist todsicher bewacht wie Fort Knox, kein Journalist hätte auch nur den Hauch einer Chance, dorthin ... oh, mein Gott ...«, flüsterte Hermann.

Gabriele erhob sich wortlos, raffte das durchnässte Seidentuch und ihr Nerztäschchen zusammen und durchquerte langsam die Hotelhalle.

»Äh – bitte schön, der Herr. Die Bloody Mary.«

Der Kellner sprach so leise und rücksichtsvoll, als habe er einen Todkranken vor sich. »Hat der Herr möglicherweise noch irgendeinen Wunsch?«

*

»Was für eine royale Getränkesammlung!«

Andächtig schritt Alexa eine ganze Batterie erlesenster Spirituosen ab. Julian salutierte scherzhaft. Ausgelassen wie Teenager durchstöberten die beiden das königliche Feriendomizil.

»Na, hier kann sie sich wenigstens ohne Aufsicht ihrer Trunksucht hingeben. Überhaupt finde ich, sie hat einen sehr guten Häusergeschmack«, stellte Alexa anerkennend fest.

»Dafür hat sie aber nicht gerade laut ›Hier!‹ gerufen, als der liebe Gott den Männergeschmack verteilt hat!«

»Nee, den habe doch ich abbekommen!«, feixte Alexa und ließ sich auf die riesige rosagolden gemusterte Couch fallen. »Sonst säßen wir beide doch nicht hier ...«

»Meinst du jetzt mich oder deinen Brilli?«, seufzte Julian und setzte sich auf einen Sessel, der seine ästhetische Verwandtschaft mit dem englischen Thron nicht verleugnen konnte.

»Dich natürlich«, antwortete Alexa und zwinkerte Julian komplizenhaft zu.

»Hättest du das gedacht, dass wir mal hier landen?«

»Nie im Leben! Aber die Queen kommt auch noch dran. Bei der nächsten Thronrede werden ihre Haare wehen, fließen, tanzen!«

»Keine Chance, das ist alles sprayversiegelt«, sagte Alexa und nippte an ihrem frisch gepressten Orangensaft. »Außerdem hat sie scheußliche Hunde. So kleine Wadenbeißer, und die werden sicher weit öfter onduliert als ihre Besitzerin. Da kannst du dann gleich noch einen königlichen Hundesalon aufmachen.«

Julian stand auf und begutachtete die Bilder an den Wänden, deren Hauptakteure ausnahmslos Pferde waren.

»Warum sind die alle so pferdeverrückt?«, fragte er.

»Weil die weiblichen Mitglieder des Königshauses traditionell eine Schwäche für Stallburschen haben, nehme ich mal an. Und die haben vermutlich mehr für das Fortleben der britischen Dynastie getan, als irgendjemand ahnt«, glückste Alexa.

Auf der Terrasse wurde für den Lunch gedeckt. Gedankenverloren beobachtete Julian den Butler, einen älteren Herrn mit weißem Haar, der trotz der Hitze einen Frack trug. Umsichtig ordnete der Bedienstete ein Blumengesteck und rückte es mitten auf den weißen Damast.

»Ich kann das nicht mit ansehen, der arme Mann muss doch irre schwitzen. Am liebsten würde ich ihm helfen. Weißt du, manchmal ist mir das alles unheimlich. Manchmal möchte ich einfach zurück an den Schliersee, ein einfaches Leben führen, mit Pater Ambrosius über die Almwiesen wandern …«

»Pater Ambrosius? Wer ist denn das?«, wollte Alexa wissen und zog Julian zum gedeckten Tisch. Ein leichter Wind bewegte die Palmwedel, die filigran gestreifte Schatten auf die Terrasse warfen. Auf den Tellern und auf dem Besteck war das Wappen des Königshauses geprägt, wie Alexa beeindruckt feststellte.

»Er hat mir das Leben gerettet. Oder, besser gesagt, meine Seele. Ich habe nie dazugehört, weißt du, mein Vater war verunglückt, mit dem Auto, ich saß neben ihm, als es passierte, einfach so, und meine Mutter ...«, er verstummte.

»Sag schon«, ermunterte ihn Alexa. Die Suppe wurde serviert. Julian schob den Teller von sich und zündete sich eine Zigarette an.

»Man nannte sie das Ami-Liebchen«, sagte er und rieb sich die Augen. »Und weißt du, warum? Als ich drei Jahre alt war, spielte ich auf den Bahngleisen. Damals kam höchstens zweimal am Tag so ein Bummelzug. Niemand dachte sich was dabei, dass ein Kind auf dem Bahndamm spielt, verstehst du? Es war Mittagszeit. Ich spielte zwischen den Schwellen, baute eine Burg mit den Steinen, die da herumlagen. Und dann passierte es. Der Zug kam, ich wurde überrollt.«

Auch Alexa hörte jetzt auf zu essen.

»Ein Bauer holte meine Mutter, die gerade zum Plätten bei der Herrschaft war. Sie hob mich auf, sie weinte und schrie, aber niemand half ihr. Wer war sie denn schon?«

»Oh, Scheiße«, entfuhr es Alexa.

»Da kam ein amerikanischer Soldat vorbei, er nahm mich einfach auf den Arm und fuhr uns beide zum nächsten Krankenhaus. Ich wurde gerettet, aber es gab sofort Gerede. So eine ist das also. Ein Ami-Liebchen. Von da an waren wir endgültig die Außenseiter.«

Er nahm die Serviette und wischte sich Tränen aus den Augenwinkeln. Alexa stand auf und hockte sich neben Julian.

»Und was hat der Pater damit zu tun?«, fragte sie leise.

»Pater Ambrosius war der Einzige, der sich für mich interessierte. Ich war Messdiener und unendlich stolz darauf. Stundenlang saß ich in seiner kleinen Dorfkirche, sah mir die Heiligenbilder an und betete, dass mein Vater wiederkommt. Ich fühlte mich so allein. Vor Gott sind alle gleich, sagte Pater Ambrosius immer. Der liebe Gott sieht dich an, egal, wer du bist. Aber als ich dann entdeckte, dass ich – dass ich Männer mag, da wollte ich mir das Leben nehmen. Ich hatte Angst, ich war völlig verwirrt. Schließlich ging ich zu ihm zur Beichte. Ich erzählte ihm alles. Und Pater Ambrosius, er war wunderbar. Er sagte einfach: Der liebe Gott hat dich so gewollt, wie du bist.«

Alexa umarmte Julian, dann kehrte sie zu ihrem Platz zurück.

»Der liebe Gott hat eine ganze Menge für dich getan, Haserl.«

Sie faltete die Hände und sprach ein Tischgebet. Julian sah ihr fassungslos zu.

»Alexa, ich …«, begann er, doch sie schüttelte abwehrend den Kopf.

»Du musst was essen, los, wenigstens einen Löffel. Diese Raucherei ist nicht gerade nahrhaft.«

Schweigend aßen sie die Hühnersuppe, zu der vom Butler warme Chesterstangen gereicht wurden.

»Den Rest knicken wir«, sagte Alexa schließlich. »Ich bin sowieso viel zu moppelig. Komm, wir sehen mal nach, ob die Zeitungen schon da sind.«

Der Privatjet, mit dem sie hergeflogen waren, lieferte täglich neben englischem Shortbread und französischen Patisserien alles Gedruckte aus Europa. Der Butler brachte ihnen ein dickes Paket zum Strand. Alexa griff als Erstes zu einer Zeitung, deren Schlagzeilen zumeist höher waren als der IQ ihrer Leser.

»So, jetzt hast du's amtlich. Du bist ein Genie!«

Die gedrückte Stimmung des Essens schlug auf der Stelle um in Übermut. Eilig überflogen sie die einschlägigen Artikel und lasen sich gegenseitig ihre Ausbeute vor.

»Der Figaro der Fürstin!«, rief Alexa.

»Der Rebell des Hochadels!«, rief Julian zurück.

»Das hier ist hübsch: Der König des Edelpunk!«

Sie lehnte sich zurück und sprühte ein wenig Sonnenmilch auf ihren Bauch.

»Und mein Brilli hat sich toll gehalten an dem Abend. Himmel noch mal, ist der Mann gut drauf.«

»Stimmt. Wenn du ihn nicht mehr brauchst, leih ihn mir mal aus, sei so gut, ja?«

»Hach, ich werde richtig sentimental … Ich muss immer an deinen kleinen Hinterhof-Salon denken«, sagte Alexa träumerisch. »Geht's dir nicht auch so?«

Julian lehnte sich in seinem Liegestuhl zurück.

»Ich denke an Paris. Die erste Hälfte des Monats lebten wir immer wie die Fürsten …«, sein Seitenblick auf Alexa wurde mit einer Portion Sonnenmilch aus dem Sprühflacon beantwortet, »und in der zweiten Hälfte wurde es dann ganz bitter. Wir hatten damals so eine schräge Vierer-Wohngemeinschaft in St. Germain. Partys ohne Ende. Mit dem lieben Gott in Frankreich waren wir per du. Aber so um den Fünfzehnten herum, wenn wir alles Geld ausgegeben hatten, dann reichte es nur noch für das Nötigste. Morgens kauften wir ein Baguette und ein Stück Pâté, das wurde dann mit dem Lineal eingeteilt: ein Stückchen zum Frühstück, ein Stückchen zum Mittagessen, der Rest am Abend. Und wenn selbst dafür kein Geld mehr da war, dann ging ich ins Café Flore …«

»Da gibt's aber auch nichts umsonst.«

»Doch nicht vorne – hinten in die Küche. Teller habe ich da abgewaschen. Und wenn ich Glück hatte und der Koch gute Laune, gab's um Mitternacht ein Stück Entrecôte.«

»Mein armes Schatzerl. Ich musste nur Babysitten bei der reichen Verwandtschaft. Aber auch das war ziemlich grässlich. Na ja. Tempi passati!«, schloss Alexa die Reminiszenzen ab.

»Nun kommt erst mal das Hier und Jetzt!«

»Julian der Göttliche steigt ins Meer. Kommst du mit?«

»O nein! Ich werde mir doch nicht die Frisur ruinieren!«

Dann rannten beide los.

*

Alle sprangen unwillkürlich auf. Selbst betagte Stammkundinnen und contenanceerprobte Prinzessinnen hielt es nicht auf den Ledersesseln. Angefeuert wurden die Standingovations von Freddie Mercurys ekstatisch gekrähtem »We are the champions«, das Tommy aus den Boxen dröhnen ließ.

Julians Rückkehr in den Salon glich der Ankunft eines siegreichen Helden nach der Schlacht. Nur mit dem Unterschied, dass Julian keine verwegenen Verwundungen von seinem Abenteuer davon getragen hatte, sondern eine formidable Bräune.

Uschi Weller, die sich vorzugsweise am Rande der Hysterie aufhielt, rannte auf ihn zu, fiel vor ihm auf die Knie und rief, seine Beine umschlingend: »Vivat, mein Prinz! Willkommen im Club! Du bist jetzt beim Theater. Dramaturg, Regisseur, Schauspieler, such dir was aus!«

Julian sah sich um. Er war wieder da. Und doch wirkte das Vertraute mit einem Mal fremd, ja, befremdlich. Vermummt in ihren dunklen Kitteln, wie zu einer schwarzen Messe bestellt, umringten ihn die Frauen. Viele hatten Folien im Haar, wegen der berühmten Folien-Strähnen, und sahen aus wie vergessene Weihnachtsgeschenke vom letzten Jahr. Aufwändig verpackt, aber nutzlos.

Ja, dachte er, ich mache diese Frauen sich selbst zum Geschenk. Deshalb sind sie auch so dankbar. Er begann zu lächeln.

Sie waren ja alle ängstlich. Auf der Hut vor Styling-Fehltritten, auf Gleichmaß bedacht, auf die Ins und Outs, auf die Dos und Don'ts, gegen die Julian all die Jahre beharrlich angearbeitet hatte. Und nun hatten sie es verstanden, endlich, dass dieses wohltemperierte *ma non troppo* schon immer ein Irrtum gewesen war. Julian hatte Alexa zum Ereignis gemacht, zur Ikone des Yellow Business, mit genau jener Mischung aus Provokation und Perfektion, die die Bewunderung mit Entrüstung veredelt.

Alle stürzten auf ihn zu, herzten und küssten ihn, rissen ihm fast die Brille vom Gesicht und benahmen sich wie die halbwüchsigen Fans einer nicht minder halbwüchsigen Popband. Julian ließ es geschehen. Zum Glück kam keine auf die Idee, ihn mit Slips zu bewerfen.

»Du hast es geschafft!«, rief Uschi Weller, die sich wieder erhoben hatte, und presste ihren Kopf an seine Hemdbrust. »Du hast das getan, was sich vorher keiner getraut hat! Du bist der anarchische Ästhet!«

Champagner wurde geöffnet, man begann zu tanzen.

Plötzlich hielt ein Taxi mit quietschenden Reifen direkt vor dem Eingang. Alle starrten zur Tür. Es war Julians Philosophie, dass seine Salons nicht blickdicht waren, sondern geradezu offenherzig. Keine verblichenen Shampooschachteln im Fenster, keine Fotos mit verlegen lächelnden Amateurmodels, kein staubiges Grünzeug. Seine Dekoration waren die Frauen. So entzauberte er scheinbar das Geheimnis von Stil und Styling, während er es doch gleichzeitig auratisch auflud dadurch, dass er es ausstellte wie in einer Galerie.

Jeder konnte durch die Glasscheiben hineinsehen. Eine Bühne ohne Vorhang. Doch die Glasscheibe war eine große Illusion. Wer sich hier zur Schau stellte, wie Ludwig der Vierzehnte bei der Morgentoilette, der war drin. Nun spähten alle hinaus.

Zunächst sah man nur einen monströsen Rosenstrauß, der aus dem Fond ragte. Dann eine Magnumflasche Champagner. Und dann erschien Gabrieles schwitzendes Gesicht. Erfüllt von ihrer Mission, hastete sie zum Tresen.

»Wo ist er?«, keuchte sie. »Ist er schon da? Nun sagt doch was!« Dann entdeckte sie Julian.

»We are the champions!«, kreischte Freddie Mercury. Gabriele kollabierte auf der Stelle.

»Julian! Mein Genie, mein Gott, o Gott, o Gott …« und damit segelte sie auf ihn zu, riss ihn zu Boden und begrub ihn unter roten Rosen.

Niemand konnte hinterher genau sagen, woher der Fotograf eigentlich gekommen war, niemand hatte ihn kommen sehen, doch jetzt legte er los und knipste, was das Zeug hielt. Es gewitterte unaufhörlich, während sich Julian unter Gabriele wand wie ein Käfer, der von einer Heuschrecke angefallen wird, und Gabriele ihre vergeblichen Versuche, sich zu erheben, durch ebenso vergebliche Versuche, ihn zu umarmen fortsetzte. So rangen sie eine Weile auf dem weißen Marmor, beäugt vom schwarz bekittelten Publikum.

»Julian, verzeih mir, ich bitte dich, ich flehe dich an«, japste Gabriele.

»Soll ich einen Eimer Wasser holen?«, fragte Tommy ungerührt.

»Geht schon«, winkte Julian ab, rollte sich zur Seite und flüchtete zur Bar, während Tommy den Fotografen zur Tür hinausschob.

Gabriele musste gestützt werden. Völlig aufgelöst sank sie neben Julian auf einen Barhocker.

»Es ist alles Hermann Hubers Schuld«, beteuerte sie und ergriff mit zitternden Händen das Glas Wasser, das man ihr reichte. »Ich wollte diese Regina-Geschichte nicht, ich schwöre es dir. Nie wieder lasse ich so etwas zu. Sei wieder gut, ja?«

Julian schwieg. Er liebte seine Arbeit, er lebte für seine Salons, und er genoss den triumphalen Erfolg, den er gerade mit Alexa hatte. Doch wenn es um böse Nachrede ging, um Ränke und Intrigen, dann wurde er wieder das wehrlose Kind, der verunsicherte Außenseiter. Das alles passte nicht in sein Sonnensystem. Und er hatte keine Ahnung, wie er darauf reagieren sollte. Es wäre ein Leichtes gewesen, Gabriele für immer die Tür zu weisen. Alle starrten sie feindselig an. Niemand sprach mit ihr.

Er sah zu Tommy hinüber. Es gab nur einige wenige Menschen, denen er sich nah fühlte, und es fiel ihm schwer, Gabriele von der imaginären Liste der Vertrauten zu streichen. Sie gehört zur Familie wie eine durchgeknallte Großtante, dachte er, und wenn sie es auch gelegentlich an Loyalität hapern ließ, so waren die gemeinsamen Erinnerungen für ihn doch Grund genug, nicht an ihrer Freundschaft zu zweifeln.

»Julian?«, fragte Gabriele mit brechender Stimme.

»Vergessen wir's«, sagte er großmütig, während Tommy enttäuscht mit den Achseln zuckte. Julians Gutmütigkeit grenzte zuweilen zweifellos an fahrlässige Naivität.

»Nimm dich in Acht, Gabriele«, flüsterte Tommy ihr zu. »Einmal noch so eine Sauerei und ...«, er führte die flache Hand an seine Kehle.

»Aber wo denkst du denn hin, Tommyschatz?«, rief Gabriele. »Jetzt lassen wir erst mal die Korken knallen! Julian ist der Star der Saison! Los, mach doch mal die Magnumflasche auf. Was ist, Julian, wollen wir nicht nächste Woche in Berlin weiterfeiern? Nimmst du mich mit?«

Der schnelle Themenwechsel verwirrte Julian. Berlin? Warum Berlin?

»Der Beauty Award«, half Gabriele ihm auf die Sprünge.

»Ja, warum nicht?« sagte er zerstreut.

*

Die Stewardessen waren erlesen schön. Der Champagner war perfekt gekühlt. Aus den Lautsprechern perlte die sanft swingende Heiserkeit von Frank Sinatra. Kein Vergleich mit dem jaulenden »We lift you up where we belong« der handelsüblichen Kettenflüge. Dies war ein Privatjet.

Julian sah sich um. Der gesamte Wanderzirkus ging auf Tournee. Die Journalisten, die Models, die Branchenkönige, die unermüdlichen Akteure des immer gleichen Stücks. Hier glaubte keiner mehr an magische Cremes oder bahnbrechende Essenzen, doch sie alle feierten sich einmal im Jahr, wenn der Beauty Award vergeben wurde, eine bemerkenswert hässliche Trophäe, mit der die gekonntesten Lügen und die unverfrorensten Glücksversprechen des Beauty Business ausgezeichnet wurden.

»So ein Privatjet ist einfach nicht zu toppen«, schwärmte Gabriele. »Streich doch mal über das Leder der Sitze – handschuhweich, mein Gott!«

Aufgeregt wie eine Stockente zur Paarungszeit schnarrte sie vor sich hin und drückte immer wieder Julians Arm, dessen Jackett-Ärmel schon ganz verknittert war. Wir sind versöhnt, vereint, dachte sie selig. Er nimmt mich mit! Für Alexa kommt so etwas ja nicht in Frage, Gott sei Dank, die muss wahrscheinlich gerade einen Kindergarten eröffnen oder sonst wie mildtätig sein.

Julian stellte sein Champagnerglas ab und betrachtete die Wolkengebirge hinter den ovalen Fenstern. Als kleiner Junge hatte er stundenlang im Gras gelegen und sich in diese dramatischen Himmel geträumt. Ganz nach oben. Nun war er ganz oben und musste feststellen, dass es hier nicht anders zuging als in der Dorfschule seiner Kindheit.

»Und das Lady's Kit – vom Feinsten!«, frohlockte Gabriele. Hektisch wühlte sie in dem mohnroten Necessaire, das den Damen gleich beim Einstieg überreicht worden war, und öffnete auf der Stelle alle Tiegel und Flacons, die sie darin fand. Eine Minute später roch es im Flugzeug, als sei eine Lastwagenladung Parfum zu Bruch gegangen.

»Ist das hier nun Lauda Air oder Lauder Air?«, witzelte Werner Riesmann, ein Beauty-Journalist, der es sich zum Markenzeichen gemacht hatte, betont ungepflegt aufzutreten. Seine Krawatte verriet seine Frühstücksgewohnheiten, die ganz offensichtlich Kaffee und weiche Eier einschlossen, sein Hemd war zerdrückt und sein Haar zerzaust. Im Besonderen aber schienen Sinn und Gebrauch von Deodorants für ihn ein ungelüftetes Geheimnis geblieben zu sein. Unternehmungslustig lungerte er im Gang herum, mit dem festen Vorsatz, seine Mitreisenden zu unterhalten.

»Hallo Gabriele, hübsches Paar seid ihr, der Julian macht dich ja immer jünger!«

Gabriele schniefte leidend vor sich hin, denn trotz ihrer üppigen Parfümierung war die olfaktorische Anwesenheit von Werner Riesmann deutlich wahrnehmbar.

Wie auf ein Stichwort hin drehte sich Beate Budenbach auf ihrem Sitz herum, was ihr trotz ihrer ausladenden Körperfülle bemerkenswert gut gelang. Selbst heute, auf dem Weg zum Gipfeltreffen der Kosmetikbranche, kultivierte sie wie ihr Kollege Riesmann eine gewisse Nachlässigkeit in Garderobe und Frisur.

Buschig hingen ihr ein paar fehlgesteuerte Locken in die Stirn, und wie immer trug sie mehrere Schichten eher formloser schwarzer Bekleidungsstücke übereinander.

»Wirklich herzig, der Schöne und das Biest auf Betriebsausflug! Habt ihr euch denn schon erholt von der dornenreichen Kopulation im Salon?«

»Nur kein Neid!«, sagte Gabriele und rückte ein wenig näher an Julian heran. Dass Beate mitflog, empfand sie als persönliche Beleidigung.

»Aber an Gabrieles Frisur könntest du noch ein bisschen arbeiten, Julian, bei Alexa gibst du dir wirklich mehr Mühe!«

»Ach ja, die nette kleine Alexa«, zischte Gabriele. »Wo ist sie überhaupt?«

Sie würde es dieser flauen Fürstin zeigen, wer Klasse hatte und Stil. Noch war die Wette nicht gewonnen.

»Alexa ist auf Mustique. Der Fürst hat dort eine kleine Familienfeier arrangiert«, antwortete Julian.

»Und warum bist du nicht dabei? Du gehörst doch jetzt zum fürstlichen Gefolge, oder?«, höhnte Beate Budenbach. »Haben sie dir schon eine Livree verpasst?«

»Zum Gefolge? Beate, du hast da was missverstanden, der Julian ist nämlich ...«, versuchte Gabriele ihn zu verteidigen, doch Julian legte einen Finger auf die Lippen.

»Gib es auf, Beate braucht ihre tägliche Dosis Missgunst«, flüsterte er. »Das ist ihre Droge.«

»Hast ja Recht«, flüsterte Gabriele zurück. »Mein alter Freund Oscar sagt immer: Vergib stets deinen Feinden. Nichts ärgert sie mehr.«

»Na, jedenfalls ist das doch mal eine echte Nummer, so ein Privatjet, hat doch was, das Ding hier!«, polterte Werner Riesmann dazwischen.

»Die Maschine hat vorher Michael Jackson gehört«, erklärte Julian. »Stellt euch mal vor, wer schon alles hier gesessen hat. Liz Taylor, Janet Jackson, und ...«

»Der ist doch immer nur mit seinen Affen geflogen«, schnitt Gabriele ihm das Wort ab.

Wie eine Ehefrau im zwanzigsten Dienstjahr, dachte Julian. Er schloss die Augen. Gabriele wurde zweifellos schon wieder ein wenig anstrengend.

»Warum ist nur der Luftraum ewig überfüllt? Wir werden gnadenlos zu spät sein, hoffentlich schaffen wir überhaupt das Dinner nach der Preisverleihung. Ich sterbe vor Hunger«, seufzte Werner Riesmann.

Beate Budenbach drehte sich wieder zu Julian um.

»Der Himmel über Berlin dicht! Vips auf Warteschleife! So ein Pech aber auch!«

»Wer bekommt denn eigentlich diesen komischen Pokal? Gibt's etwa eine neue Wundercreme?«, fragte Werner Riesmann.

»Wundercreme«, echote Beate Budenbach mitleidig. »Dass ich nicht lache. Ich verwende diese ganzen Pröbchen als Fußcreme. Und ins Gesicht kommt mir nur noch Nivea.«

»Na, toll!«, rief Werner Riesmann. »Dann kann es dir wenigstens nicht mehr passieren, dass du ein Kompliment für deine neuen Schlangenleder-Ballerinas bekommst, obwohl du barfuß bist!«

Auf der Stelle wurde es sehr still. Beate Budenbach wandte sich ab und hielt ihre rechte Faust hoch, deren Mittelfinger gänzlich undamenhaft aufgereckt war. Doch Werner Riesmann ließ nicht locker.

»Gell, Beate«, dröhnte er, »von einem gewissen Alter an sieht eine Frau nur noch faltenfrei aus, wenn sie ohne BH ausgeht!«

In das peinlich verklumpte Schweigen hinein meldete sich der Kapitän zu Wort und referierte nicht nur Reisegeschwindigkeit und Außentemperatur, sondern auch die Menüfolge des kleinen Lunchs, von der getrüffelten Wachtelterrine über die Jakobsmuschelessenz und die Taubenbrüstchen bis hin zum Melonenparfait an Waldhimbeermark.

»Fein, erst der Wachtelkrempel und dann das Dinner«, krakeelte Werner Riesmann, der durch den großzügig ausgeschenkten Champagner bereits in einen bedenklichen Schlingerzustand geraten war. »Aber vorher werden wir mal die Bordbar trocken trinken. Ein Scotch mit Amaretto, gerührt, nicht geschüttelt, und zwar flotti!«

Schwerfällig ließ er sich in seinen Sitz fallen und sah der Stewardess nach, die sich ungerührt zum Anfertigen dieses eigenwilligen Cocktails zurückzog.

»Is doch ne klasse Sache, Gabriele, na los, trinkste mit?«

»Scotch mit Amaretto?« Gabriele zog den pinkfarbenen Pashmina-Schal fester um die Schultern. »Also, da wird mir nur schlecht!«

»Na und? Is doch egal, is doch umsonst!« brüllte der Mann und lachte schlau.

Gabriele verdrehte die Augen und sah zu Julian hinüber, der in einer Art instinktivem Totstellreflex tiefen Schlaf vortäuschte.

»Nun sag doch auch mal was«, herrschte sie ihn an.

Währenddessen hatte sich Beate Budenbach einigermaßen erholt und wisperte in Gabrieles Richtung: »Willst du wissen, was wirklich der ultimative Heuler gegen Falten ist? Na?«

Gabriele neigte sich neugierig vor.

»Na, deine Nivea-Nummer kann ja wohl nicht alles gewesen sein. Was ist es denn? AHA-Säure? Liposomen? Vitamin C?«

»Vergiss es«, gluckste Beate Budenbach. Dann flüsterte sie nur noch.

Gabriele schrie kurz auf, um schließlich atemlos zu fragen: »Ist das dein Ernst?«

»Mein voller Ernst!«, sagte die Budenbach. »Probier es aus. Ist einfach phänomenal. Und wirkt sofort!«

Gabriele ließ sich in ihren Sitz fallen. Exaltiert kicherte sie in sich hinein.

Julian öffnete die Augen.

»Und? Was nimmt sie?«

Gabriele blinzelte ihn kurz an, dann flüsterte sie ihm etwas ins Ohr.

»Wie bitte?«, schrie Julian.

Nach dem dritten Versuch wusste der ganze Flieger, dass Beate Budenbach zur Faltenbekämpfung Hämorrhoidencreme benutzte.

»Kollege Riesmann ist heute mal wieder recht monothematisch«, bemerkte Klaus-Dieter Weber.

»Ich würde eher sagen: tarzanesk«, gab Gabriele zurück. Fachmännisch betrachtete sie den König des Lifestyle, der stets wie aus dem Musterkoffer der aktuellen Designer-Kollektionen gekleidet war.

»Hübsche Krawatte«, sagte sie. »Armani?«

»Du lieber Himmel, Gabriele, Armani ist doch das H&M des unteren Mittelstands. Oh nein. Diese Krawatte wurde in Mailand von Hand genäht, mit jener Umsicht, mit der auf Kuba die Zigarren auf den Schenkeln von …«

»Lass mal bitte diese Chauvi-Sprüche stecken«, ächzte Gabriele.

»Wieso denn?«, rief Werner Riesmann. »Ich zum Beispiel trinke nur Champagner aus der Kniekehle einer Brasilianerin, aber wenn's sein muss, dann darf es auch Eierlikör aus dem Bauchnabel meiner Alten sein.«

Julian erhob sich.

»Wo willst du denn hin?«, fragte Gabriele irritiert.

»Frische Luft schnappen«, lächelte Julian und setzte sich auf einen freien Platz zwei Reihen weiter vorn. Eigentlich sollte ich das Schreiben nicht den anderen überlassen, dachte er. Einmal schreiben, was wirklich hier läuft, das wäre es.

Klaus-Dieter Weber hatte die ungelenken Humorversuche von Werner Riesmann ignoriert und beugte sich nun zu Gabriele.

»Der Julian legt ja eine bemerkenswerte Karriere hin«, sagte er. »Machst du was über ihn? Mit der Regina-Geschichte lagst du ziemlich daneben …«

»Die verhauene Nummer habe ich einzig und allein Hermann Huber zu verdanken. Aber demnächst erscheint eine große Sache. Ich darf leider noch nicht darüber reden. Und du? Machst du was?«, fragte Gabriele zurück.

»Aber sicher, morgen erscheint mein großer Artikel über ihn: ›Der Friseur als Mythos des postsäkularen Zeitalters‹«, erklärte Klaus-Dieter Weber.

»Ach – ach so«, stammelte Gabriele. Der Friseur als Mythos des postsäkularen Zeitalters? Großer Gott, was sollte das denn bedeuten?

»Ich zeige, dass die Epoche der allgemeinen Säkularisierung dahin ist und nun neue Religionen in das Bewusstsein drängen, neue Mythen, neue Heilsbringer«, dozierte Klaus-Dieter Weber. »Und neue Religionsstifter, deren Terrain auch im Dienstleistungsgewerbe zu finden ist. Et voilà – an dieser Stelle bringe ich dann Julian ins Spiel. Na, was hältst du davon?«

Gabriele hatte nicht alles verstanden, aber sie spürte, dass dieses intellektuelle Großgeschütz eine gefährliche Konkurrenz war. Am liebsten hätte sie ihren Absolutheitsanspruch auf Julian beim Patentamt angemeldet.

Beate Budenbach hatte das Fachgespräch stumm belauscht und wandte sich nun wieder Gabriele zu.

»Wie läuft denn eure Wette? Hat der Barbier von Bavaria dich schon richtig eingeseift?«

»Nun mach ihn doch nicht immer runter, Beate.«

»Das macht er schon selber. Ich sammle bereits. Es gibt da Gerüchte …«

»… was denn, um Gottes willen? Was denn, Beate?«

»Gerüchte?«, wiederholte Klaus-Dieter Weber. »Raus damit! Ich liebe Gerüchte.«

»Es geht immer um dasselbe: Sex und Geld. Ich bin an einer Callboy-Nummer dran, also, wenn das erscheint …«

»Untersteh dich«, knurrte Gabriele. Dann griff sie demonstrativ zu ihrem Hausblatt, der »Society«, und begann zu lesen. Warte erst mal auf mein Buch, dachte sie, da werden dir die Augen übergehen.

Als das Dessert serviert worden war, erhob sich Klaus-Dieter Weber und schlenderte zu den Stewardessen, die heiße Tücher mit Pfefferminz-Öl erwärmten. Alle sahen ihm nach. Sein nuss-braunes Cashmere-Jackett schimmerte, sein hellblaues Maß-hemd leuchtete und die dunkelblaue Bundfaltenhose fiel perfekt auf die untadelig geputzten Schuhe.

»Ein echter Gentleman«, sagte Beate Budenbach anerkennend. Mit gesenkter Stimme wandte sich Klaus-Dieter Weber an die Stewardessen. »Wo ist denn hier mal – na, Sie wissen schon.« Die beiden lächelten gut trainiert.

»Oh, Sie meinen …«

Klaus-Dieter Weber spürte die Blicke auf seinem Rücken. Wie er seine Pennälerblase hasste. Aber es half alles nichts. Es pressierte bereits.

»Es tut mir sehr Leid, aber wir haben hier an Bord keine, äh, kei-nen Waschraum«, sagte die Dunkelhaarige mit der bananenarti-gen Aufsteckfrisur.

»Ich brauche keinen Waschraum, gnädige Frau, ich brauche eine Toilette!«

Nun war es heraus. Die beiden Stewardessen sahen sich kurz an, und er spürte, dass sie nur mühsam eine unbändige Lust zu ki-chern unterdrückten. Plötzlich sehnte er sich nach der preußi-schen Ruppigkeit des Linienpersonals.

»Nun macht nicht so ein Theater, Mädels. Ich muss mal pin-keln!«

Hilfe suchend drehte er sich um. Nur das leise Summen des Flug-zeugs war zu hören. Alle Mitreisenden schienen sich plötzlich geradezu libidinös für ihre Zeitungslektüre zu interessieren. Ein-zig Julian lächelte ihm eine Portion Mitgefühl zu.

»Mein Herr, es tut mir sehr Leid, aber es gibt keine Toilette!« Julian stutzte kurz, dann stand er auf und lief nach vorn.

»Das kann doch nicht wahr sein! Ihr gießt uns hier einen Jahr-gangs-Champagner ein und habt keine Toilette?«

»Ganz genau so ist es, mein Herr!«, bekräftigte die durchschei-nende Blonde. Es schien ihr durchaus nicht Leid zu tun.

Klaus-Dieter Webers Blick bekam etwas leicht Panisches.

»Der platzt gleich«, rief Gabriele über die Sitzreihen hinweg.
»Und dann brauchen die einen Aufnehmer. Mindestens.«
Julian drehte sich zu ihr um.

»Gabilein, wenn wir einen Blockwart brauchen, sagen wir Bescheid. Das machen wir Jungs schon. Also, meine Damen, Sie haben doch diese wunderschönen Champagnerkübel!«

»Äh – wie bitte?«

Julian genoss sichtlich den ungläubigen Widerstand.

»Na, Champagnerkübel! Her damit!«, rief er.

Zögernd reichte die blonde Stewardess das Gewünschte. Leise klirrten die Eiswürfel. Klaus-Dieter Weber lächelte tapfer. Dann bemerkte er, dass schon die vage Aussicht auf irgendeine Form der Erleichterung ihn gefährlich entspannte.

»N-n-nein!«, stieß er hervor.

»Aber ja!« Julian war bester Laune. »Wo wollen Sie denn hin mit dem Zeug? Ist doch alles menschlich. Also, runter mit der Hose und rauf auf den Kübel und dann machen Sie eben Pipi. Wie ein Mädchen!«

Langsam senkten sich die Zeitungen.

Der preisgekrönte Kolumnist bekam auf der Stelle einen Schweißausbruch. So, als wollte sein Körper instinktiv alle Flüssigkeit loswerden, die ihren natürlichen Weg nach draußen nicht fand. Seine Hände beschrieben eine letzte abwehrende Geste, dann drehte er sich um und öffnete seine Hose.

»Einfach locker lassen – und los!«, befahl Julian.

Leise knackten die Eiswürfel und verwandelten sich in kleine Dampfwölkchen, die beiläufig in der handgenähten Krawatte verpufften.

*

»Auf nach Dunkeldeutschland!«, sagte Gabriele und stieg zu Julian ins Taxi.

Berlin entdeckte gerade den Osten, den man neudeutsch Mitte

nannte, und bediente sich bei einer architektonischen Grandeur, deren Erhalt ironischerweise dem Sozialismus zu verdanken war. Im Gorki-Theater, dort, wo einst Tschechow und Ibsen zwecks kultureller Besserung der Arbeiterklasse gespielt worden waren, ging es an diesem Abend um die Feier der chronischen Eitelkeit. Das Beauty-Business hatte beschlossen, seine parasitäre Funktion im gesellschaftlichen Wettlauf um Jugend und Schönheit durch eine hollywoodesk inszenierte Gala aufzuwerten, und dazu entsprechend großspurig eingeladen.

Die Preisverleihung war gerade zu Ende, als Julian und Gabriele das Theater betraten. Sichtlich ermüdet nach zwei Stunden Lauder und Laudatio schritten die Gäste die Treppe herunter, eingerahmt von Gold und Stuck. Man hatte sich am Zeremoniell der Oscar-Verleihung orientiert, Statuetten waren überreicht, Danksagungen gestammelt worden.

»Wo sind denn die Stars?«, maulte Gabriele.

»Welche Stars?«, fragte Julian. »Das hier ist ein Branchentreffen!«

»Eine Gala für Manager und Sekretärinnen? Und das soll Hauptstadtglamour sein?«, beschwerte sich Gabriele. »Das sieht nicht wie die Feier aus, sondern wie eine Generalprobe, die man mit Komparsen bestückt hat!«

Misslaunig betrachtete sie das Defilee der Geladenen.

»Herrgott, diese Kosmetikschnepfen, einfach nicht auszuhalten!«, stöhnte sie. Gabriele hatte sich bei Julian eingehängt. Alle sollten sehen, dass sie hier als Paar angetreten waren. Sie fühlte sich überlegen. Das hier war kein Galopprennen und keine Adelshochzeit, wo man sie zum geduldeten Zaungast degradierte, nein, hier konnte sie sich endlich einmal sicher fühlen. Abschätzig betrachtete sie die Lurex-Kleidchen und den klappernden Modeschmuck der Frauen.

»Mehr Schein als Design! Nicht mal anziehen können die sich! Das sieht ja hier aus wie eine Opernpremiere in Oldenburg!«

Julian befreite sich aus ihrem resoluten Griff. Er hatte Gabriele immer außerordentlich amüsant gefunden, doch ihr neuer Hang zur Blasiertheit plagte ihn zunehmend. Er ahnte nicht, dass ihre öde Überheblichkeit unmittelbar mit ihm zu tun hatte, da sie sich bereits als die gesellschaftliche Instanz gerierte, die sie nach der Veröffentlichung ihres Buches zu sein hoffte.

Unter dem Vorwand, sich nach den notdurftverweigernden Unbillen des Fluges menschlich zu erleichtern, entfernte er sich schleunigst und genoss die Liebenswürdigkeit der anwesenden Damen, die ihn überschwänglich begrüßten.

Im Gegensatz zu Gabriele liebte er sein Metier und auch die Menschen. Die Fähigkeit zur Empathie, die ihm seine bemerkenswerte Karriere beschert hatte, schützte ihn vor Dünkel und wohlfeilem Spott. Er kannte die Nöte und Ängste der Frauen, und er war sich immer bewusst, dass sein Handwerk das Aroma des Liebesdienstes hatte, ein Rudiment jener freundlichen und friedensstiftenden Geste, mit der sich Affen gegenseitig lausen. Mit anderen Worten: Er besaß soziale Intelligenz.

Unterdessen fühlte sich Gabriele immer unbehaglicher. Sie musste beschämt feststellen, dass ihre arrogante Attitüde keinen Spaß machte, wenn niemand ihre herablassenden Kommentare goutierte. So erkaltete sie in einem angestrengten Dauerlächeln und sehnte sich nach Julians Rückkehr. Wo blieb er nur? Gab es etwas Peinlicheres als einen Gast, der inmitten von munter lachenden Partygesichtern zu autistischer Sprachlosigkeit verurteilt war?

Eine Weile hielt sie durch, doch als sie von der Menge fast in den Vorraum zur Damentoilette abgedrängt wurde, machte sie sich auf, um Julian zu suchen. Fremdelnd irrte sie durch das überfüllte Foyer und tarnte ihre Einsamkeit mit großmütigem Kopfnicken nach rechts und links, so, als kenne sie mindestens die Hälfte aller Geladenen. Diesen Trick hatte sie sich von der alten Begum abgeschaut, die jede drohende Vereinsamung auf diese Weise überspielte, ganz gleich, ob sie sich in Chantilly oder Bayreuth befand.

Endlich, hinter einer Säule, entdeckte sie Julian.

Tatsächlich. Er war ihr entschlüpft. Und genoss auch noch sichtlich seine Fahnenflucht. Sprach mit irgendwelchen mediokren Gestalten und schien sich bestens zu unterhalten. Musste er denn immer alle kennen? Eifersucht stieg in ihr auf. Er gehörte doch ihr! Sie nahm zwei Gläser Champagner von einem Tablett und stürzte auf Julian zu.

»Armes Schatzerl, sicher verdurstest du schon!«, sagte sie und drängte sich in die Runde. Sie hätte Julian am liebsten ein Stäubchen von der Jacke geschnippt, um ihre familiäre Vertrautheit zur Schau zu stellen. Doch seine Schultern waren hoffnungslos schuppenfrei, wie sie mit Bedauern registrierte. Na ja, kein Wunder, dachte sie, schließlich ist er ein Profi.

Julian ergriff das Champagnerglas und wollte sie gerade vorstellen, als sich ein grau melierter Herr dazwischen schob.

»Ich hoffe, Sie amüsieren sich!«

Gabriele fuhr herum. Der Mann war ihr auf der Stelle unsympathisch. Sein Smoking saß tadellos, dennoch verbreitete er die Aura von Aktenordnern. Er verbeugte sich eine Spur zu zackig.

»Gestatten – Theo Wellmann, Annabelle Hair Group!«

Gabriele klammerte sich an Julians Arm. Ihr mütterlicher Beschützerinstinkt sagte ihr, dass Gefahr im Verzug war.

»Julian, was will dieser Kerl von dir?«

Theo Wellmann hüstelte kurz.

»Oh, bitte nicht so unfein. Annabelle ist der Friseur-Multi par excellence. Sollten Sie sich merken. Nächstes Jahr gehen wir an die Börse. Was ist, Julian, zocken Sie mit?«

Julian kannte Theo Wellmann nur oberflächlich, wusste aber um die expansiven Begehrlichkeiten dieses Managers, der mit der Behutsamkeit eines Schützenpanzers die kleinen Salons an der Ecke erledigte. Er selber hatte eine Schwäche für all diese winzigen Etablissements, die »Frisurenstübchen« hießen, »Für die Dame«, oder »Salon Moni«, und er bedauerte zutiefst, dass solche wackeren Bastionen nachbarschaftlicher Wärme nach und nach konfektionierten Kettenläden wichen. Als Halbwüchsiger hatte Julian einst in solch einem Salon gespielt, hatte ganze Nachmittage damit verbracht, hingebungsvoll die Lockenwickler zu sortieren und abgeschnittene Haarbüschel zusammenzukehren.

»Mitzocken? Warum? Sie wissen, dass ich völlig gesund bin«, erwiderte er nun und sah an dem Aktenmann vorbei. »Kein Interesse.«

»Natürlich, klar, auch wenn es natürlich eine Menge Gerüchte gibt ...«

»Gerüchte?«, fragte Julian perplex. Alles lief bestens. Die Salons waren ständig ausgebucht. Die Zeitungen feierten ihn. Wovon sprach dieser Wellmann bloß?

»Also, das ist ja mal eine News! Julian und Theo – da will einer ein Schnäppchen machen, was?«

Beate Budenbach kämpfte sich behände durch das Gewühl aus verschwitzter Seide und zerdrücktem Satin und postierte sich lauernd neben Julian. Aha, dachte er, Beate steckt also dahinter. Ich habe sie unterschätzt.

»Ein Schnäppchen? Wieso?«, fragte Gabriele. Auf der Stelle hasste sie diesen Mann. Was wollte er von Julian? Von ihrem Julian? Und warum wusste Beate mal wieder, was hier gespielt wurde?

»Süße, du bist aber auch immer so entzückend ahnungslos!«, lachte Beate Budenbach. »Der Mann macht locker zwei Millis Umsatz mit seiner Friseurkette. Ein Haar-Imperium. Dem fehlt nur noch der Einkaräter im Collier.«

»Was für eine kluge kleine Frau Sie doch sind«, summte Theo Wellmann.

»Alles Blödsinn«, sagte Julian. »Ich stehe nicht zum Verkauf.«

»Natürlich nicht, dann wär's ja nicht interessant«, erwiderte der Friseur-Multi und ließ ein goldenes Feuerzeug vor Gabriele aufblitzen, die eine Zigarette aus ihrem Abendtäschchen herausgefingert hatte.

»Also gut, nun machen Sie mal ganz schnell Ihren unsittlichen Antrag, damit ich mit den Damen zum Dinner gehen kann«, schlug Julian vor.

»Minimalismus«, raunte Theo Wellmann und beugte sich verschwörerisch vor. »Minimalismus ist angesagt. Keine Haarkunst. Sehen Sie den Bodo Lansky da drüben stehen? Der ist der Totengräber Ihrer Zunft. Auch so ein Promi-Friseur, aber wenn die Damen aus seinem Salon kommen, dann sehen die – pardon – die sehen einfach nur vervögelt aus!«

Gabriele unterdrückte nur halb einen indignierten Schrei, Beate Budenbach grinste von einem Ohrring zum anderen.

»Und da denken die Leute, dass sie sich die Haare auch gleich selber schneiden können. Das ist die Zukunft. Diese Typen müssen wir kriegen. Wussten Sie, dass noch vor drei Jahren die Frauen durchschnittlich achtmal im Jahr zum Friseur gingen und jetzt nur noch sechsmal? Wer braucht denn heute noch Stil und Allure? Sie sind ein Dino, liebster Julian. Sie schaffen's nicht mehr allein. Was Sie brauchen, sind Synergie-Effekte …«

»Ach ja?«, fragte Julian und biss in ein Mozzarella-Lachs-Kanapee. Er kannte das alles zur Genüge. Typen wie dieser Wellmann umkreisten seinen Erfolg wie Möwen einen Luxusliner, die sich von den Kombüsenabfällen ein opulentes Mahl erwarten.

»… Sie brauchen eine Kette, die Sie unterstützt, Ihren Namen behalten Sie natürlich, Sie sind das Flaggschiff, Sie positionieren das Label, wir übernehmen den Rest.«

»Sorry, ich bin nicht zu haben«, sagte Julian und betrachtete eingehend entfernter stehende Grüppchen von Frauen, die er winkend begrüßte.

»Nun seien Sie nicht so friseurig«, beharrte der Haar-Tycoon gönnerhaft.

»Friseurig? Also das ist ja wohl die Höhe! Was soll denn das nun wieder heißen?« Gabriele baute sich drohend vor dem Mann auf, der den Charme eines Bügeleisenverkäufers verbreitete.

»Na, friseurig eben, zögerlich, ohne Visionen, ohne …«

»Das trifft wohl eher auf Sie zu«, kicherte Bella Schnitzler, die gerade hinzugekommen war. »Sie bekommen doch den Popo nicht hoch mit Ihren Frisur-Fabriken, wo nägelkauende Azubis den PVC-Belag fegen, einen erbärmlichen Kaffee kochen und Hausfrauen verschlimmbessern ...«

Theo Wellmann wedelte mit seinem Programmheft herum, als wolle er eine Fliege verscheuchen. Dann wandte er sich wieder Julian zu.

»Noch sind Sie eine große Nummer, nutzen Sie Ihren Marktwert, sonst ...«

»Sonst?« Julians Augen verengten sich plötzlich.

»Sonst machen wir Sie mit Güte fertig. Letale Umarmung. Verstehen Sie?«

»Nein«, sagte Gabriele. »Verstehen wir nicht. Aber Sie machen uns mit Langeweile fertig. Ich habe Hunger. Los, Julian, vergiss den Börsenheini.«

»Schon passiert, Gabilein«, lächelte Julian und ließ Theo Wellmann mit Beate Budenbach stehen.

»Julian mit den Scherenhänden ...«, feixte der Manager und steckte sich ein Pfefferminzkaugummi zwischen die schmalen Lippen. »Wenn der denkt, dass er an mir vorbeikommt, dann hat er sich aber geschnitten!«

»Lieber Herr Wellmann, Sie gehen ja wohl davon aus, dass ich das verwenden werde?«, lispelte Beate Budenbach schadenfroh.

»Aber selbstverständlich!«, erwiderte er roboterhaft kauend und entfernte sich, zufrieden mit dem Köder, den er ausgelegt hatte. Wenn Beate Budenbach anbiss und schrieb, dass er mit Julian gesprochen hatte, würden seine Aktien auf der Stelle um ein paar Punkte steigen, so viel war sicher.

Der Bankettsaal war ganz in Rosa geschmückt. Auf den Tischen lagen rosa Lilien auf pinkfarbenen Puderquasten und zum ambulant dargebotenen Amuse Gueule wurde ein Rosé-Champagner eingeschenkt. Das Duft-Potpourri des Fluges war ein Frühlingshauch gewesen gegen die parfümierte Explosion, die hier stattgefunden hatte. Ein wenig erschöpft promenierten Julian und Gabriele an den Tischen entlang, auf der Suche nach ihren Plätzen.

»Julian! That's cool, komm, Mädel, stell dich mal daneben, ja?« Ehe Julian sich versah, war er auch schon mit einem wildfremden Mädchen fotografiert worden, das sich in aufreizender Pose an ihn presste.

»Hallo, Lenny«, sagte er resigniert.

Lenny Backwitz galt als eine Art Modelzuhälter. Unermüdlich trieb er sich auf allen blitzlichtträchtigen Events herum, stets in Begleitung von sehr jungen, sehr hübschen Mädchen, denen er eine brillante Karriere versprach. Die überfallartigen Fotoaktionen gehörten zu dem, was er sein PR-Konzept nannte. Allerdings war es eher ein Taschenspielertrick, den er Abend für Abend zelebrierte: Er trieb sein kicherndes Frischfleisch stets irgendwelchen überrumpelten Prominenten in die Arme, in der Hoffnung, dass das daraufhin geschossene Foto gedruckt wurde. Frisch gedruckt ist halb gewonnen, pflegte er zu kalauern, und es war in der Tat erstaunlich, dass seine unbestritten schlichte Taktik zuweilen Blitzkarrieren erzeugte, deren Dauer allerdings selten die Haltbarkeitsfrist eines handelsüblichen Joghurts überschritt.

»Ist ein tolles Mädel, aus der wird mal was, wart's ab«, rief er. Dann senkte er die Stimme. »Neuerdings expandiere ich im Heiratsbusiness. Kommt schweinegut. Die Mädels erzählen einfach, dass sie sich verliebt haben, dass sie heiraten möchten, natürlich irgendeinen Promi. Manche dieser Promis fallen sogar drauf rein und gehen mit den Dingern essen. Eine Super-PR. Aber bei dir läuft das ja leider nicht. Ciao, mein Lieber!«

Er schüttelte Julian die Hand, um sich auf die Suche nach weiteren Opfern zu machen. Gabriele sah ihm wütend hinterher.

»Der ist immer so«, sagte Julian und rückte seine Krawatte gerade, die im Eifer der Instant-Umarmung verrutscht war.

»Also, da fällt mir nun gar nichts mehr ein! Der Typ ist Grauen erregend, der wird nur von seinem großkarierten Jackett getoppt«, stellte Gabriele fest.

»Immerhin ist er so was wie der Erfinder des Ludergewerbes«, sagte Julian achselzuckend. »Früher sprach er noch von der prämedialen Prostitution, heute nennt er das Marketing.«

»Julian! Schätzchen!« Missgünstig starrte Gabriele das nächste ausnehmend hübsche Mädchen an, das auf Julian zustürzte.

»Ich liiiebe deine neue Kolumne! ›Gegen den Strich gebürstet‹, so ein witziger Titel! Ich verschlinge sie geradezu. Schreibst du etwas über unseren neuen Lipgloss? Der ist doch total ›Scotty beam me up‹!«

»Lipgloss? Da rutscht man doch immer ab beim Küssen!«, lachte Gabriele freudlos. Am liebsten hätte sie dieses grazile Wesen mit dem schulterfreien Abendkleid und den absolut cellulitefreien Oberarmen in die rosa Blumendekoration geschubst. Was war das überhaupt für ein Baujahr? Seit wann durften Halbwüchsige auf Partys gehen?

Julian umarmte das unerträglich hübsche Mädchen.

»Hallo Marisa, Süße, ach, der Lipgloss, eine absolut pelzige Angelegenheit, als ich den aufgetragen hatte, fühlte es sich so an, als hätte der Zahnarzt daneben gespritzt! Und am Glas hinterlässt er Schleimspuren, als sei eine Weinbergschnecke darauf herumgekrochen!«

Erschrocken wich Marisa zurück.

»Das Schlimmste aber ist: Die Zigarette schmeckt danach scheußlich!«, beschwerte sich Julian.

Marisa trank ihr Champagnerglas leer. Sie schwankte leicht.

»Aber die Cashmere-Lotion, Julian? Die ist doch toll …?«, flüsterte sie unsicher.

»Cashmere sollte man nur mit Julians Shampoo waschen«, warf Gabriele ein. »Das mit dem Mandelduft«, fügte sie hinzu. Marisa-Mäuschen war ja offenbar völlig ahnungslos.

»Die Cashmere-Lotion ist nett!«, sagte Julian. »Meine Perle ist total begeistert. Aber diese Begeisterung wird teuer. Denn sie besteht darauf, dass ab jetzt nur noch vierfädiges Cashmere ins Haus kommt.«

»Wir bringen das bald als Me-too-Produkt«, dröhnte Theo Wellmann, der zielstrebig die Runde ansteuerte.

»Wer hat Sie denn gefragt?«, sagte Marisa spitz.

»Moment mal, Mi-Tu? Was heißt das denn wieder? Ist das eine neue Sushi-Variante?«, fragte Gabriele.

»Streuverluste limitieren«, raunte Wellmann und schob sein Kaugummi zwischen den Zähnen hin und her. »Rauf auf das Produkt, kopieren, Zielgruppe ist schon definiert, ein bisschen billiger anbieten, und schon ist das Segment abgegriffen!«

»Verschonen Sie uns mit weiteren Details, Sie Billigheimer«, schnaubte Gabriele mit der Verve eines Brauereipferdes.

»Ach, was für ein überaus spannendes Fachgespräch – darf man lauschen?«

Mit diesen Worten schob sich nun auch noch Klaus-Dieter Weber heran. Er küsste flüchtig die Damen und nickte den Herren leutselig zu.

»Julian und Theo – les extrêmes se touchent«, lachte er geziert. »Das ist nun wirklich eine schnittige Kombination. Was plant ihr denn gerade? Julians Strähnen-Mix als Aldi-Angebot?«

Theo Wellmann spuckte sein Kaugummi aus, mitten in die rosa Lilien.

»Ich versuche gerade, diesem sehr ehrenvollen, aber leicht anachronistischen Künstler begreiflich zu machen, dass die Ära der Einzelkämpfer vorbei ist. Wer braucht denn noch Stars mit Kamm und Schere? Wir brauchen ein gutes Marketing-Konzept für den demokratischen Einheits-Look! Back to basic!«

Klaus-Dieter Weber blickte erstaunt in die Runde.

»Verzeihung, aber da liegen Sie um mehr als Haaresbreite daneben. Eine Gesellschaft, die kein Bild von sich hat, ist doch geradezu süchtig nach Oberflächen. Wer ist denn überhaupt die Gesellschaft? Münchner Adel? Hamburger Kauf- und Medienleute? Oder diese hergelaufene neue Berliner Gesellschaft, die schon mal gar keine ist?«

Er hob effektsicher die Augenbrauen.

»Sehen Sie sich doch um. Wir leben in einer stillosen Welt. Und Deutschland ist, da sind wir uns ja wohl einig, der einsame Gipfel solcher Stillosigkeit. Die Berliner Republik – in die Geschichte wird sie eingehen durch die Hilflosigkeit, mit der nach Formen gesucht wird. Und warum?«

Er kostete sichtlich die kleine Pause aus, die auf seine rhetorische Frage folgte. Gedankenverloren betrachtete er sein Weinglas, so als müsse er die folgenden Sätze durch tiefes Nachdenken anfertigen. Dann sprach er mit unvermindertem Tempo weiter.

»Weil es an Zeremonienmeistern fehlt, an stilbildenden Ikonen. Wo sind denn die Salons von einst, wo Karrieren beschlossen wurden und wo man lernte, was sich schickt? Vorbei. Wer ist denn noch Vorbild? Politiker? Schauspieler? Altes Geld, neues Geld? Ein Ensemble der Geschmacklosigkeiten. Was macht denn den Julian so erfolgreich? Warum ist er ein Star? Weil er ästhetisch die Funktion des Adels übernommen hat! Es lebe der stilistische Feudalismus! Dieses ganze Demokratiegerede hat doch optisch nichts weiter hervorgebracht als den Sieg der Jogginghose!«

»Könnten Sie mir bei Gelegenheit einen netten Nekrolog schreiben?«, fragte Julian. »Schöner hätte ich es selbst nicht sagen können.«

Gabriele fuhr zusammen. Was maßte sich dieser Weber da an? Sie, nur sie war für Julians theoretischen Überbau zuständig. Sie würde in ihrem Buch solche Gedanken wortreich ausbreiten. Gerade wollte sie zur Gegenoffensive ansetzen, als Theo Wellmann ihr mit seiner Replik zuvorkam.

»Feudalismus!«, stieß er hervor. »Sie meinen wohl, weil der Julian eine durchgeknallte Fürstin zum Spargelbeet umfrisiert, sitzen die Damen wieder unter der Trockenhaube? Schnickschnack.«

»Apropos Spargel – Gabilein, ich habe Hunger!«

Mit diesen Worten schob Julian Gabriele zum Tisch, auf dem bereits die Vorspeise wartete.

»Apropos Spargelbeet – wie geht's denn nun weiter mit unserer kleinen Alexa?«, fragte Gabriele von oben herab. »Vergiss nicht – wir haben eine Wette laufen. Noch ist sie eine Eintagsfliege. Die Frage ist, ob du sie oben halten kannst, mein Lieber.«

»Keine Sorge. Sie hat schon fünf Titelblätter gehabt. Und demnächst treten wir in der ›Donnerwette!‹ auf. Thorsten Schalke persönlich hat uns eingeladen.«

»Nein!« Der Neid ließ Gabrieles Gesichtszüge einfallen.

»Aber ja. Das Mädel ist toll. Die sagt nicht: Seht her, ich bin verrückt, oh nein, sie sagt: Seht her, der war's. Der Julian.«

Wortlos gabelte Gabriele das Champignon-Carpaccio mit den gedämpften Zanderstreifen in sich hinein. Julian musste unwillkürlich lächeln über ihre kindische Eifersucht. Irgendetwas nagte an Gabriele, aber was bloß? Diese trostlose Mischung aus Gier und Überdruss war neu an ihr. Gabriele war ausgebrannt, so viel stand fest, und nun schwelte nur noch die fahle Asche ihrer einstigen Lebenslust. Aber diesen Abend mit ihr würde er anständig über die Bühne bringen, beschloss er ritterlich.

»Alles in Butter?«, fragte er, während er Gabrieles fettig glänzende Lippen betrachtete, die sich über ihrem schneeweißen Gebiss wölbten.

Gabriele blickte kurz von ihrem Teller auf. Sie musste es ihm sagen. Sie musste ihm endlich von ihrem Buchprojekt erzählen. Noch ahnte er ja nichts. Sie betupfte vorsichtig ihren Mund mit der Serviette. Die Lippen spannten immer noch ein wenig von der Spritz-Tortur. Lange hielt sie das Lächeln nicht mehr durch. Sie entkrampfte sich kurz, indem sie die Lippen zu einem Kussmund formte.

»Nun schmoll nicht, Gabilein. Was ist denn los?«

»Ich schreibe ein Buch über dich«, brach es aus Gabriele heraus. »Ein Buch, verstehst du, ein Werk, das Epoche machen wird, eine Biografie, die dich als Künstler zeigt, als Genie des beginnenden einundzwanzigsten Jahrhunderts!«

Julian schwieg überrascht. Ein Buch. Der Gedanke gefiel ihm.

Doch gleichzeitig wurde es ihm bang, wenn er an die ausgedörrte Missvergnügtheit dachte, die Gabriele neuerdings heimsuchte.

»Mäuserl! Ein Buch – toll! Sssuper-Idee! Iss brav deinen Teller leer, dann gehen wir nachher in die ›Bar Français‹ und reden in Ruhe darüber.«

»Bloß das nicht«, nuschelte Gabriele kauend. »Abstürzen kannst du auch alleine. Ich bringe dir morgen früh das ultimative Hallo-Wach aufs Zimmer. Und dann reden wir über das Buch.«

»Das ultimative Hallo-Wach? Was ist das?«

»Also, ich trinke immer einen doppelten Espresso, in dem ich zwei After-Dinner-Magnums auflöse. Das wirkt, als würde man sich Koffein intravenös reinziehen. Aber für dich sollte es schon der Billy-Boy-Energy-Drink mit beigefügtem Kondom sein. Hat zwar ein gewisses Gummibärchen-Odeur, dennoch …«

»Danke, Gabi. Aber auch übergeben kann ich mich alleine.«

*

Die »Bar Français« war voll. Sehr voll. Hermann Huber lehnte wie immer leicht angeschlagen am Tresen und belästigte neu hinzukommende Gäste mit Zitaten aus seinen Editorials. Das Belästigen der Damen dagegen absolvierte er eher beiläufig und ohne größeren sprachlichen Aufwand. Gerade hatte er seine Hand auf die hintere Mittelnaht einer perfekt gerundeten Versace-Jeans gleiten lassen und sagte so laut, dass man es bis zur Toilette hören konnte: »Ach, was soll's. Eines Morgens wachst du auf und weißt, dass alle Mädels innen rosa sind.«

Julian ging nur selten hierher. Er nannte die »Bar Français« das »Tal der Vergessenen«. Auf den Gesichtern lag stets ein sorgsam kultivierter Weltschmerz, der in dieser Stadt gern mit Coolness verwechselt wurde. Doch, es gab Abende, von denen es hinterher hieß, sie seien »witzig« gewesen. Ja doch, und manchmal wirkte die Szenerie wie eine lebendig gewordene Doppelseite aus der Regenbogenabteilung. Aber wenn Marcel nicht gewesen wäre, der Wirt, der ab drei Uhr nachts neapolitanische Lieder sang und mit Four-Letter-Words um sich warf, Julian hätte sich rundheraus geweigert, dieses Lokal zu betreten. Es herrschte absolutes Glamourverbot. Man trug schwarz und war gelangweilt. Wie weit weg ist München, dachte Julian und sehnte sich plötzlich nach dem gut gelaunten Parlando der bayerischen Konversation.

Hermann Huber hatte Julian sofort erkannt. »Dich wollte ich immer schon mal durchziehen«, kläffte er und nahm die Hand vom Versace-Po, um sie Julian entgegenzustrecken.

»Wir müssen uns dringend mal unterhalten! Du bist Lesefutter, klar? Was willst du trinken?«

Julian hatte sich längst an die ungelenken Vertraulichkeiten der Branche gewöhnt, an spontanes Duzen und andere feindliche Übernahmen im Namen nächtlicher Komplizenschaft. Doch Hermann Hubers Chuzpe überraschte ihn denn doch. Gerade hatte der Kerl ihn in Grund und Boden schreiben lassen, und nun gab er das öffentliche Schauspiel einer spontanen Verbrüderung. Entweder er hat Alzheimer oder chronische Gewissenlosigkeit, dachte Julian. Er nickte dem Barmann zu und bestellte einen Wodka Tonic.

»Auf die Boy's Connection«, grinste Hermann und schob seine verdutzte Abendbekanntschaft achtlos zur Seite. »Jetzt reden wir mal ein paar Takte.«

»Moment mal. Das ist ja toll, der Julian!«

Bodo Lansky drängte sich an die Bar.

»Julian! Mein Lieber!«

Die Halbherzigkeit der folgenden Umarmung stand in seltsamem Kontrast zu ihrer exorbitanten Länge. Einen Moment lang sah es so aus, als hätten sich die beiden Herren so hoffnungslos ineinander verkeilt, dass Hilfe von fremder Hand nötig sein würde, um sie zu trennen. Doch dann reichte der eilig servierte

Wodka Tonic, um einige Millimeter körperlicher Distanz herzustellen.

»Ich liebe diesen Mann«, rief Bodo Lansky und hob mit einem Ausdruck purer Verzweiflung die Arme. Der kurzsichtige Blick über seine runde Stahlbrille hinweg gab ihm eine gemütliche Verschlagenheit. Julian war sein Stachel, seine Achillesferse, sein Gebresten, kurzum, Julian war sein Konkurrent. Manchmal wünschte er sich die Mauer zurück, die alten Zeiten, als er noch der unangefochtene Star-Figaro der Stadt war. Jetzt aber musste er sich behaupten in dieser merkwürdig aufgekratzten Szenerie der Neu-Berliner, die sich weder um alte Pfründe noch um mühselig erworbene Privilegien scherten, und es war bekannt, dass er immer öfter nach New York floh, um seine leicht ramponierte Aura mit dem Fluidum der Weltläufigkeit aufzuladen.

»Ein Buch«, grummelte er. »Ich habe gehört, die Gabriele will ein Buch über dich schreiben. Das ist doch ein Dreck. Top of the flops. Wen interessiert denn das? Ist doch wurscht.«

»Was? Die Gabi? So ein Tintenluder! Warum erfahre ich das erst jetzt?«

Hermann Huber senkte die Augenbrauen etwas tiefer, was seinen Gesichtsausdruck düsterer Durchtriebenheit noch verstärkte.

»Ein Buch!« Bodo Lansky spuckte die Worte förmlich auf den Tresen.

Hermann Huber ging kurz in Deckung und tätschelte mit ausgestrecktem Arm seine Begleiterin, die sich verschüchtert abseits hielt.

»Die Gabriele. Sagt natürlich nix. Ist aber trotzdem genial. Schampus und Shampoo! Wo ist da schon der Unterschied? Beides prickelt und schäumt und …«

»… aber Shampoo riecht nach Seife und Schampus eher nach – na, nach Sperma!«, schaltete sich jetzt das Mädchen in der Versace-Jeans ein.

»Ist doch wurscht!«, rief Bodo Lansky. Er öffnete einen weiteren Knopf seiner Weste und krempelte die Ärmel auf.

»Sag mal, haben die sich heute alle per Druckbetankung abge-
füllt?«, fragte das Mädchen, worauf Hermann Huber sie mit aller gestischen Indezenz in die Schranken seines Frauenbildes
wies.

»Nein wirklich – ich verehre den Julian!«, erklärte Bodo Lansky.
»Er ist mein großes Vorbild! Ich bin kein intelligenter Mensch.
Ich habe einen IQ von, sagen wir mal, sechsundachtzig. Der Julian steht so bei sechsundneunzig. Wir sind Frisöre. Alles andere
ist wurscht. Wurscht, habe ich gesagt. Aber wenn Leute wie
Schröder oder Clinton zu mir kommen, dann unterhalten die
sich gern mit mir, ehrlich!«

Julian hatte schweigend zugehört. Er war diese kleinen Zwi-
schenfälle im Feindgebiet bereits gewohnt.

»Ist schon gut, Bodo«, sagte er leichthin.

»Nix ist gut!«, schrie Bodo. »Du willst berühmt werden,
stimmt's? Aber eins sage ich dir: Das Buch interessiert keine Sau.
Ist nämlich …«

»… wurscht!!«, riefen Hermann und Julian im Chor.

»Waschen, schneiden, leben!«, brüllte Bodo Lansky.

»Nein«, lächelte Julian. »Waschen, schneiden – lesen!«

*

München strahlte im Morgenlicht. Die ersten Frühlingstage hatten die Luft erwärmt. Julian empfand die Stadt zunehmend als
unwirklich. Sie wirkte so aufgeräumt, so heil und in sich ruhend,
verglichen mit dem nervösen Berlin, wo die Aufgeregtheiten der
sich soeben erfindenden Hauptstadt den Umgangston rüde
machten und aggressiv.

Von solchen Verunsicherungen war München weit entfernt.
Hier gab es oben und unten, säuberlich getrennt und doch fried-
lich vereint im Biergarten, wo Julian ein schnelles Weißbier bestellte, bevor er in den Salon fuhr.

Er begrüßte zwei Prinzessinnen und einen Politiker, die Schulter an Schulter mit Bauarbeitern dasaßen, überall sah man Dirndl und Lederhosen und fast hatte er das Gefühl, in einen Werbespot für Leberkäse geraten zu sein.

Als er den Salon betrat, fing ihn Vera, die Salonchefin, gleich an der Tür ab.

»Die Gräfin Wetterau senior ist da, sie sitzt hier seit heute Morgen um neun und trinkt ein Glas nach dem anderen!«

Julian sah zur Bar hinüber. Marina Gräfin Wetterau hatte sich trotz der frühlingshaften Wärme in einen bodenlangen Nerz gehüllt und hockte mit der Miene einer Geheimagentin am Tresen. Als sie Julian sah, lief sie ihm sogleich entgegen und umarmte ihn wie einen verlorenen Sohn.

»Endlich, mein Julian, was machst du nur immer in diesem scheußlichen Berlin? Weißt du denn nicht mehr, wo du hingehörst?«

Das wusste ich noch nie, hätte Julian gern geantwortet, aber es war zweifellos nicht der richtige Moment für Herzensergießungen. »Was ist passiert, Marina?«, fragte er und seufzte. Drei Kundinnen warteten schon auf ihn.

»Ich muss dich sprechen. Alarmstufe rot! Lass uns rübergehen in den Bayerischen Hof, sei so gut.«

»Marina, Schatzerl, ich muss erst mal arbeiten, geh noch einen Kaffee trinken, und dann reden wir, gell?«

Marina von Wetterau musterte ihn kurz, dann nickte sie.

»Hast Recht, Julian, bist ein guter Junge, du weißt noch, was Arbeit ist. Deshalb bin ich auch so stolz auf dich. Aber, um Himmels willen, beeil dich. Es ist wirklich dringend.«

Eine Stunde später saßen sie in der Lounge des Bayerischen Hofs. Marina hatte auf einem Platz weit entfernt von der Bar bestanden.

»Dies ist ein konspiratives Treffen«, flüsterte sie und öffnete ihre Handtasche.

»Wieso ist ...«, wollte er gerade beginnen zu fragen, dann verstummte er.

Ohne mit der Wimper zu zucken, hatte Gräfin Wetterau ein absurd dickes Bündel Geldscheine aus ihrer Tasche geholt und hielt es Julian hin.

»Das sind genau zweihunderttausend«, sagte sie bebend.

»Zweihundert … was?«

Noch nie hatte Julian so viel Bargeld auf einmal gesehen.

»Es geht um Chantal. Du musst sie retten. Bitte …« Dann brach die Gräfin in Tränen aus.

Julian reichte ihr eine Stoffserviette.

»Ist was mit dem arabischen Prinzen? Hat er sie in seinen Harem abgeführt?«, fragte er.

»Ach was. Sie ist schon wieder geschieden. Einfach so. Blitzscheidung. Und weißt du, warum?«

Julian hatte keine Ahnung.

»Es passierte in den Flitterwochen. Erst waren sie auf den Malediven, dann zum Shoppen in Paris«, schluchzte Marina und presste die Serviette vor die Augen, als wollte sie diese verwirrende, unübersichtliche Welt einfach nicht mehr sehen.

»Und da, in Paris, hat sie so einen Strizzi kennen gelernt, einen Taugenichts und Habenichts, so einen richtigen welschen Windhund …«

»Und?«

»Sie will ihn heiraten, das dumme Ding! Die Tinte auf den Scheidungspapieren ist noch nicht trocken, da will sie auch schon ihr Erbe an diesen Hochstapler verschleudern. Nicht mal einen Ehevertrag will sie aufsetzen! Mutter, es ist Liebe, hat sie feierlich getönt, am Telefon, ich bin ja so glücklich, wir haben eine Suite im Crillon und tun nichts anderes als Liebe machen, toujours l'amour, bei Tag und bei Nacht, Herrgott, was für ein Karnickel, für so was muss man doch nicht heiraten, oder? Na, für dich kommt das ja sowieso nicht in Frage, du barbarischer Faun.«

Julian lächelte.

»Und was habe ich damit zu tun?«

»Mein alter Freund Gustave sagt immer: Ein Geliebter ist leichter auszutauschen als ein Ehemann.«

»Klingt plausibel. Aber ...«

»Du musst es verhindern, ich flehe dich an, du bist der Einzige, auf den sie hört, flieg nach Paris, und zwar sofort, entführe sie, von mir aus fessele und knebele sie, flieg mit ihr nach Timbuktu oder sonst wohin, wo man es nett hat, bitte, bitte, hilf mir!«

Unschlüssig rührte Julian in seinem Wodka Tonic. Marina von Wetterau war mehr als eine gute Bekannte, sie war das, was man eine mütterliche Freundin nennt. Seit Jahren gehörte er gewissermaßen zur Familie, und das nicht nur bei Chantals Hochzeiten. Sogar Weihnachten verbrachte er im Schloss, dann wurde der Swimming Pool im Gartenhaus abgedeckt zur Bescherung, und auf dem Rasen stand eine turmhohe Tanne, behängt mit böhmischen Glaskugeln. Alle liebten ihn, vor allem die Großmutter, die sich nur von ihm im Rollstuhl zu den Festlichkeiten schieben ließ und ihm Kinder-Schokolade zusteckte, während die anderen weiblichen Mitglieder der Familie kirschgroße Juwelen auspackten und die Herren sich zu einer Partie Billard zurückzogen.

»Marina, Schatzerl, ich tu wirklich alles für dich, aber ich kann mir im Moment keinen Urlaub leisten! Ich habe drei Salons, ich bin voll im Stress, ohne mich läuft es nicht an der Haarfront!«

»Julian, Lieber, bitte. Chantal ist meine einzige Tochter. Sie ist verdreht und verzogen, ich weiß, aber ich liebe sie nun mal. Und ich habe Angst um sie.«

Marina von Wetterau lehnte sich erschöpft zurück. Sie hatte auch hier, in der wattierten Behaglichkeit des Bayerischen Hofs ihren Pelz nicht abgelegt und er konnte auf ihren Wangen die feinen Schweißperlen erkennen, die sich unaufhaltsam mit Tränen vermischten.

»Also gut, Marina. Ich versuch's«, sagte er, worauf Marina von Wetterau erleichtert in seine Arme sank.

»Buche alles First Class«, flüsterte sie, »und denk daran: Chantal braucht immer zwei Tickets, sie erträgt es nicht, wenn auf Flügen jemand neben ihr sitzt!«

Julian fuhr direkt zum Flughafen, wo er noch rasch das Nötigste einkaufte. Drei Stunden später glitt er durch die futuristischen Röhren des Aéroport Charles de Gaulle. Das Geld knisterte an seinem Körper, er hatte es noch auf der Flugzeugtoilette handlich portioniert, ein paar Tausender in die Hosentaschen, ein paar Bündel ins Handgepäck, den Rest trug er unter dem Hemd und fühlte sich wie ein flüchtiger Bankräuber.

Im Crillon war bereits eine Suite für ihn reserviert.

»Bien sûr, Monsieur, tout est arrangé«, murmelte der viel zu hübsche Hausdiener mit gespitzten Lippen und führte ihn parlierend die Flure entlang. Da Julian kein Französisch sprach, konnte er sich ganz der wohlgefälligen Betrachtung des Pagen widmen, der eine kleidsam knapp geschnittene Uniform trug.

Es war ein junger Bursche mit dunklen Augen, der einen ausgesprochen käuflichen Eindruck machte, wie Julian mit einiger Nervosität spürte. Die Tausender beutelten seine Hosentaschen aus. Julian entschuldigte sich kurz und schloss die Badezimmertür von innen ab. Wohin mit dem Geld? Er stopfte es kurz entschlossen in eine Plastiktüte für schmutzige Wäsche und deponierte sie im Wasserkasten der Toilette. Dann zögerte er kurz und holte einen Schein wieder heraus.

Der Page hatte bereits mit geübten Bewegungen die Bettdecke zurückgeschlagen und verrichtete ohne jede Diskussion weitere Liebesdienste.

Eine Stunde später rief Julian bei Chantal an.

*

Das Ballett der Kellner hatte Anmut, geradezu Liebreiz. Lautlos, wie auf Schienen, umkreisten sie unaufhörlich die Tische, huschten herbei, um Wein nachzugießen, trugen auf und legten vor. Julian lutschte lüstern den Rest Salzwasser aus einer Austernschale und blinzelte Chantal zu, die sich gerade ganz auf den Austausch von Speichel konzentrierte. Auch ihr Galan bemühte sich nicht im Mindesten um Diskretion, und so saugten sie mit Wonne aneinander wie Halbwüchsige.

Das »Bœuf sur le toit« war berühmt für seine Meeresfrüchte. In dem schmalen Gang, der zur Eingangstür führte, lagen Berge von Hummern, Muscheln, Krebsen und Austern auf meterlangen Tischen mit gestoßenem Eis. Davor standen Männer in bretonischen Fischerhemden und Gummistiefeln, die die ganze Nacht lang nichts anderes taten, als Austern aufzubrechen und Fische auszunehmen, um sie dann für die wartenden Kellner in große Metallschüsseln zu füllen. Jedes Mal, wenn sich die große Schwingtür öffnete und eine neue Schüssel in das Lokal getragen wurde, vermischte sich die parfümierte und rauchbeschwerte Luft des Restaurants mit dem herben Geruch eines Fischmarktes an der See.

Der Abend hatte sich bisher eher schweigsam gestaltet, denn das Paar benutzte die wenigen Unterbrechungen seiner Liebkosungen ausschließlich dazu, das Meeresgetier zu verschlingen, schmatzend, lachend, genusssüchtig.

Chantal hatte wie ihre Mutter eine Vorliebe für Pelze. Ihr Chinchilla, unter dem sie nichts als seidene Wäsche trug, war ihr über die Schultern gerutscht, während sie an ihrer neuen Eroberung leckte. Und so wirkte sie nicht im Mindesten wie die millionenschwere Erbin des Hochadels, die sie war, sondern eher wie ein Callgirl, das im Lotto gewonnen hatte.

»Schmeckt es, Herzerl?«, fragte Julian, als Chantals Geliebter sich für einen Moment entschuldigt hatte.

»Ach, Putzi, Hervé ist eine Offenbarung. Ich hatte so viele Männer, aber bei keinem hat es jemals so geklingelt, du weißt schon, was ich meine. Frau Mama ist natürlich entsetzt, aber die Schwiegermutterexemplare stehen mir sowieso bis hier!« Sie deutete gestisch schweres Erbrechen an.

»Richtig so. Amüsier dich!«, bekräftigte Julian ihre Euphorie.

»Nimm sie dir alle, schnacksel sie durch, bis der Arzt kommt! Du bist geschieden, du bist frei, und Eheringe stehen dir nun wirklich nicht.«

»Wieso denn das?«, fragte Chantal misstrauisch. »Ich heirate ihn, wusstest du das nicht? Wir haben vorgestern das Aufgebot bestellt, nächste Woche schon ist es so weit, und weder du noch Mutter werden es mir ausreden. Es ist eine Amour fou!«

Julian prostete ihr zu.

»Natürlich wirst du ihn heiraten. Mit allem Plemplem. Wir denken uns wieder was Schönes aus. Aber tu mir den Gefallen und mach vorher noch einen kleinen Junggesellen-Trip.«

»Einen Junggesellen-Trip? Was soll das denn sein?«

»Ja, Haserl, willst du dich wirklich von einer Einzelzelle zur nächsten begeben? Denk doch mal nach. Lass dich mal ein bisschen verwöhnen, wir könnten doch irgendwohin in die Sonne fliegen, ich wollte sowieso mal wieder nach Bali, den Sonnenaufgang angucken, Massagen am Strand, Mango-Sorbet unter Palmen ... Hervé ist ein Knaller, aber der läuft dir nicht weg, der ist ja völlig verrückt nach dir!«

Chantal griff nachdenklich zur Weinflasche und goss sich die Neige ins Glas.

»Encore un Meursault!«, rief sie, ohne sich nach einem Kellner auch nur umzublicken. Wenige Sekunden später stand eine neue Flasche auf dem Tisch.

»Gib zu, du magst ihn nicht. Er ist dir zu jung, zu schön, zu wild.«

»Also, für mich wäre er genau richtig«, sagte Julian.

»Untersteh dich!«, sagte Chantal und stieß ihn unter dem Tisch an. »Ist aber genau mein Typ, elegant, dunkel, charmant, früher Alain Delon, würde ich sagen ...«

Mit Entzücken hatte Chantal seine Ausführungen verfolgt.

»Früher Alain Delon, das ist gut. Genau. Du, wir wollen Kinder, stell dir das mal vor, lauter so süße kleine französische Bengel im Matrosenanzug!«

»Darf ich Pate sein?«

»Aber sicher, beim ersten, beim dritten und beim fünften!«

Schwer vorstellbar, dass diese teuer verschlampte Venus im Pelz ausgerechnet Babys auf dem Schoß wiegt, dachte Julian. Aber Chantal war offensichtlich völlig gefangen von ihren Reproduktionsfantasien und träumte schon von den Kinderzimmern, die sie einrichten wollte.

»Eine Wiege von Philippe Starck! Eine englische Nurse! Und Strampler von Baby Dior!«

Julian ließ ein Hummerbein krachen und saugte geräuschvoll die festen rosafarbenen Fasern heraus.

»Du, in Bali gibt es eine Spezialmassage«, sagte er kauend, »sie nennen es das Hochzeitsritual, sie machen die Frauen völlig heiß damit, die ideale Vorbereitung auf die Hochzeitsnacht, verstehst? Und nachher purzeln die Kinder nur so heraus.«

»Wirklich?«

Chantal war selbst wie ein Kind. Jede Aussicht auf Abwechslung lenkte ihre Aufmerksamkeit in andere Richtungen, und Julian stellte erleichtert fest, dass sie schwankend wurde.

»Ein Hochzeitsritual? Und was machen die da mit mir?«

»Alles. Du liegst auf einem Tisch mit Bambusblättern. Am Kopfende ist eine gepolsterte Öffnung eingelassen, darunter steht eine Schüssel mit Lilienblüten. Deren Duft atmest du ein, wenn sie loslegen. Sie sind zu dritt. Sie reiben deinen Körper mit Zimt ein, dann mit Joghurt. Und dann haben sie so Spezialgriffe, Wahnsinn …«

»Spezialgriffe …«, wiederholte Chantal heiser. In ihrem schwer erotisierten Zustand war sie empfänglich für alle Varianten sinnlicher Verlockungen. Julian wusste, dass sie als Kind nie Gelegenheit gehabt hatte, sich an einem Spielzeug richtig zu freuen, weil immer gleich schon das nächste Geschenk über sie hereinbrach. Seither bestimmte der permanente Wechsel die Mechanik ihres Begehrens.

Hervé näherte sich. Er schnürte durch das Lokal mit dem Blick eines jungen Hundes, der überall Filetstücke wittert. Einige Frauen sahen ihm nach. Lässig warf er die halblangen braunen Haare zurück und genoss das Interesse, das ihm galt. Zwischen den weißen Kragenecken seines gestreiften Hemdes blitzte eine schwere Goldkette auf, die Manschettenknöpfe waren mit Brillanten besetzt und am kleinen Finger seiner linken Hand funkelte ein Rubin. Chantal hatte ganz offensichtlich bereits begonnen, ihn großzügig mit Schmuck auszustatten.

»Hast du ihm auch schon einen Titel gekauft?«, fragte Julian.

»Kommt noch«, antwortete Chantal lapidar. Sie schenkte ihren Geliebten immer irgendwelche Doktor-Titel oder Honorarkonsul-Ehren, da sie mit geheimem Hochmut stets das Gefühl hatte, sich unter Stand zu liieren.

Hervé checkte noch kurz den Nebentisch, wo zwei grell erblondete Damen mittleren Alters ihre Ringe verglichen, dann blieb er hinter Chantal stehen. Er schob das Becken vor und strich aufreizend mit den Händen über ihren Pelz, bevor er sich setzte. Gerade wollte er wieder seine Zunge in Chantals Mund gleiten lassen, als sie ihm eine Hand auf die Lippen legte.

»Chéri«, flüsterte sie. Von dem Folgenden verstand Julian nur »Mariage«, »Bébé«, »Massage« und »Bali«, und der Blick, den Hervé ihm daraufhin zuwarf, bestätigte die düstersten Vermutungen von Marina.

*

»Pass auf, sonst gibt es Tote!«, schrie Julian.

Chantal hatte darauf bestanden, sich selbst an das Steuer des schneeweißen Elektrowagens zu setzen und raste mit infantiler Rücksichtslosigkeit über das Gelände, vorbei an Lilienbeeten, deren Rot zu explodieren schien, vorbei an Tempelchen und Palmen und empört ausweichenden Gästen.

»Da vorn muss es sein!«, sagte sie. »Villa hundertdrei und hundertvier!«

Ein zweiter Wagen war ihnen gefolgt, gesteuert von einem statuenhaft schönen balinesischen Hotelangestellten, der in seiner weißen Tunika die Anmutung eines Tempeldieners hatte. Julian gab ihm ein paar Rupia-Scheine mehr als üblich, denn der Umfang von Chantals Gepäck legte eher den Gedanken an einen Umzug nahe als an einen Urlaub.

Bei der Verabschiedung am Pariser Flughafen waren sie umringt gewesen von gaffenden Touristen und neugierigen Handlungsreisenden, die gejohlt hatten, als Chantal ihre feuchten Abschiedsküsse mit einem herzhaften Griff zwischen Hervés Beine abgerundet hatte.

Einen Koffer nach dem anderen schleppte der Hotelangestellte durch das steinerne Tor der Villa und verneigte sich dann tief vor einem Altar, den er voller Hingabe mit Blumen und Früchten schmückte.

»Nein, wie goldig, hast du das gesehen? Die Götter sind mit uns!«, rief Chantal.

Dann nahm sie die Villa in Augenschein, das riesige geschnitzte Bett mit Wolken aus Moskito-Netzen, das Wohnzimmer, das nur zwei Wände hatte und zum Meer hin offen war, das Bad, auf dessen Grundfläche ein paar Kilometer weiter ganze Großfamilien wohnten, den Patio mit der Open-Air-Dusche.

Als alles verstaut war, schleuderte Chantal ihr Kleid in eine Ecke, warf die Wäsche hinterher und sprang in den gemauerten Swimming–Pool, auf dem Ylang-Ylang-Blüten schwammen. Jede Villa hatte ihren eigenen Pool, uneinsehbar für die anderen Gäste des Resorts.

»Die entführte Braut ist begeistert!«, rief sie Julian zu. »Los, komm schon rein!«

Julian zögerte kurz, dann zog er sich ebenfalls aus.

»Da ist ein Fisch im Wasser, ein kleiner brauner Fisch!«, kreischte Chantal und versuchte mit beiden Händen, Julians bestes Stück zu erwischen.

»Ich steh auf Jungs, das weißt du doch«, kreischte er zurück.

»Und ich steh auf alles, was sich bewegt«, gurgelte Chantal und tauchte zwischen seinen Beinen hindurch. Dann setzte sie sich auf den Rand des Pools und betrachtete ihn nachdenklich.

»Hast du nie …«, begann sie.

Julian schwamm zu ihr und kreuzte seine Arme auf der marmornen Einfassung. Der Hoteldiener hatte unterdessen die Begrüßungscocktails gebracht, die mit Blumen und Früchten geschmückt waren wie der Hausaltar. Chantal reichte ihm ein Glas.

»Ich war ein Spätzünder«, sagte Julian und biss in eine Ananasscheibe. »Als ich neunzehn war, da bin ich regelrecht überfallen worden. Sie ging in meine Klasse. Wir machten eine Radtour, und dann hat sie mich einfach im Wald verzupft.«

»Und?«

Chantal grinste ihn erwartungsvoll an.

»Nicht schlecht«, antwortete Julian. »Aber auch nicht gerade abendfüllend.«

»Und danach?«, wollte Chantal weiter wissen.

»Es gab schon ein paar Frauen«, sagte Julian versonnen. »Aber das ist nun mal nicht mein Ding.«

»Aber das da, das ist dein Ding«, kicherte Chantal und zielte mit ihrem großen Zeh eine Handbreit unter seinen Bauchnabel.

»Vorsicht, der wird noch gebraucht!« Julian tauchte kurz ab und auf der anderen Seite des Pools wieder auf.

Chantal starrte reglos ins Wasser, dann sagte sie: »Komisch, du wirkst auf mich überhaupt nicht schwul.«

»Na ja, man sieht es mir eben nicht so an. Es gibt den kosmetisch Schwulen, den riecht man noch drei Stunden, nachdem er den Raum verlassen hat, dann gibt es die Tucke, die sich die rasierten Achseln pudert, außerdem die dominante Abteilung in Leder und dann die devote Variante, die wiederum haben diesen windelweichen Blick und wollen mal ganz, ganz hart rangenommen werden, so nach dem Motto: Sei schlecht zu mir! Und ich …«, er schwamm auf Chantal zu, »ich habe diesen Hetero-Touch und falle am liebsten Bräute an!«

Sie kicherte, dann glitt sie mit der trägen Zielstrebigkeit eines Kaimans ins Wasser und umarmte ihn.

»Ich sollte dich heiraten. Dann wäre Mutter glücklich, und ich kann Geliebte ohne Ende haben.«

»Das ist doch schon mal eine Perspektive. Du brauchst keinen Prinzen. Du bist selber eine Prinzessin.«

»Und? Willst du dir was Nettes aufreißen hier?«, fragte Chantal.

»Du liebe Güte, ich bin nicht der triebgesteuerte Bedhopper, für den du mich hältst. Ich bin monogam.«

Der Hotelpage fiel ihm ein.

»Relativ monogam. Immer schön einen nach dem anderen, aber nie alle gleichzeitig.«

»Schon gut, Mister Anständig. Lass uns was essen gehen! Und morgen früh gebe ich mir das Hochzeitsritual. Was ist, wollen wir uns zusammen in den Wahnsinn treiben lassen?«

Sie stieg aus dem Pool und trocknete sich ab, mit einer lasziven Umständlichkeit, deren Dramaturgie alle Vorzüge ihres Körpers betonte, inklusive der leicht gewölbten, haarlosen Scham.

»Das ist was für Solisten«, erwiderte Julian und tauchte ab.

Er schwamm ein paar Runden, er kraulte und prustete und plötzlich fiel ihm auf, dass er seit Jahren keinen Urlaub mehr gemacht hatte. Reisen ja. In alle Ecken der Welt. Aber es waren immer Reisen auf Bestellung gewesen, eine Hochzeit auf Barbados oder eine Party auf Capri, und immer hatte er sein Handwerkszeug im Gepäck gehabt.

Doch das hier, das waren unverhoffte Ferien, wenn sie auch mit einer geheimen Mission verbunden waren. Er schloss die Augen. Die schwüle Luft machte ihn angenehm schläfrig. Schade, dass Tommy nicht da war. Mit ihm war er einst hier gewesen, im Four Season's Resort, es war der erste gemeinsame Urlaub gewesen, damals, nachdem sie den großen Salon in München eröffnet hatten. Sie hatten sich hier eingeschlossen und die Villa tagelang nicht verlassen.

Aus der Affäre war im Laufe der Zeit eine perfekte geschäftliche

Beziehung geworden. Und wenn sie auch in einem Bett schliefen und einander zuweilen mit der Innigkeit eines gemeinsam ergrauten Ehepaares umarmten, so fehlte doch der Furor, die Aufregung, der Kick.

Er knotete sich ein Handtuch um den Bauch und schlenderte hinter Chantal her, die in der Villa verschwunden war. Ein leises Summen ließ ihn stutzen. Ob sie sich rasierte? Ein Blick auf das Bett, durch den Weichzeichner der Moskitonetze hindurch, belehrte ihn eines Besseren. Leise schloss er die Tür und ging in die Nachbarvilla.

Es war schon fast dunkel, als sie die Stufen zum Strandrestaurant hinunter stiegen. Eine kleine Band spielte. Die Tische standen im Sand, und der Indische Ozean umspülte ihre Füße, als sie sich setzten.

»Hier gibt es wunderbare Dim-Sum, solltest du mal probieren«, sagte Julian.

Doch Chantal war mit ihren Augen bereits woanders.

»Siehst du den Saxophonisten?«, fragte sie und zog nervös die Unterlippe durch die Zähne.

Julian drehte sich kurz um.

»Ganz, ganz früher Gary Cooper. Möchtest du vorher noch was essen?«

*

Das Flugzeug setzte so hart auf, dass Julian jäh erwachte. Er sah auf die Uhr. Es war halb acht Uhr morgens. Wenn die Stadt nicht verstopft war, würde er es schaffen, noch rasch zu duschen und rechtzeitig um neun Uhr im Salon zu sein.

Nach der milchigen Hitze Balis, die alles in ein sanftes Licht getaucht hatte, erschien ihm Hamburg so blank poliert und adrett wie eine Puppenstube. Die Luft war unwirklich klar, die Konturen der Häuser hoben sich gestochen scharf vom ungemischten Blau des Himmels ab. Als das Taxi an der Außenalster entlangfuhr, wirkten die weißen Segel der Boote auf ihn wie die frisch gestärkte Häubchen altmodischer Kammerzofen.

Der Wagenmeister lüpfte seinen grauen Zylinder, als Julian die Treppenstufen zum Atlantic in Zweiersprüngen nahm.

Er liebte dieses Hotel. Den maritimen Dreiklang aus Weiß, Blau und Gold, die gelassene Selbstverständlichkeit, mit der alles beim Alten blieb, ohne den konfektionierten Zierrat der meisten Luxushotels. Nur die Bar war beklagenswerterweise zu Tode renoviert worden. Ein düsterer Ort, dessen aufdringliche Pseudomodernität ihn immer wieder erschütterte.

»Grüß Gott!«, sagte der Concierge und lächelte verschwörerisch, worauf Julian sich mit einem »Moin-moin!« revanchierte, ein Geplänkel, das sich stets wiederholte, wenn er anreiste.

Er war ein Dauergast. Im Schrank lag frische Wäsche, ein paar Anzüge und Hemden hingen daneben. Und auf dem Schreibtisch stapelte sich bereits die Post. Er griff zum Telefon.

»Marina? Ja, es ist alles gut gegangen. Chantal ist verliebt, nein, nicht in den französischen Mitgiftjäger, diesmal ist es ein amerikanischer Saxophonist. Mach dir keine Sorgen, die Hochzeitsnummer ist erst mal durch. Bussi, Mäuserl. Ciao.«

Der Salon glich einem Marktplatz. Überall standen und saßen Frauen, es war ein fortwährendes Kommen und Gehen, durch das die Angestellten sich nur mühsam hindurchzwängten. Die Salonchefin zog ihn gleich beiseite.

»Hier ist die Hölle los! Es ist knallvoll. Beate Budenbach wartet schon. Und nachher kommt noch die Anwältin von Caroline. Ein Glück, dass du endlich wieder da bist, diese Shampooschwuchteln haben voll den Eierstau, gestern haben sie's auf der Toilette getrieben, zwischen zwei Dauerwellen.«

Julian starrte Sabine Hansen an, die in ihrem dunkelblauen Kostüm das Genre der Hamburger Eisente perfekt erfüllte, wenn auch ihre angeraute Sprache in überraschendem Kontrast dazu stand. Dann brach der Ärger aus ihm heraus.

»So eine Schweinerei, ich tu alles für die, bezahl sie anständig, mache super Arbeitszeiten, gebe freie Tage ohne Ende und dann das! Los, hol sie mir her, einen nach dem anderen!«

»Nicht so laut!«, flüsterte Sabine Hansen, in der Hoffnung, dass sich Julian empathisch ihrer Lautstärke anpassen würde.

»Was heißt hier: Nicht zu laut? Ich ackere wie ein Pferd, gönne mir kaum eine Auszeit, und wenn ich dann mal ein paar Tage Urlaub mache, dann vögeln die hier zwischen den Waschbecken? Sind die denn alle verrückt geworden?«

Wortlos zerrte Sabine Hansen ihn in ein Nebenzimmer. In München gehörten Julians Wutanfälle zum allerseits goutierten Repertoire seiner täglichen Performance, in Hamburg aber, wo schon das Anheben einer Augenbraue als Temperamentsausbruch galt, waren solche Auftritte tödlich.

»Nun beruhige dich doch. Sonst läuft alles prima. Ehrlich. Der Laden brummt, sogar die Kultursenatorin hat neuerdings das Lager gewechselt und ist Marion Meier untreu geworden. Sie sagt, der ewige Stuck geht ihr auf die Nerven, an der Decke und auf dem Kopf.«

Julian wischte sich den Schweiß von der Stirn und lächelte. Es bereitete ihm jedes Mal ein sportliches Vergnügen, wenn er seiner Kollegin auf der anderen Seite der Alster eine Kundin abspenstig machte. Nicht etwa aus Futterneid. Aber die Hamburger Haar-Institution hatte öffentlich behauptet, dass sein Salon im Atlantic sich kein halbes Jahr halten würde. Hamburg braucht kein Münchner Bussi-Bussi, hatte sie dekretiert. Von Stund an befanden sie sich im offen ausgetragenen Wettbewerb.

Sicher, die großbürgerliche Villa der Meier mit den Kristalllüstern und den verschwenderischem Stuckaturen passte viel besser zur Hamburger Sehnsucht nach geschniegelter Gediegenheit als seine cool durchdesignte Beletage. Doch selbst die Reedersgattinnen versuchten neuerdings hip zu sein und vertauschten schon hier und da die ewigen Twinsets mit Lederminis und Gucci-Shirts. Da kam der puristische Glamour von Julian gerade recht. Sabine Hansen legte eine Hand auf seine Schulter.

103

»Komm schon, jetzt koche ich dir erst mal einen Kaffee, dann zeigst du dich im Salon und später gehen wir die Gästeliste durch.«

»Welche Gästeliste?«, fragte Julian.

»Du hast in einer Woche Geburtstag, schon vergessen?«

Der Geburtstag. Die Feier auf Sylt. Julian nickte mechanisch. Seine Agenda war dermaßen überfüllt, dass er es sich zur Gewohnheit gemacht hatte, selten mehr als zwei Tage im Voraus zu planen. Alles andere hätte ihn schwindelig gemacht. Seine einzige Orientierung war sein Wochenrhythmus, Montag und Dienstag in Hamburg, Mittwoch bis Freitag in München und samstags in Berlin. Die Partys, Festivals und Events schob er dann nachträglich ein, was den Fluggesellschaften einen treuen Dauerkunden beschert hatte.

»Tommy hat eine Liste entworfen, aber ich glaube, dass sich noch daran feilen ließe ...«, schlug Sabine Hansen vor.

»Gib mal her, das machen wir sofort!«

Julian überflog die Liste. Seine Geburtstagsfeier war von Tommy umsichtig geplant worden. Schon vor Wochen waren die Einladungen verschickt worden, und hinter den meisten Namen waren bereits Kreuzchen gekritzelt, die für die Zusage standen.

»Julian, Telefon!«

Murat, der junge Palästinenser, ein Hingucker für die Hanseatinnen mit ihren pigmentarmen Ehemännern, hielt ihm den Hörer hin.

»Die reden Französisch, ich verstehe kein Wort, aber sie sagen dauernd: Julien, Julien!«

Zerstreut nahm Julian den Hörer, während seine Augen auf der Liste umherwanderten.

»Hallo! Wie – Crillon? Argent? Sabine, hol mir mal die Beate Budenbach, die spricht Französisch, ich werde aus dem Zeug auch nicht schlau.«

Wenig später stand die Chefkolumnistin der »LebensART« vor ihm. Sie trug wie immer eine recht sackartige Angelegenheit in Schwarz und küsste routiniert die Luft neben Julians Wangen.

»Ja, Spatzerl, gut siehst du aus, warst du auf der Sonnenbank?«, rief sie. Sie wusste bereits von Marina, dass Julian auf Bali gewesen war. »Ich bin heute für die Opernpremiere angereist und habe mir gedacht, mal sehen, ob der Julian meine Locken noch bändigen kann.«

»Wunderbar, da machen wir einen Sssuperschnitt heute. Du, Beate, da ist das Crillon in Paris, sei so gut und übersetz mal, was die wollen.«

»Das Crillon? Pourquoi pas?«

Sichtlich stolz auf ihren Sprachvorsprung nahm Beate Budenbach den Hörer in Empfang und ging lächelnd auf und ab, während sie abwechselnd »Oui!« und »Comment?« sagte. Dann wurde sie still.

»Und? Was ist los?«, fragte Julian ungeduldig.

Beate warf einen kurzen Blick auf Sabine Hansen, dann sagte sie so laut, dass man es bis zum Entree des Salons hören konnte: »Sie haben nach deiner Abreise eine Plastiktüte mit Tausendmarkscheinen im Klo gefunden. Alles in allem etwa – fünfzigtausend Mäuse.«

»Ach, du liebes bisschen«, entfuhr es Julian.

Er hatte in der Tat ein wenig den Überblick verloren in Paris, denn er war es nicht gewohnt, mit solchen Mengen Bargeld durch die Gegend zu reisen.

Wie ein Eichhörnchen hatte er das Geld neu verteilt nach seinem Entreacte mit dem Pagen, ein Bündel in die Reisetasche, ein zweites ins Jackett, eins in seine Aktenmappe, und als Reserve hatte er die Plastiktüte im Bad gelassen, gut versteckt im Wasserkasten der Toilette.

Doch er war sicher gewesen, dass er alles wieder eingesammelt hatte, als sie überstürzt nach Bali geflogen waren, noch am Morgen nach dem Essen im »Bœuf sur le toit«.

»Sie befürchten ...«, wieder warf Beate Budenbach einen kurzen

Seitenblick auf Sabine Hansen, »... dass da – Drogen im Spiel sein könnten.«

Julian spürte, wie der Boden unter ihm seine Konsistenz veränderte. Der Marmor erwärmte sich und schmolz zu einer gummiartigen Masse.

»So ein Quatsch!«, rief er, doch die beiden Damen betrachteten ihn dermaßen betreten, dass er auf der Stelle das Gefühl hatte, sich verteidigen zu müssen. »Mädels, ihr wisst, dass ich völlig clean bin! Ich rauche wie ein Hochofen, ich liebe Rotwein, aber alles andere ist tabu. Wisst ihr doch. Oder?«

Eine kurze Pause entstand, in der Sabine Hansen sich von ihrem Schreck erholte und Beate Budenbach ihn kalt musterte wie einen Ladendieb.

»Natürlich, Julian!«, rief endlich Sabine Hansen mit angstvoller Emphase.

»Natürlich, Julian«, sagte Beate Budenbach mit süßlichem Lächeln. Sieh mal an, dachte sie. Diese schmutzige kleine Geschichte ist doch ein perfektes Opening für meine Schlammschlacht. Deine Tage sind gezählt, Sonnyboy.

»Also – pack mer's! Beate, geh doch schon mal zum Waschen, ich komme dann gleich!«

»Aber sicher«, flötete sie. Sie hatte ihn jetzt in der Hand.

Mit bebenden Fingern hielt Julian die Liste fest. Wenn irgend so ein Pressefuzzi diese Story erfuhr, konnte er wieder Teller waschen gehen im Café Flore. Sein Blick wanderte nach oben auf die Liste, wo »Budenbach, Beate« stand. Ohne Kreuzchen. Er richtete sich auf und kämpfte gegen den Schwindel an, der ihn erfasst hatte. Langsam ging er zu den Waschbecken hinüber, wo Beate Budenbach bereits breitbeinig auf einem Sessel lagerte und ihre Hände zur Maniküre ausstreckte, mit gespreizten Fingern, die wie Stacheln wirkten.

»Was ist mit Sylt?«, rief er mit wackerer Munterkeit, während das Herz ihm immer tiefer in die Hose rutschte. »Kommst du zur Geburtstagsparty?«

»Mal sehen, ob ich's dazwischenquetschen kann«, antwortete Beate Budenbach gedehnt. »Gibt's denn auch eine Runde Dope zum Champagner?«

»Na klar, das wird ein Happy-Birthday-Trip!«

Es ist nichts, es ist gar nichts, sagte sich Julian immer wieder. Er lächelte und plauderte und bediente das Rollenfach des gut gelaunten Friseur-Entertainers nach Kräften.

Doch er fühlte sich elend. Nie zuvor war ihm der Gedanke gekommen, dass alles ins Wanken geraten könnte, dass seine leichthändig erworbene Position auf dem gesellschaftlichen Olymp gefährdet sein könnte. Er war Mitglied honoriger Wohltätigkeitsvereine, er engagierte sich für drogenabhängige Jugendliche und Aidskranke, er war ein Vorbild, eine Galionsfigur der Charitygesellschaft. Der leiseste Verdacht, er könne selbst auf Droge sein, würde all das hinwegfegen.

Verstohlen ließ er sich ein Glas Wein an der Bar geben, dann noch eins.

Sabine Hansen trat besorgt auf ihn zu.

»Julian, mach dir nichts draus, das ist nur ein saublödes Missverständnis, außerdem weiß es ja niemand. Fast niemand.«

Julian lächelte bitter. Sabine Hansen wusste so gut wie er selber, dass er Geheimnisse, die in die Hand von Beate Budenbach gerieten, auch gleich ins Internet hätte stellen können.

»Telefon!«

Oh Gott, bitte nicht wieder diese Crillon-Bande. Murat überreichte ihm den Hörer. Doch dann hellte sich Julians Miene auf.

»Hallo Dietrich, ja, Gott zum Gruße, wo steckst du denn?«

Dietrich Busse gehörte zum Hamburger Inventar, ein kantiger, etwas vierschrötig aussehender Schauspieler, der den Hautgout seiner einstigen Kriminellenkarriere ebenso clever wie erfolgreich vermarktet hatte und neuerdings sogar Musicals schrieb. Sein Faible für die Halbwelt machte ihn zum begehrten Partygast, der zuverlässig für Abwechslung im hanseatischen Smalltalk sorgte.

»Heute Abend?«, rief Julian. »Klar, ich komme. Ich muss mal ein bisschen abhängen, habe irrsinnig viel Stress zur Zeit. Also dann, bis später!«

»Na, ziehst du wieder mit Dietrich um die Häuser?«, fragte Beate Budenbach lauernd. Julian drückte ihren Kopf nach unten und föhnte drauflos.

»Guck doch mal, das haben wir gut hingekriegt«, behauptete er, statt zu antworten, und brachte ihren Kopf wieder in die aufrechte Position.

»Schneiden kannst du ja, das muss man dir lassen«, sagte Beate Budenbach und begutachtete sich im Spiegel. »Aber treib's nicht zu wild, mein Schnucki!«

Ihre Gönnerhaftigkeit war ihm dermaßen zuwider, dass er sich überwinden musste, sie weiter zu berühren.

»Kennst mich doch, Mäuserl, sauber samma«, sagte er leichthin und zupfte sein Werk in Form.

»Na, ich werde dich mal ein bisschen im Auge behalten«, erwiderte Beate Budenbach und drohte ihm scherzhaft mit dem Zeigefinger.

Abfallen soll er dir, dieser dicke blöde Finger, dachte Julian und ließ ihre halbherzige Umarmung über sich ergehen.

*

Das »Romeo« war wie immer überfüllt. Übellaunig quälten sich die Kellner durch die Menge, denn jetzt, zu vorgerückter Stunde, war die abgezirkelte Anordnung der Tische und Stühle längst einem tumultösen Durcheinander gewichen.

Alle kannten sich und besuchten einander an den Tischen, so entstanden spontane Epizentren hektischen Palavers, die nicht nur das Durchkommen erschwerten, sondern auch die spätere Abrechnung zu einer völlig unübersichtlichen Angelegenheit machten. Üblicherweise nahmen die Kellner diesen Umstand zum Anlass, sich durch überhöhte Rechnungen an der undisziplinierten Clientèle zu rächen. Doch das fiel kaum jemandem auf, und wenn es jemand bemerkt hätte, so wäre niemand auf die Idee gekommen, sich mit einer spießigen Reklamation lächerlich zu machen. Man gehörte dazu, man aß die mittelmäßige Pasta und trank, egal was, und irgendwann wechselte ein Fächer Geldscheine den Besitzer. Der Hamburger Kiez war nun mal kein Kurcafé.

Draußen, vor der abweisend gekachelten Fassade des Lokals, standen die Mädchen mit den zu kurzen Röcken und den zu hohen Schuhen, manche trugen neonbunte Aerobicvarianten, mit giftgrünen Tangas über den prall glänzenden Strumpfhosen.

»Julian!« Heiser dröhnte die Stimme von Dietrich Busse durch den Lärm. »Los, komm schon, Julian, und Luigi, bring du mal einen Stuhl, wieso, weiß ich doch nicht, woher, nun mach schon, aber dalli!«

Julian ließ sich auf den herangeschafften Hocker fallen und ergriff das nächstbeste Weinglas.

»Ja, sag mal, was ist denn los? Du siehst total fertig aus. Treiben's deine Süßen mit dem Lockenstab, oder was?«

»Alles okay«, sagte Julian und stürzte den Rotwein herunter, ein kopfschmerzverdächtiger offener Wein, doch das war ihm jetzt egal.

»Willste Fisch probieren? Hier, die Seezunge ist nicht schlecht, Luigi, bring doch mal Brot, was ist das bloß wieder für ein Sauladen heute?«

Der Kellner rückte stoisch mit einem Brotkorb an und stellte ungefragt eine Karaffe Wein daneben.

»Na also, klappt doch, die muss man einfach mal ein bisschen auf Zack bringen!«, rief Dietrich Busse und hielt Julian den Brotkorb hin.

»Bist ganz schön durch 'n Wind, Junge. Iss mal 'n Happen!«

Folgsam nahm Julian ein Stück Brot. Brot und Wein, das letzte Abendmahl, dachte er erschaudernd. Beate Budenbachs Blick ging ihm nicht aus dem Kopf. Dieser höhnische, triumphierende Blick.

»Hast dich ja lange nicht blicken lassen, Alter, Scheiße, was ist denn nun wieder?«

Unwillig starrte er die porzellanhafte Dame an, die sich ihm von der Seite genähert hatte und einen Kuss auf seine Wange hauchte. Sie trug einen eleganten beigefarbenen Hosenanzug und eine kleine Perlenkette mit einem brillantgefassten Saphir. Erwartungsvoll lächelte sie ihm zu.

»Kenn ich dich etwa?«, fragte Dietrich Busse maliziös.

»Weißt du nicht mehr, letzte Woche, die Party bei Wiedemeyers, und danach ...«

»... is durch, Schätzchen.«

Ganz leicht vibrierten die Nasenflügel der solcherart Abservierten, dann wandelte sich ihr Gesichtsausdruck ins Leidende.

»Aber, das kannst du doch nicht ...«

»Julian, sag doch mal bitte der Dame, dass wir heute einen Herrenabend haben. Und tschüssikowski.«

Julian sah auf. Irgendwo hatte er dieses Gesicht schon mal gesehen, aber sein Gedächtnis verabschiedete sich soeben auf durchaus nicht unangenehme Weise. Ein diffuser Taumel hatte ihn erfasst. Die Anstrengungen der letzten Tage verflüchtigten sich zu einem nachlässig montierten Clip zusammenhangloser Bilder, die mit jedem Glas Wein weiter verblassten. War er wirklich in Paris gewesen? Auf Bali? Alles war möglich, aber nichts war sicher.

»Das war die Abteilung Elbchaussee. Total abgeschlüpft. Hab keine Lust, da weiter drin rumzustochern«, erklärte Dietrich Busse und grinste.

»Lukrezia!«, brüllte er dann und erhob sich heftig, sodass sein Stuhl krachend umkippte. Brutal bahnte er sich einen Weg durch das Labyrinth von Stühlen, Tischen, Armen, Beinen, und umarmte eine Dame, deren ausladende Brüste ein überaus spannendes Eigenleben zu führen schienen. Keck wölbten sie sich unter einer durchsichtigen schwarzen Tüllbluse, nur andeutungsweise verhüllt, sodass sie so neugierig wirkten wie junge Hunde, die auf dem Arm ihrer Besitzerin ausgeführt wurden.

»Los, Lukrezia, Süße, komm zu uns an den Tisch! Der Julian ist da!«

Ohne Hast durchquerte sie das Lokal. Alle rückten unwillkürlich beiseite, um ihr ein bequemes Durchkommen zu gewähren. Und alle starrten sie an. Die Blicke wanderten unaufhörlich zwischen ihrem Busen und dem seltsam milde wirkenden Gesicht hin und her.

Lukrezia war die berühmteste Hure der Stadt, eine bereits leicht betagte Königin des Gewerbes, die die selbsterfundene Würde ihres Amtes mit Gleichmut zur Schau trug.

»Na, Liebschen, wie isset?«, begrüßte sie Julian, der sich halb erhoben hatte.

»Bestens«, schwindelte er und küsste sie auf beide Wangen.

Er hatte Lukrezia von Anfang an gemocht. Mit ihrem sprichwörtlichen guten Herzen hätte man sie durchaus für einen cleveren PR-Gag der Hansestadt halten können, um dem sinkenden Image der Abzocker-Meile mit einer menschelnden Variante aufzuhelfen.

Doch Lukrezia war völlig naturwüchsig. Ein Wunder des Milieus. Und so hatte sie die Talkshows und Reportagen unbeschadet überstanden, obwohl sie zuweilen mehr Interviewanfragen als Kunden hatte. Selbst dass sie sich für ihre anschaffenden Schwestern engagierte, hatte ihrem Reiz nichts anhaben können.

Julian lehnte sich leicht an sie. Diese Frau weiß alles und versteht alles, dachte er. Am liebsten hätte er ein wenig mit ihren Brüsten geplaudert, um sich dann zwischen ihnen auszuruhen.

Doch auch Dietrich Busse hatte sich inzwischen gesetzt und legte einen Arm um Lukrezia.

»Guck sie dir an! Sie ist die Beste!«, rief er dröhnend und ließ eine Hand auf den Tüllbusen gleiten, was sie ohne Überraschung geschehen ließ.

»Man muss jönne könne«, sagte sie und strich über ihr festgezurrtes dunkles Haar, das in einen kleinen Knoten am Hinterkopf mündete.

»Ahh! Du bist wunderbar«, rief Dietrich Busse. »Von dir träumen sie alle! Jeder will mit dir in die Kiste, ob Mann oder Frau. Was ist, Julian? Da vergisst du doch deine kleinen Jungs!«

Nicht schon wieder. Erst Chantal, nun auch noch Dietrich. Warum nur hielten selbst die aufgeklärtesten Menschen homoerotische Neigungen für einen therapiebedürftigen Tick?

»Ich steh nicht auf Frauen«, erklärte Julian geduldig und goss sich Wein ins Glas. »Weißt du doch.«

»Klar, Mann. Weiß ich. Aber Alter, auch wenn du's nicht glaubst: Du bist nicht schwul! Sieh dich doch an! Ein richtiger Kerl bist du! Dir hat's nur noch keine richtig gemacht, du weißt noch gar nicht, was dir da alles entgeht, stimmt's, Süße?«

Für einen kurzen Moment wich die laszive Apathie aus Lukrezias Gesicht. Ihre müden Augen, die stets wie hinter einem Schleier verborgen waren, blitzten plötzlich auf. Aufmerksam betrachtete sie Julian, mit dem professionell taxierenden Blick ihres Berufs und einer Menschenkenntnis, die jedem hochbezahlten Headhunter zur Ehre gereicht hätte. Dann streichelte sie mit dem Handrücken seine Wange.

»Siescher dat. Wenn Julian lieber Jungs mach, bitte schön. Aber wenn er will, dann kann er ja mal umsonst 'n bisken naschen!«

Der Fausthieb auf die rotkarierte Tischdecke, mit dem Dietrich Busse die großzügige Offerte kommentierte, ließ die Weinflasche und ein paar Gläser zu Boden gehen.

»Mensch, Julian. Nun aber drauf auf die Alte. So ein Angebot hat sie mir noch nie gemacht!«

»Is wohl war, ährlisch«, pflichtete ihm Lukrezia bei.

»Um Gottes willen, nein!«, schrie Julian.

Aber Dietrich Busse ließ nicht locker.

»Nur mal naschen für lau, Mann, du bist ein Glückspilz! Los, wir gehen gleich rüber, ist ja nebenan!«

In Julians Kopf begann es zu kreisen. Er hatte nie Probleme mit dem Jetlag gehabt, er war es gewohnt, um die Welt zu fliegen und am nächsten Morgen im Salon zu stehen, als sei nichts gewesen. Doch diesmal war es anders, diesmal riss es ihn fast auseinander. Der billige Wein hatte seine Knochen aufgelöst, formlos und schwer hing sein Körper auf dem Stuhl.

»Ich will nicht!«, brachte er noch heraus, aber Dietrich Busse hatte schon zwei blaue Scheine auf das fleckige Tischtuch geworfen und ihn untergehakt.

»Bist 'n lecker Jung! Denn komm mal mit«, sagte Lukrezia mit ihrem gütigen Singsang und stand auf. »Heute kriegste mal wat Besonderes!«

Die schwere Eisentür vor der Herbertstraße war belagert von älteren Frauen in steingrauen Kostümen und Popeline-Regenmänteln, die wütend auf ihre Männer warteten. So hatten sie sich den Ausflug auf die Reeperbahn nicht vorgestellt, als sie die Kasse ihrer Kegelclubs und Gesangvereine für eine Spritztour nach Hamburg geplündert hatten. Die Herbertstraße war außer den professionellen Damen nur Männern zugänglich, eine Tatsache, die aus braven Hausfrauen im Handumdrehen engagierte Souffragetten machte, die im Namen der Gleichberechtigung Zugang zu der legendären Straße forderten. Selbstverständlich blieb dieser Protest völlig folgenlos.

»Ist das nicht …«, raunten die Wartenden, als Lukrezia mit Julian und Dietrich auftauchte und gelassen die eiserne Grenze passierte.

»Du, guck mal, das ist die, wie heißt die noch …«

Eine patente Mittsechzigerin schwenkte ihren Fotoapparat.

»Die Veronika ist das, die kenn ich aus 'm Fernseh!«, und schon setzte sie zum unvergesslichen Schnappschuss an.

»Das lässt du mal schön bleiben, Mutti!«, bellte Dietrich Busse und schlug ihr die Kamera aus der Hand. Verblüfft sah sie dem kleinen schwarzen Apparat nach, der sich auf dem nassen Asphalt überschlug. Dann schrie sie: »Hedwig! Ruf die Polizei!«

Das ist nicht wahr. Das ist der falsche Film, dachte Julian, während Dietrich und Lukrezia ihn mehr schleiften als stützten. Durch die buntfarbigen Schlieren hindurch, die vor seinen Augen kreisten, sah er in den Schaufenstern die Prostituierten, wie sie telefonierten, strickten, aßen und lächelten, beschienen von pinkfarbenen Neonröhren, die ihr Fleisch rötlich leuchten ließen, wie an der Wursttheke im Supermarkt.

Zu stummen Rudeln gepresst, strichen Männer mit Gesundheitsschuhen und Videokameras vor dem Bauch vor den Fenstern auf und ab. Es war eigentümlich ruhig, bis auf das Durcheinander hämmernder Discosounds, das gedämpft aus den Häusern sickerte.

»So, Jungchen, hier isset.«

Mit diesen Worten betrat Lukrezia einen violett flimmernden Hauseingang und stieg eine Treppe hinab. Sie schloss eine ledergepolsterte dunkle Tür auf. Dietrich Busse stieß ihn grob in das Gelass.

»Wenn du hier fertig bist, kommst du wieder rüber und wir trinken einen drauf, klar, Alter? Und jetzt lass mal die Sau raus, du Salonschwuler!«

Dann entfernte sich das Klackern seiner Cowboystiefel, und die Tür fiel hinter Julian ins Schloss.

Nie zuvor war er in einem SM-Kabinett gewesen. Durch das Schlingern der sich überlagernden Bilder hindurch erkannte er als Erstes Hundehalsbänder und Einlaufspritzen. Er lachte unsicher auf.

»Leg mal ab, Kleiner«, sagte Lukrezia sachlich und zündete mit ihrem Einwegfeuerzeug dicke weiße Altarkerzen an. Der Geruch von Schweiß und Leder überwältigte Julian wie ein Schlägerkommando. Er taumelte gegen eine Streckbank und hielt sich an den herabhängenden Riemen fest.

»Mach kein Scheiß. Bin gleich wieder da«, sagte Lukrezia und verschwand hinter einem genoppten Paravent.

Er schloss die Augen. In seinem Kopf hämmerte es. Du bist nicht schwul. Doch, ich bin schwul. Willste mal 'n bisken naschen? Die denken, da sind Drogen im Spiel. Los, drauf auf die Alte.

Dann hörte er die Orgelmusik. Gewichtig, unheilvoll. Er war bedeckt von Schweiß. Hilflos zerrte er an seiner Krawatte.

»Los, sieh mich an.«

Entgeistert sah er zu Lukrezia hoch. Ihre schwarze Ledercorsage ließ die unglaublichen Brüste frei hervorquellen, schwarz glänzende Stiefel bis zum nietenstarrenden Slip bedrohten ihn. Erst jetzt nahm er das riesige Holzkreuz wahr, dass an der Stirnseite des Kellers hing. Die Orgelmusik schwoll zu einem grellen, misstönenden Brausen an, so als hätte sich der Teufel persönlich in die Kirche geschlichen und missbrauchte das heilige Instrument für einen Jahrmarktsspuk.

Doch am beängstigendsten war Lukrezias abrupter Tonfallwechsel. Alle zugewandte Mütterlichkeit war verschwunden.

»Lecken!«, befahl sie kalt.

Er verstand nicht. Lecken? Was denn, um Gottes willen? Den Busen? Wo anfangen, wo aufhören bei dieser Fülle? Er hatte das Gefühl, dass die Brüste ihn schadenfroh betrachteten. Die Nippel waren groß wie Untertassen.

Er versuchte sich aufzurichten, suchte Halt, stützte sich auf einen ledernen Schemel und sank dann wieder kraftlos in die Knie. In seinen Ohren brach sich die Gischt riesiger Wellen. Ein metallischer Geschmack lag auf seiner Zunge, die sich geschwollen und fremd in seinem Mund anfühlte.

»Lecken!«, wiederholte Lukrezia und stieß eine Stiefelspitze in seine Wange. Er fiel leicht nach vorne, sah den Unrat auf dem Boden, hielt sich die Hand vor den Mund und schloss die Augen, um den spontan einsetzenden Brechreiz zu unterdrücken.

Lukrezias zweiter Tritt war schon deutlicher. Dies war kein Rollenspiel für Freizeiterotiker, die am Samstagabend ein Gummihöschen anziehen. Dies hier war ernst, todernst. Er wand sich unter ihren Stiefeln, die seinen ganzen Körper erkundeten und sich schließlich in sein Gesäß bohrten.

Dass Sünde und Bestrafung eine dermaßen perfide Einheit bilden konnten, erschien ihm als die widrigste Blasphemie. Voller

Panik sah er zum Kreuz, sein Blick streifte die Altarkerzen, und sein Herz, sein unschuldiges Messdienerherz erzitterte vor der grausigen Orgelmusik.

»Nein«, sagte er leise und spürte die ersten Tränen. Dann, überwältigt und fassungslos, die Erregung der Angst. Scham stieg in ihm auf wie eine heiße, dunkle Welle.

Lukrezia nahm ungerührt eine Eisenkette von der Wand.

»Los, leck die Stiefel, oder ich werde den unartigen Jungen bestrafen.«

Durch die heillose Erschütterung hindurch tauchten Gesichter auf, lachende Gesichter, Finger, die auf ihn zeigten, schließlich der dicke Finger von Beate Budenbach, die ihm drohte, tränenblind sah er auf und erkannte Beate Budenbach, sie war es, die ihn züchtigte, er spürte jeden Schlag bis ins Mark, so heulte er und schrie, und dann brach es aus ihm heraus, er erbrach das Brot und den Wein, er besudelte die schwarz glänzenden Stiefel, er kroch weiter, erbrach sich weiter, alles erbrach er, die Demütigungen, die Ängste, sein ganzes ungereimtes Leben, das ihn würgte und erstickte und als er nur noch wimmerte, verdreckt, zusammengekauert unter dem Kreuz, da zündete sich Lukrezia eine Zigarette an, begutachtete die Flecken auf seiner Hose und sagte: »Na siehste, Jungchen, du bist *doch* nicht schwul.«

*

Der Himmel über Sylt war schwarz, obwohl die Sonne schien. Unablässig surrten die Jets und Hubschrauber und zogen Warteschleifen über der Insel, deren Flugplatz auf solch einen Ansturm nicht im Geringsten vorbereitet war.

Julian zog den Trachtenjanker aus. Es war warm, auch jetzt noch, am Abend. Drüben am FKK-Strand leuchteten die hochroten Popos der sonnenungewohnten Städter wie gestrandete Bojen auf, und der leichte Wind führte statt kühler Luft Sandkörner mit sich.

Julian sah sich zufrieden um. Die Gomorrha-Bar erstrahlte in sattem Gelb. Er hatte darauf bestanden, dass sie mit seinen Lieblingsblumen geschmückt worden war, mit Löwenzahn. Die Blume seiner Kindertage. Das Dottergelb der Almwiesen, auf denen er einst die Nachmittage verträumt hatte. Der buttrige, fette Duft von Löwenzahn, der Duft seiner Kindheit.

Er nahm einen Schluck Kaffee. Jetzt ging es los. Kaum zu glauben, wer da alles anreiste. Wenn dieses komische Sylt heute Abend endgültig in der Nordsee versinkt, dann werden die Klatschblätter nie wieder jemanden haben, über den sie schreiben können, dachte er.

Kurze Zeit später war sein Gesicht bedeckt von Lippenstift und Speichel. Die sonst eher angedeuteten Umarmungen fielen heute, an seinem Geburtstag, ungewohnt üppig aus, und er sehnte sich schon bald nach einem nassen, kalten Frotteewaschlappen.

Gekrönte Häupter marschierten auf, in Ehren ergraute Playboys, gleißend hochgeflitterte Sängerinnen und tief gebräunte Schauspieler; und dann waren da noch die freizügig dekolletierten kleinen Glücksritterinnen, die an solchen Events klebten wie Fliegen an der Mousse au chocolat.

Lenny Backwitz kann nicht weit sein, dachte Julian, als wieder ein kess bestiefelter Teenager die Runde machte. Und schon schob sich der Modelagent heran.

»Klasse Party«, krakeelte er und hieb Julian auf die Schulter. Lenny hatte keine Einladung, aber er schlüpfte immer routiniert durch alle Kontrollen, und Julian hatte keine Lust, sich auf einen Disput einzulassen.

»Amüsier dich«, sagte Julian lächelnd. Wie war das noch? Man muss jönne könne? Ein Schauer lief ihm über den Rücken.

Bella Schnitzler winkte ihm zu, die Arm in Arm mit Uschi Weller durch den Sand stapfte, Hermann Huber bemühte sich um Debbie Cunningham-Weiler, Klaus-Dieter Weber unterhielt größere Gruppen mit seinen Ansprachen und selbst Werner Riesmann hatte es geschafft, auf Tommys Liste zu gelangen.

Rund um die Gomorrha-Bar war ein Auftrieb, als hätten die Salzburger Festspiele mit einer Münchner Boutiqueneröffnung und einer Hamburger Vernissage paktiert. Ich habe es geschafft, dachte Julian. Sie sind tatsächlich gekommen. Sie sind alle da. Bis zuletzt hatte er gezweifelt, ob er nicht doch nur ein Hofnarr war, ein öffentliches Lackmus-Papier, mit dem der Status von Partys auf ihre Verwertbarkeit für die Yellow Press getestet wurde. Lad Julian ein, stell dich neben ihn, und nächste Woche hast du ein Foto in der »Society«. Diese Regel galt nicht nur für die kleinen Teenager aus dem Mädchenpool von Lenny Backwitz, sie war auch in der guten Gesellschaft ein allgemein kursierendes Ondit, wie ihm noch vor kurzem Chantal gesteckt hatte.

Doch heute war er der Gastgeber. Es war sein vierzigster Geburtstag, und er war auf dem Höhepunkt seines Ruhms.

Tommy erschien inmitten des Gäste-Defilées und prostete ihm zu. Julian hatte ihm die Crillon-Geschichte noch nicht gebeichtet, denn Tommy war ohnehin stets in Sorge um ihn. Er fürchtete Julians unbedachte Capricen, seine arglose Neugier. Auch die Eskapade mit Lukrezia hatte Julian verschwiegen, und er hätte sie auch vehement abgestritten, wenn nicht die Striemen auf seinem Rücken immer noch gebrannt hätten und ihn daran erinnerten, dass er wirklich dort gewesen war, in diesem unzüchtigen Inferno.

Zerstreut wanderte Julian durch das Gewühl, grüßte und küsste und ließ sich feiern. Dann entdeckte er einen untersetzten Herrn im rosa Cashmere-Jackett, dessen Haare über dem ledrig braunen Gesicht tiefdunkel gefärbt waren.

»Julian!«

»Ich fasse es nicht – Martin!«

Sie fielen sich in die Arme. In Martins Münchner Friseurladen hatte alles angefangen, damals, lange bevor der umtriebige Besitzer seine Initialen zu einem Synonym für luxuriöses Gepäck gemacht hatte. Martin hatte Julian angeheuert, einfach so, nach einer ziemlich ekstatischen Nacht in »Bermann's Bar«. Amüsiert dachte Julian an die Einweckgläser, die im Entree hinter der Kasse gestanden hatten. Darin hatte Martins Mutter, eine winzige Greisin mit schwarzer Perücke, die Haarsträhnen berühmter Kunden aufbewahrt, fein säuberlich beschriftet und alphabetisch geordnet.

»Martin, das ist Wahnsinn! Du bist gekommen!«

In der Tat zeugte Martins Anwesenheit von Wagemut, hatte er doch unübersehbare Steuerschulden und lief Gefahr, auf deutschem Boden jederzeit verhaftet zu werden.

»Die Maschine ist schon wieder aufgetankt. Bevor hier jemand Ärger machen kann, bin ich wieder in der Luft!«

Julian hakte Martin ein und steuerte den Tresen an, wo Tommy etwas abseits die Lustbarkeiten überwachte.

»Danke, Tommy«, sagte er. »Danke, dass du ihn hergebracht hast!«

Sie bestellten einen Wodka Tonic.

»Du wärst auch in das Gepäckbusiness eingestiegen, wenn ich nicht eines Tages aufgekreuzt wäre«, lachte Tommy. »Sei froh!«

»Sag bloß – du warst der Entdecker von Julian?«, fragte Bella Schnitzler, die schon leicht angeschlagen wirkte und nach einem Platz suchte, wo sie sich unbehelligt ein wenig erholen konnte. Das Reizklima der Insel führte zu notorischen Fehleinschätzungen, was die Verträglichkeit von Alkohol betraf.

»Klar«, sagte Tommy. »Julian hat mir die Haare geschnitten und ich habe ihn einfach mitgenommen in meine Schwabinger Penthouse-Wohnung.«

»Tommy hatte immer diese Mischung aus Geschäftstüchtigkeit und Anarchie«, erzählte Martin und stützte Bella, die etwas orientierungslos am Tresen Halt suchte.

»Wahnsinn, wilde Partys auf dem Wasserbett mit dem Ozelotfell, am nächsten Morgen Nacktbaden im Englischen Garten, dann wieder Zahlen, Listen, Strategien, das war Tommy!«, ergänzte Julian.

»Und als die beiden ein halbes Jahr später ihren ersten eigenen Salon eröffneten, da habe ich vor Wut mit Scheren und Kämmen um mich geworfen«, sagte Martin. »Als Erstes hat er mir die Marina ausgespannt und Chantal natürlich auch. Wo ist sie überhaupt?«

»Sie hat heute Morgen aus Moskau angerufen, ich glaube, sie verliebt sich gerade mal wieder.«

»Sie spielt immer Russisches Roulett«, warf Bella Schnitzler ein. »Du liebes Lieschen, wie kann man nur so ungehemmt herumballern!«

»Alles, alles Liebe, mein Julian!«

Alexa trat auf, den Fürsten und eine ganze Phalanx von Fotografen im Schlepptau. Sie trug ein enges schwarzes Kleid, dessen Rücken bis zum Po geschlitzt war. Aha, es hat geklappt, stellte Julian fest. Er hatte Alexa geraten, ihren Hang zum Naschen zugunsten der gerade in Mode gekommenen Blutgruppendiät aufzugeben, denn noch immer laborierte sie an den Folgen ihrer jugendlichen Dicklichkeit. Sie hatten sich auf zehn Kilo weniger geeinigt, und Alexa war ganz offenbar im Begriff, das Soll mehr als zu erfüllen.

»Hierher, Fürstin!«

»Alexa. Hier!«

»Zeig mir die schönen Zähne, na komm!«

Die Fotografen schrien ihre Kommandos mit einer Ungeniertheit, die Julian immer wieder erstaunte, ebenso wie die Promptheit, mit der sie befolgt wurden. Gestandene Herren lächelten wie Konfirmanden, erfolgreiche Firmenchefinnen warfen sich in Positur wie für Bewerbungsfotos.

»Und jetzt mit Julian! Ja, schön! Und noch mal!«

Alexa genoss die Gier, die ihr galt, und drehte sich wie ein Model im Kreis, wobei ihr Poansatz sichtbar wurde, den eine winzige tätowierte Lilie schmückte. Die Haare umflossen ihr Gesicht in absichtsvoller Unordnung, die Julian am Nachmittag in seiner reetgedeckten Kate hergestellt hatte.

»Was habt ihr als Nächstes vor? Wann kommt der nächste Skandal?«, tönte es aus der Menge.

»Thorsten Schalke hat uns eingeladen! Verpasst bloß nicht die nächste ›Donnerwette!‹, Jungs«, sagte Alexa und gab Julian einen Kuss auf den Mund. Sofort steigerte sich das Kameraklacken zu einem hagelartigen Geprassel.

Während Julian sein Geschöpf umarmte, sah er plötzlich aus dem Augenwinkel, wie Beate Budenbach und Gabriele Himmerl an einem entfernter liegenden Tisch miteinander tuschelten.

Er löste sich von Alexa und machte einen Schritt auf die beiden zu, als eine Dame seinen Weg kreuzte, die ihm irgendwie bekannt vorkam. Sie trug ein dunkelgraues Cocktailkleid und einen violetten Hut mit einer grauen Samtschleife. Ratlos sah Julian in ihr Gesicht, dann entdeckte er die kleine Perlenkette mit dem brillantgefassten Saphir.

Unwillkürlich stöhnte er auf.

»Glückwunsch! Heute sind Sie ja mal zur Abwechslung ansprechbar!«

»Frau von Wotersen! Es tut mir furchtbar Leid, aber ich hatte einen echten Blackout neulich. Jetlag, wissen Sie.«

»Und der Baselitz?«

Ihre Stimme klang hart. Julian erinnerte sich gut an die etwas gezwungene Party in ihrer Galerie an der Elbchaussee, wo sie ihm einen hoffnungslos überteuerten Baselitz hatte aufdrängen wollen. Ihre Augen blickten ihn fordernd an.

War das der Ablass, den er zahlen musste? War das der Preis? Das Schweigegeld? Was wusste sie von seinem Besuch in Lukrezias Kabinett? Hatte Dietrich Busse sein desaströses Abenteuer im »Romeo« zum Besten gegeben? Nein! Nein. Doch. Dietrich ließ sich keine Pointe entgehen, selbst, wenn sie einem Freund den Kopf kostete.

»Oder bevorzugen Sie jetzt schlagkräftigere Künste?«

Julian griff schwer atmend zu seinen Zigaretten. Es war ein Komplott. Eine Verschwörung. Gehetzt sah er zu Gabriele und

Beate herüber, die noch lauter kicherten und zu ihm herübersahen.

»Sicher nehme ich den Baselitz«, sagte er so ruhig wie möglich, während ihm der Schweiß ausbrach. »Eine fantastische Arbeit. Eine Trouvaille.«

»Ein Gelegenheitswerk, völlig marginal«, antwortete Brunhild von Wotersen herablassend. »Und das Geld bitte cash auf die Hand. Soll ich Ihnen das Bild schicken lassen, oder holen Sie es persönlich ab?«

»Schicken Sie's mit der Post«, sagte Julian und ließ die geschäftstüchtige Freifrau stehen. Gabriele erhob sich nun, lief auf ihn zu und ließ sich schwer in seine Arme fallen.

»Ja, Julian! Toll siehst du aus! Nicht einen Tag älter als fünfunddreißigeinhalb!«

Sie hatte sich eigens für diesen Tag eine rote Robe aus Satin anfertigen lassen, mit einem Dekolletee, das deutlich mehr zeigte, als sehenswert war. Demonstrativ zog sie ihn beiseite und öffnete ihre Handtasche.

»Da! Für meinen Helden!«

Zögernd öffnete Julian das würfelförmige Kästchen aus rotem Samt. Der Ring war von erlesener Scheußlichkeit, ein Siegelring, der jeden Bischof entzückt hätte. Julian betrachtete entgeistert das Präsent.

»Danke! Vielen Dank!«

Schnell ließ er das Ding in seiner Hosentasche verschwinden.

»Was ist, trägst du ihn etwa nicht?«, fragte Gabriele beleidigt.

»Ich trage ihn doch jetzt an einer Stelle, die sehr, sehr intim ist«, antwortete er schnell und zwinkerte ihr zu.

Sie kniff neckisch in sein Ohrläppchen.

»Lass was übrig für mich, sei so gut«, fuhr nun Beate Budenbach dazwischen und drückte Julian an ihr schwarzes Ballonkleid.

»Alter Schwerenöter«, gluckste sie. »Gratulation zum Wiegenfest. Und denk dran: Immer schön sauber bleiben! No drugs, safer sex!«

Wieder kicherten die beiden Frauen los.

Volle Kraft voraus, dachte Julian. Willkommen in der Geister-bahn. Beate und Gabriele erschienen ihm wie Sprengsätze, die jederzeit losgehen konnten.

»Whow-whow-whow!«

Julian drehte sich um und breitete erleichtert die Arme aus. Prinzessin Lulu von Dernburg wirkte so erfrischend wie Sylt im März. Sie war jung und noch recht unversehrt, ein apartes Ding, das untadelig geheiratet hatte, frisch geschieden war und nun sichtlich erleichtert wirkte, ihr düsteres Schloss in der westfälischen Provinz verlassen zu haben. Vorsichtig balancierte sie ein riesiges Paket.

»Mach auf, mach auf!«, rief sie.

Als Julian an der seidenen Kordel zog, rieselte eine Lawine aus T-Shirts auf den Boden.

»Sieh mal, ich habe die Speisekarte drauf drucken lassen!«, lachte die rosa glühende Prinzessin und schmiegte sich in unbändiger Begeisterung über ihr Präsent an Julian.

»Diesen Tag wirst du nie vergessen, mein Süßer!«

Nie, dachte er.

Ein Knattern über den Köpfen ließ alle aufblicken. Wie ein bedrohliches Insekt näherte sich ein kleiner schwarzer Hubschrauber. Unzweifelhaft nahm er Kurs auf die Gomorrha-Bar. Alle schrien auf. Die bulligen Bodyguards, die sich bisher unauffällig am Rand postiert hatten, stürzten zu ihren Klienten und drängten sie unter das Vordach.

Ein Attentat!, durchfuhr es Julian. Terroristen! Sie rauben uns aus! Sie knallen uns ab!

In diesem Moment öffnete sich in der Hubschrauberkanzel eine Tür und Millionen von Dotterblumen ergossen sich auf die Gäste. Sie legten sich auf Hüte und Schultern, sie fielen in Champagnergläser und machten sich auf den Tellern breit, neben Sushi und Pasteten.

Allmählich verebbte das Geschrei im Applaus und Gelächter.

»Das ist Ulrich!« »Auf so was kommt nur Ulrich!« riefen alle erleichtert durcheinander und drängten sich zum Zaun, hinter dem der Hubschrauber zur Landung ansetzte.

»Er ist es wirklich!«, sagte Julian andächtig. Ulrich Anhalt galt als dienstältester Playboy der Republik und nahm souverän die Ovationen entgegen, nachdem er den Weg vom Hubschrauber zur Gomorrha-Bar geduckt laufend hinter sich gebracht hatte.

Die Band spielte einen Tusch.

Dann drang ein vielstimmiges »Happy birthday« aus den Kehlen, ein schauerlicher Gesang, ein Abgesang, so empfand es Julian, und er lachte und winkte in die Kameras, die unablässig klackten wie die Cowboystiefel von Dietrich Busse auf dem abschüssigen Pflaster der Herbertstraße, und Julian prostete in die Runde und trank, und dann tanzte er so lange, bis er hinter einen Ginsterbusch fiel und in einen tiefen Schlaf sank.

*

Alexa atmete ein. Jetzt ging es wieder los. Die nächsten zehn Minuten würde sie sein Spielzeug sein, seine Gummipuppe, ein Material seiner Kunst.

Sie nahm noch schnell einen Schluck aus ihrer Cappuccinotasse, während Julians Hände bereits geschäftig in ihrem nassen Haar wühlten.

»Also Sylt war ja megamäßig wunderbar! Wahnsinn. Was war eigentlich in Bali los? Gabriele machte so komische Bemerkungen?«, fragte sie, doch schon kamen Kommandos statt Konversation.

»Vorbeugen«, befahl Julian. »Tiefer!«

Mit der Präzision eines Anatomen, der sein Seziermesser ansetzt, begann er zu schneiden. Alexa liebte seine rüde Art, ihren Kopf hin und her zu werfen, sie blitzschnell umzuwenden auf ihrem Drehstuhl, ihre Stirn unsanft an seinen Bauch zu drücken. Der Mann konnte zupacken. So gewandt und geübt er auf Partys und Events auftrat, so eigentümlich ungehobelt wirkte er beim Haareschneiden. Hemmungslos. Es ist wie Liebe machen, dachte sie erschauernd. So als ob mich ein Kerl auf den Küchentisch zerrt.

Sie war süchtig nach Julian. Er war ihr Vertrauter, ihr Berater, ihre beste Freundin. Längst waren sie dazu übergegangen, gemeinsam einzukaufen, regelmäßig flogen sie zu den Modeschauen nach Paris und Mailand, wo sie in der ersten Reihe saßen, neben Schauspielern und Modepäpsten. Die Ära der braven Kostüme gehörte der Vergangenheit an. Alexa galt inzwischen als fürstlicher Popstar.

»Vergiss nicht die ›Donnerwette‹«, ermahnte sie ihn. »Wir müssen noch shoppen gehen. Ich dachte an was total Abgedrehtes, schwarzes Leder, mit Nieten. Edel-SM!«

»Edel-SM?«, fragte Julian erschrocken. War sein Abenteuer mit Lukrezia bereits ein Party-Talk, der sich bis München herumgesprochen hatte?

»Sag mal, Alexa, wie kommst du denn darauf?«, fragte er vorsichtig.

»Na, ich habe mir doch gerade eine Harley gekauft. Du, das ist ein Wahnsinnsgefühl, diese Power unterm Po, wir müssen mal rausfahren, ins Grüne, hast du Lust?«

»Klar! Tolle Idee«, antwortete Julian erleichtert. Nur nicht nervös werden, sagte er sich. Einen Moment lang schwankte er, ob er Alexa von seinem Ausflug in die Unterwelt erzählen sollte, doch sie wirkte so arglos und unschuldig, dass er es nicht wagte, sie mit erotischen Bekenntnissen zu behelligen.

»So Schatzerl, und nun noch mal runter mit dem Kopf!« Verstohlen äugte Alexa in den Spiegel, der mit gnadenloser Teilnahmslosigkeit den ganzen Körper zeigte. Bei anderen Friseuren waren die Kundinnen Damen ohne Unterleib, nachsichtig beleuchtet von indirektem Licht. Bei Julian dagegen reichten die Spiegel vom Scheitel bis zur Sohle und das Licht hatte Bühnenqualität.

Wie hatte sie sich anfangs erschrocken, wenn sie sich so dasitzen sah, in Warteposition, die Leibesmitte schien auf der Stelle aufzuquellen, die Knie schwollen ins Monströse, und jedes Mal empfand sie es als Erlösung, wenn endlich der schwarze Kittel gereicht wurde.

Aber auch das, was sie jetzt sah, machte sie nicht froh. Entsetzt betrachtete sie die Verwandlung, die stattgefunden hatte. Das Gesicht dem Boden zugewandt, folgten ihre weichen Züge der Schwerkraft und spielten ins flaumig Wattige.

»Sieh nicht hin, das ist nur das Bindegewebe, so sieht dich sonst kein Mensch«, sagte Julian völlig beiläufig, so, als seien ihre Gedanken für ihn wie auf einem Display klar und deutlich ablesbar.

»Weit gefehlt«, seufzte Alexa. »Es gibt schon Momente, na, du weißt schon, das muss doch für einen Mann ganz furchtbar sein, oder?«

Julian hielt einen Moment inne, dann bewegte sich seine Schere wieder mit geisterhafter Geschwindigkeit, ein gefräßiges kleines Tier mit einem unstillbaren Appetit auf feuchte Haare.

»Das ist ein unlösbares Dilemma«, sagte er fachmännisch. »Liegst du unten, sieht dein Gesicht fantastisch aus, ganz glatt, aber der Busen rutscht seitlich weg. Liegst du oben, ist der Busen super, aber die Gesichtszüge hängen.«

»Von einem gewissen Alter an kann man vermutlich nur noch a tergo gut aussehen ...«, sagte Alexa.

Julian sah auf. Sein Blick streifte durch den Salon. Und seine Unrast traf überall auf eine unerträgliche Slow Motion. Er war tief verunsichert. Sylt war ein Erfolg gewesen, alle Blätter waren voll von Fotos und Reportagen. Doch neuerdings hatte er das Gefühl, dass das alles sehr schnell vorbei sein konnte. Er spürte eine glasharte Eisdecke unter seinen Schlittschuhläuferfüßen, eine Eisdecke, die einen gefährlichen Sprung bekommen hatte.

»Ihr seid ja heute wie Valium sechzig!«, rief er in den hohen Raum hinein. »Los, ein bisschen Tempo!«

Wie desertierte Soldaten, die immer noch auf den vertrauten Offiziers-Sound reagieren, begannen alle Friseure eilfertig zu laufen, zu hantieren.

Julian ertrug keinen Stillstand, kein Innehalten, keine Verschnaufpausen. So wie er selber unablässig in Bewegung war, erwartete er auch einen permanenten Aktionismus von seinen Mitarbeitern, selbst, wenn sie keine Kunden hatten.

»Nun scheuch sie nicht so, die sind doch alle prima!«, versuchte Alexa ein gutes Wort einzulegen.

»Ich bin einfach unter Strom, verstehst? Gleich fliege ich nach Berlin zur Filmgala in der Lindenoper und morgen nach Hamburg.«

»Du hast es gut. Ich würde so gern mitkommen, aber mein Brilli wird schon ein bisschen rebellisch, weil ich so viel unterwegs bin. Und dauernd lungern irgendwelche Fotografen vor dem Schlosstor herum. Dreh nicht so auf, das erzeugt Neid, sagt er immer, Understatement ist die Tugend unseres Standes.«

»Er muss sich halt dran gewöhnen, dass du kein Burgfräulein mehr bist«, sagte Julian.

»Julian, Telefon!«

Er nahm den Hörer in Empfang.

»Wer? Heute Abend? Wahnsinn. Um sieben in der Suite? Ich bin da!«

Er zog ein Taschentuch hervor und wischte sich den Schweiß von der Stirn.

»Sag mal«, Alexa musterte ihn aufmerksam, »ist alles in Ordnung?«

»Natürlich, was soll sein?«

Er drückte drei Tabletten aus einer Silberfolie und trank ein Saftglas mit Weinschorle auf Eis hinterher.

»Magenschmerzen«, sagte er kurz.

Alexa beobachtete ihn sorgenvoll. Julian hatte sich verändert. Er hatte immer zeitweise einen Hang zu auffallend verstärkter Grobmotorik gehabt, doch neuerdings machte er dabei einen fahrigen Eindruck. So, als biete er die letzten Reserven auf.

»Du wirkst so gehetzt«, sagte sie leise.

»Kennst mich doch, ich bin Berufshektiker.«

»Nein, du bist anders. Mach mal Urlaub, fahr mal wieder an den Schliersee. Oder besuch uns auf dem Schloss. Mein Brilli hat ein paar wunderschöne Oldtimer an Land gezogen. Erst fetzen wir mit der Harley rum und dann rein in die alten Daimler, okay?«

»Mach ich, aber die nächsten zwei Monate ...«

»Pass auf dich auf, bitte. Ich weiß nicht genau, was da läuft, aber die Beate redet neuerdings ausgesprochen unfein über dich. Sie plant irgendeine schlimme Sache.«

Julian hielt kurz inne, dann küsste er Alexa sanft auf die Wange. »Ach, die Beate. Die ist nicht so gefährlich, wie sie aussieht. Aber danke. Wir fahren demnächst mal raus ins Grüne, ja? In so einen richtigen Dorfgasthof, mit Brezen und Würschtl und ...«

Alexa sah ihn stumm an. Sie hatte Angst um ihn.

*

Das Hotel Adlon war in ein Sommergewitter der Blitzlichter getaucht. Vor dem Eingang lag ein roter Teppich, der bis zur Straße reichte, Schaulustige und Fotografen drängten sich hinter den messingblinkenden Absperrungen und stürzten sich auf jedes neu ankommende Taxi.

In der Lobby, rund um den Marmorspringbrunnen mit den steinernen Fröschen, die unablässig Wasser spien, flanierten Berühmtheiten und aufgerüschte Zaungäste einträchtig nebeneinander her, während ein Barpianist von der Empore herab das Geplätscher mit seinen unverbindlich perlenden Läufen anreicherte.

So wirkte das ganze wie die Eröffnung eines wenn auch luxuriösen Shoppingcenters und ganz und gar nicht wie die Lobby eines First-Class-Hotels. Die Hausdiener hatten überdies Mühe, die neugierigen Touristen zurückzuhalten, die immer wieder ins Foyer drängten, um das legendäre Hotel zu bestaunen. Man war dazu übergegangen, an Wochenenden strenge Kontrollen einzuführen, um die

Atmosphäre der Gediegenheit vor den Busladungen Schaulustiger zu verteidigen, die in Zehnergruppen einfielen, Kaffeekännchen bestellten und Postkarten schrieben. Ganz Gewitzte schlichen sich daraufhin durch die Hintertür ein und rächten sich an dem Zutrittsverbot durch exzessive Benutzung der Toiletten.

In den Suiten flegelten Bodyguards herum, deren Anzüge immer genau eine Nummer zu klein zu sein schienen. Sie bewachten aber nicht etwa die Menschen, sondern den Schmuck, der aus schwarzen Lederschatullen gereicht wurde, um eine Nacht lang spazieren geführt zu werden. Rubine, Smaragde, Brillanten. Ketten, Ringe, Ohrgehänge. Armreifen, dick wie Blutdruck-Messmanschetten. Überall blinkte und gleißte es auf nackter Haut.

»Bitte, hier herüber«, winkte Bella Schnitzler zwei junge Schauspielerinnen durch, die sich dem Ritual zum ersten Mal unterzogen. Ein wenig steif reihten sie sich ein in die Prozession der Wartenden und beugten die Köpfe, um sich Ketten anlegen zu lassen. Einträchtig standen sie alle nebeneinander, die Mädchen und die Damen, in der Hoffnung, sie würden eines Tages den gesellschaftlichen Status des geliehenen Geschmeides erreichen.

Bella Schnitzler selber hatte sich nur äußerst sparsam ausstatten lassen, denn so erweckte sie stets den Eindruck, sich aus dem eigenen Tresor zu bedienen, während die allzu verschwenderische Dekoration der Anfängerinnen sich dem geübten Blick sofort als Leihschmuck outete.

Nebenan wurde gerade der improvisierte Frisiersalon abgebaut, in dem sich Bodo Lansky den Frisuren der weiblichen Gäste gewidmet hatte. Er war bereits auf dem Weg ins Foyer, wo sich die Menschen stauten wie in der U-Bahn von Tokyo.

Am Aufzug prallte er mit Julian zusammen.

»Na, alter Junge, auch mal wieder hier?«, sagte er und schlug Julian jovial auf die Schulter. Hase und Igel, das alte Spiel. Berlin gehörte ihm, auch wenn Julian just in diesem Hotel seinen Salon betrieb.

»Ich komme gleich«, rief Julian und hastete an ihm vorbei.

129

»Schnell, schnell, schnell!«, befahl er, als er in seinen Salon stürzte, der gleich neben der marmornen Lobby lag, neben der Galerie mit englischen Seestücken und dem Laden mit ungarischem Hérend-Porzellan.

»Den Smoking!«

André, der Salonchef, fing Julians Sakko auf und das Hemd, das hinterher flog. Er war es gewohnt, den Chef mit freundschaftlichen Handreichungen zu unterstützen und war mit nichts aus der Ruhe zu bringen. Ein unerschütterliches, ruhiges Lächeln lag auf seinem Gesicht.

»Wie war sie?«, fragte er.

»Sensationell! Ein tolles Mädel!«

Ein paar Damen im Abendkleid, die sich noch rasch auftoupieren ließen, ergötzten sich an dem Schauspiel, das Julian ihnen nun bot. Er hatte sich mit der geisterhaften Geschwindigkeit eines Varietékünstlers auch bereits seiner blauen Anzughose entledigt und stieg nun in eine schwarze Hose mit Satinstreifen an der Naht.

»Wo sind die Manschettenknöpfe?«

»Die Manschettenknöpfe!«, gab André die Frage weiter, und Karsten, ein schmaler junger Mann, dessen keckerndes Lachen stets das Gesumm der Föhne übertönte, kam mit einer kleinen Schachtel angerannt.

Julian streckte die Arme aus, das Smokinghemd wurde ihm übergestreift, und während André den Kragen zurechtrückte, nestelte Karsten an den goldenen Manschettenknöpfen herum, auf denen Cäsarenköpfe geprägt waren.

»Muss die Wäscherei denn immer die Knopflöcher zubügeln?«, fragte er verzweifelt.

»Wie siehst du überhaupt aus?«, fragte Julian zurück und musterte Karstens Aufzug.

»Ist von meinem Freund«, lachte Karsten und stopfte das überdimensionale Hemd mit dem eingestickten Polospieler in seine schlammfarbene Hose.

»Hast du dich wohl in einen Riesen verliebt?«, fragte Julian und nahm einen Zug aus der Zigarette, die André ihm hinhielt.

»Soo groß. Und soo süß«, schwärmte Karsten und clippte den zweiten Manschettenknopf fest. Er verehrte Julian, denn der hatte ihm eine Auszeit von einem Jahr gegeben, um seine kranke Mutter zu pflegen, und ihn dann umstandslos wieder übernommen, was bei den Gepflogenheiten der Branche eher unüblich war.

»Kaffee!«, rief Julian.

André reichte ihm einen Espresso und kämmte Julians verwirbeltes Haar.

»Wie sehe ich aus?«, rief Julian und strahlte.

Hier war er zu Hause. Seine Salons waren Bastionen familiärer Wärme, die er unendlich genoss, wenn er auch zuweilen die Strenge eines Herbergsvaters walten ließ.

»Sssuper!«, riefen alle im Chor.

In der Lobby hielt Bodo Lansky Hof an der Bar. Auch ein paar Journalisten hatten sich zu seiner Entourage gesellt, immer auf der Jagd nach zitierfähigen Sätzen.

»Warum sind Sie ausgerechnet Friseur?«, fragte ein käsiger Anfänger in einem schlecht sitzenden schwarzen Anzug und zückte sein Palmtop.

Bodo Lansky lächelte dankbar.

»Ich lebe mein Leben für die Schönheit der anderen. Das ist meine Berufung. Ich kann nichts anderes«, sagte er brummelnd.

Alle stöhnten wohlig auf. Mein Gott, wie war er bescheiden, dieser Bodo Lansky, und dabei war er doch ein Star. Kaum zu glauben, wie viel Demut in seinen Augen lag.

»Den Leuten die Haare zu machen ist der intimste und hingebungsvollste Dienst, den Menschen einander geben können«, schloss Bodo Lansky seine Ansprache und putzte sich ergriffen die Stahlbrille.

»Man nennt ihn auch den kleinen Menschenfreund«, ergänzte Gabriele, die das öffentliche Interview mit kritischem Interesse verfolgte.

»Unser Altruist und Kostverächter! Dabei laden die Damen ihn aufs Hotelzimmer ein, mit einem Babydoll aus Charmeuse und sonst nichts«, setzte Beate Budenbach nach, die einen Barhocker ergattert hatte.

»Das Leben ist keine Generalprobe«, sagte Bodo Lansky und setzte seine Brille wieder auf. »Aber ihr glaubt nicht, wer morgen zu mir kommt. Ich kann es selbst noch kaum fassen. Sie lässt ja kaum jemanden ran. Sie ist oberzickig. Eine Diva. Ein Star. Seit Jahren tourt sie nur mit ihrem Privat-Stylisten. Aber morgen ...«

»Wer ist es denn?«, fragte Gabriele neugierig. »Queen Mum?«

»Morgen«, raunte Bodo Lansky und genoss die letzte kleine Verzögerung, die er der nun folgenden Enthüllung vorausschickte, »morgen kommt – NAOMI!!«

»Naomi? Ist das wahr? Naomi kommt zu dir? Naomi!«

Alles murmelte ehrfürchtig den Namen wie ein Mantra, um ein wenig teilzuhaben an der Aura dieser dunklen Ikone.

»Diese eigenartige Verehrung hat doch in der Tat etwas zutiefst Religiöses«, flüsterte Klaus-Dieter Weber Gabriele zu. »Sieh sie dir an, die Protagonisten und die Vermittler der Öffentlichkeit, sie ahnen, dass Kultfiguren wie Naomi die letzten Garanten für Hoffnung und Schönheit sind. Sie zu berühren muss einer Epiphanie gleichkommen. Vorbei sind die Zeiten, da man Wanderpredigern die Füße wusch und Bischofsringe küsste. Einmal Naomi die Haare waschen, einmal Naomi föhnen. Unfassbar, denken sie. Was für ein unermessliches Privileg. Was für eine Gnade.«

Gerade wollte Bodo Lansky zu weiteren Offenbarungen ansetzen, als Julian erschien. Atemlos schritt er zur Bar. Das andächtig aufgeladene Schweigen entging ihm völlig, so erfüllt war er von dem, was er gerade erlebt hatte.

»Hallo Bodo. Du liebe Güte, ich bin spät dran. Aber ich musste noch gerade schnell der Naomi die Haare machen.«

Alle erstarrten. Für einen Moment hörte die Welt auf, sich zu drehen. Alles Bärige entwich den Gesichtszügen von Bodo Lansky. Hinter seinen runden Brillengläsern malten sich riesige Fragezeichen.

»Du hast – was?«, fragte er tonlos.

»Na, die Naomi ist doch in der Stadt, wusstest du das nicht?«

»Doch, doch«, erwiderte Bodo Lansky kleinlaut. Seine Claque wechselte gerade das Lager. Alle hingen nun an Julians Lippen.

»Wie war's denn mit ihr? Morgen habe ich sie nämlich«, versuchte sich Bodo Lansky in einem halbherzigen Rückzugsgefecht.

»Du, die ist ganz unkompliziert, wir hatten wahnsinnig viel Spaß, seidiges, völlig glattes Haar, ein Traum!«

Schlimmer ging es nicht. Bodo Lansky ließ die Schultern hängen wie ein bereits vom Thron verjagter Fürst, dem man soeben auch noch das Jus primae noctis abspenstig gemacht hatte. Eine Rebellion auf seinem eigenen Terrain. Er war entmachtet.

Alles, was ihm blieb, war ein halbwegs ehrenvoller Rückzug. Und das hieß: Plaudern, als sei nichts gewesen.

»Und, was hast du mit ihren Haaren angestellt?«

»Innenrolle«, sagte Julian knapp und zog gierig an seiner Zigarette.

»Ganz schlicht, ganz edel, sieht sssuper aus!«

Einen Moment lang dachte Bodo Lansky nach. Dann beschloss er, dass noch ein wenig Boden zurückzugewinnen war.

»Innenrolle, soso. Also, *ich* mache ganz etwas anderes mit ihr. Ich stecke das Haar auf! Eine Königin der Nacht soll sie werden!«

»Nette Idee, eine Aufsteckfrisur, doch, ganz hübsch«, warf Julian so dahin, und damit war das Thema Naomi ein für alle Mal durch. Tot. Mausetot.

Bodo Lansky blickte stumm in sein Glas. Später, in der »Bar Français« würde er noch die Gäste mit Frisurvorschlägen für Naomi behelligen, das war allen klar.

Aber das Furchtbarste war die arglose Bestlaune von Julian.

»Gell, Bodo, wir sollten fusionieren«, witzelte er drauflos.

»Dann teilen wir die Diven schön unter uns auf.«

»Die Guten ins Töpfchen, die Schlechten packt ihr am Schöpfchen«, reimte Gabriele, die das Scharmützel der Coiffeure mit dem Stolz eines adeligen Fräuleins verfolgt hatte, dessen Ritter siegreich den Turnierplatz verlassen hatte.

Just in diesem Moment kam Bewegung in die Truppe.

»Die Limousinen fahren vor!«, verkündete ein Page, und alles wälzte sich zum Ausgang, wo rechts und links des roten Teppichs die Fans und Fotografen an den Absperrungen zerrten.

»Es glamourt gewaltig«, sagte Julian und hakte Bodo Lansky unter, der versteinert über den Teppich schritt.

*

»Ich muss erst noch zum Abschmücken, kommst du mit?«

»Warum nicht?«

Julian war erleichtert, dass Gabriele sich nach der Filmgala wieder an ihn hängte. Beate Budenbach hatte sie an seinem Geburtstag ohne Frage mit dem neuesten Klatsch versorgt, und er war dankbar, dass sie den Geldfund im Crillon mit keinem Wort erwähnte. Sie stiegen in eine der wartenden Limousinen und fuhren Unter den Linden entlang Richtung Brandenburger Tor.

Denn bevor es weiter ging in die Bars und Restaurants, kehrten die Damen ins Hotel Adlon zurück, um das Geschmeide wieder abzuliefern.

In den Suiten ging es zu wie bei der Entwaffnung einer unterlegenen Armee. So wie den Besiegten die Orden und Ehrenabzeichen abgenommen werden, die Affenschaukeln und das Eichenlaub, so wurden jetzt die kostbaren Schmuckstücke eingesammelt.

Die Frauen spürten instinktiv die Demütigung, die in diesem Akt lag. Resigniert streckten sie die Arme aus, hoben das Kinn und hielten still, während Ketten, Ringe und Armbänder wieder zurückwanderten in das Gewahrsam der schwarzen Schatullen.

Gabriele sah sehnsüchtig den Angestellten des großen französischen Juweliers nach, die sich mit ihrer goldenen Kette und dem schönen dreifarbigen Ring entfernten. Theatralisch griff sie sich an den nackten Hals, ganz so, als ob sie fröre.

»Das geht ja hier zu wie am Dreikönigstag«, sagte Julian. »Das ganze Lametta, die Christbaumkugeln, alles weg.«

»Na ja, da, wo wir jetzt hingehen, ist die Weihnachtsbaum-Nummer sowieso daneben«, antwortete Gabriele.

»Wieso, was machen wir denn jetzt?«

»Lass dich überraschen!«

»Halt, stopp«, rief plötzlich Bella Schnitzler. Sie zog Julian in eine Ecke und sprach leise auf ihn ein.

»Hast du ein Handy?«, wisperte sie.

»Nein, wieso?«, fragte Julian erstaunt.

»Du hast ein Date, ist topwichtig, du musst das für mich machen, du musst einfach!«

»Wenn du von Naomi sprichst, die hatte ich schon«, sagte Julian und machte Gabriele Zeichen, dass sie sich noch ein wenig gedulden sollte.

»Vergiss Naomi«, flüsterte Bella. »Es ist – nein, darf ich dir noch nicht sagen. Top secret. Kann ich mich auf dich verlassen?«

»Also gut, Bella. Aber nur aus Freundschaft zu dir.«

»Du bist ein Engel. Hier. Nimm mein Handy. Und stell es um Gottes Willen nicht aus. Ich melde mich, wenn es so weit ist!«
Julian betrachtete kurz das lästige kleine Utensil, gegen das er sich immer erfolgreich gewehrt hatte.

»Ist nur für heute Nacht«, beschwichtigte ihn Bella Schnitzler. »Bis später!«

»Was wollte die denn schon wieder?«, fragte Gabriele.

»Keine Ahnung, Top secret, hat sie gesagt. Egal. Lass uns losfahren.«
Das Taxi hielt vor einem düsteren Haus. Obwohl ganz in der Nähe der Friedrichstadtpalast lag und die aufgekratzte Amüsiermeile der Oranienburger Straße, war es hier karg und still.

»Ganz schön ostig, oder?«, sagte Gabriele und zog ihr kleines Pelzcape fester um die Schultern.

Der dunkle Hausflur roch nach Urin. An den Wänden blätterten Plakate ab, die hier und da mit Graffitis übersprayt waren. Die Holztreppe war ausgetreten und das Geländer blank gerieben. Zögernd stiegen Julian und Gabriele die Stufen herauf.

Die Tür im zweiten Stock stand weit offen. Stimmengewirr und Musik drangen auf den Flur. Etwas unsicher durchquerten sie die überfüllten Räume. Überall saßen und standen schwarz gekleidete Menschen mit Plastikbechern in der Hand. Eine kleine Kapelle spielte russische Lieder, in deren Refrain die Umstehenden immer wieder einfielen, nur schwach beleuchtet von ein paar Kerzen und altmodischen Stehlampen mit grünen gefältelten Schirmen. An den Wänden hingen Bilder, mit denen es Alexej Romanoff inzwischen zu einiger Berühmtheit gebracht hatte. Die Reichstagskuppel und die Brooklyn Bridge leuchteten fahl in dunklen, bräunlichen Farben, mit verschwimmenden Konturen, die der mythisch aufgeladenen Architektur etwas Bedrohliches gaben.

Gabriele zog Julian weiter.

Sie gelangten zur Küche, in deren Türfüllung ein Holztresen geklemmt war. Unablässig wurde darauf eingeschenkt. Dahinter, in der Küche, stand der Gastgeber, Alexej Romanoff. Er war von schmächtiger Statur, trug einen schwarzen Anzug, ein schwarzes Hemd und einen schwarzen Hut. Liebevoll beugte er sich über ein paar Plastikbehälter, die aufgereiht vor ihm auf dem Küchentisch standen.

»Hallo Alexej«, rief Gabriele, erleichtert, wenigstens den Gastgeber zu kennen. Sie war ein wenig unruhig, denn sie wirkte völlig overdressed auf dieser Party mit ihrer blau schimmernden Robe und dem Nerzjäckchen, ein Umstand, den sie anderswo genossen hätte, der ihr hier aber geradezu obszön erschien, zwischen all den Künstlern und Studenten mit ihren hungrigen Gesichtern.

»Oh, Frau Himmerl, willkommen!«

Der Maler wandte ihnen sein Gesicht zu, ein fein geschnittenes, schmales Gesicht, das in ein dünnes Kinnbärtchen auslief, welches ihm bis auf die Brust reichte.

»Die sind gut in Form«, lächelte er und deutete auf die Plastikbehälter. »Was wollen Sie trinken?«

Eine rhetorische Frage, denn es gab ausschließlich Wodka in Literflaschen.

»Hier. Damit ihr wisst, auf welche ihr wetten sollt«, sagte er und reichte Gabriele einen Zettel. ›Vorlauf Herren‹, stand darauf. Julian sah ihr über die Schulter und begann laut zu lesen.

»Pamir: abgehärtet, durchtrainiert, schmerzunempfindlich. Ein eiskalter Kämpfer, der weiß, wie man sich bis zum letzten Zentimeter durchbeißt. In seiner rauen Heimat ein gefeierter Held. Ist durch den Start von Olga II, deren Mutter er ermordet hat, leicht irritiert, lässt sich jedoch nichts anmerken. Gelaufen: Bonn-Taschkent-Madrid.«

Er sah von Alexej zu Gabriele.

»Was soll das denn hier sein? Ein mörderischer Marathonlauf?«

»Hier können Sie Ihr Glück machen, mein Herr«, sagte Alexej und deutete eine Verbeugung an. »Die Wettbüros haben bereits geöffnet. Und wenn Sie Wert auf eine ganz persönliche Empfehlung legen, dann setzen Sie auf Olga II. Bitte, lesen Sie!«

Mit diesen Worten überreichte der Maler einen zweiten Zettel, der mit ›Vorlauf Damen‹ überschrieben war.

Wieder las Julian vor.

»Olga II: ehrgeizig, laufstark, robust. Tochter der von Pamir getöteten und gefressenen Olga I, die als unbesiegbar galt. Absolut neu im Geschäft. Reiste aus Moskau an, um ihre Mutter zu rächen. Kann flink eintreten und ist fein im Schwung. Wird trainiert vom Moskauer Starkoch Andrej J. Rubelmir, der schon einige Champions in seiner Küche fand. – Champions? Oder Champignons?«

Er ließ den Zettel sinken.

Gabriele kicherte vergnügt.

»Es sind Kakerlaken, Schatzerl. Sieh doch mal genau hin!«
Und damit deutete sie auf die Plastikbehälter, in die Alexej gerade Apfelstückchen streute.

Julian spürte, wie sich sein Magen leicht anhob.

Alexej griff lachend in eine durchsichtige Box und holte eine Kakerlake heraus, die so lang war wie sein Daumen. Das schwarz glänzende Tier lief sogleich behände an seinem Ärmel hoch. Er fing es ein, streichelte es zärtlich an der Unterseite und setzte es vorsichtig in seinen Tupper-Käfig zurück. Dann goss er zwei Plastikbecher randvoll mit Wodka und reichte sie Gabriele und Julian.

»Na sdorowje«, sagte er und deutete nach rechts. »Dort entlang. Sichern Sie sich einen guten Platz, damit Sie die Vorläufe nicht verpassen.«

»Ist er nicht wunderbar?«, hauchte Gabriele verzückt. »Das ist Berlin, mein Schatz!«

Aufgeregt stöckelte sie die enge Wendeltreppe hinunter, die ein Stockwerk tiefer führte. Julian folgte ihr.

Sie betraten einen niedrigen, völlig überfüllten Raum, in dem sich alle um einen Billardtisch mit durchsichtigen, parallel angeordneten Plastikröhren drängten. An den Wänden waren wackelige Holztischchen aufgebaut, hinter denen junge hübsche Mädchen die Wetten entgegennahmen. Sie waren malerisch hergerichtet, mit glitzernden, engen Kleidern und Netzstrümpfen, fast alle trugen Kunstpelzkragen und hatten sich herausfordernd geschminkt. Junge Kerle in Lederjacken umringten sie, und ganze Bündel mit Geldscheinen wurden ihnen zusammen mit den Tippzetteln gereicht.

»Er finanziert seine Ateliers damit«, raunte Gabriele.

»Ich setze auf Pamir«, beschloss Julian. »Mörder müssen schnell sein. Aber meine Favoritin ist Olga II. Rache ist immer noch die beste Motivation. Wie im richtigen Leben.«

Die allgemeine Aufregung hatte auch ihn erfasst, ein seltsames

Fieber, das durch die Hitze und durch die drangvolle Enge noch verstärkt wurde. Der Hautgout der Illegalität lag in der Luft, die Hinterzimmerheimlichkeit von Speak-Easy-Kneipen zur Zeit der Prohibition, von verbotenem Glücksspiel und anderen mafiosen Divertissements.

Hastig füllte er seinen Tippschein aus und gab ihn einem Mädchen in Lurextop und hohen Stiefeln, die genau die Farbe ihres Mundes hatten.

Plötzlich begannen alle zu applaudieren. Alexej war erschienen, umringt von jungen Mädchen, die vorsichtig die Plastikbehälter zum Renntisch trugen. Ein Mann mit schwarzen Haaren und breitem Gesicht, der eine enge schwarze Weste über dem weißen Hemd trug, holte die Akteure einzeln heraus und ließ sie in kleine Boxen gleiten, die zu den Plastikröhren führten.

»Es geht los!«, rief Gabriele und deutete auf die Wand, wo das Rennen mittels einer Videokamera auf die zerkratzte Tapete gebeamt wurde.

Ein Schuss ließ alle zusammenfahren. Es war der Hausherr selber, der auf diese martialische Weise das Rennen eröffnet hatte und mit erhobenem Arm stehen blieb, während ein exakter Mechanismus alle sieben Röhren zugleich öffnete.

Sofort schrie und kreischte alles durcheinander, feuerte die Kakerlaken an, die wie gelackt glänzten und sich auf den Weg machten zum anderen Ende des Tisches. Manche kehrten um, einige blieben wie gelähmt sitzen auf dem grünen Filz, Olga II aber krabbelte mit ihren drahtigen, gezackten Beinen kräftig ausholend zum Ziel und wurde dort schon erwartet von Alexej, der sie sogleich auf die Hand nahm und küsste.

»Die ersten drei qualifizieren sich für den Endlauf!«, rief Gabriele erregt. »Aber vorher sind noch die Herren dran.«

Die Läuferinnen wurden eingesammelt und die Männchen landeten in den Boxen. »Sputnik!«, brüllte ein älterer Herr, und sofort erklangen die Echos, »Ural« und »Duka«, »Pamir«, »Boris«, »Ivan« und »Sergej«.

Alle rauchten, tranken, schrien, das ist das Leben, dachte Julian plötzlich, nicht dieser verzickte Auftrieb in der Oper, mit geliehenem Schmuck und bezahltem Lächeln, er zog die Smokingjacke aus und krempelte die Ärmel hoch und trank den Wodka in großen Schlucken.

Dann fiel sein Blick auf einen jungen Mann, der wie die anderen ganz in Schwarz gekleidet war. Er trug eine schmale schwarze Brille und lehnte an der Wand, ein zurückhaltender Beobachter, eine Insel der Ruhe in dem Hexenkessel des niedrigen Raumes. Als der zweite Schuss fiel und die Kakerlaken loslegten, sah der junge Mann kurz zu Julian herüber. Es war ein Blick, dessen Intensität Julian geradezu körperlich berührte.

»Pamir!«, kreischte Gabriele und zog Julian näher an den Tisch. Pamir krabbelte nicht, er rannte mit jener ekelerregenden Geschwindigkeit, die Julian daran erinnerte, wie zäh und erfolgreich diese Spezies die Welt erobert hatte, von den Favelas bis zu den Luxushotels.

»Ja, ja, ja!«, schrie Gabriele. Julian riss die Arme hoch. Er hatte dreihundert Mark gewonnen und freute sich wie über einen Sechser im Lotto. Der junge Mann aber war verschwunden.

»Du bist ein Glückspilz!«, rief Gabriele verzückt.

»Glück im Spiel, Pech in der Liebe«, sagte Julian und zündete sich eine Zigarette an.

»Da hört man aber ganz andere Sachen«, grinste Gabriele und stieß ihn grob mit dem Ellenbogen in die Seite. »Man munkelt, dass du jetzt an der Hardcore-Front gelandet bist.«

Einen Moment schwankte Julian. Doch die Körper, die sich von allen Seiten an ihn drängten, stützten ihn sogleich.

»Na, da bist du sprachlos, was?«, sagte Gabriele und genoss ihr Geheimwissen.

»Das nächste Mal nehme ich dich mit, ein Hundehalsband würde dir nicht schlecht stehen«, sagte Julian schnell.

»Soll ich dich dann mal richtig verhauen, Liebling?«, gurrte Gabriele. Ihre Hand legte sich zudringlich auf seinen Po. Ein neuerlicher Schuss kündigte das Finale an. Julian zuckte zusammen.

»Gabilein, nimm doch bitte schön mal die Hand da weg«, flüsterte er.

»Wieso denn? Du bist doch der Erotomane der Saison! Ich hatte ja keine Ahnung, dass du auf so was stehst, und dann noch diese Drogengeschichte in Paris …«

»Sei still, um Himmels willen!«

Er sah in Gabrieles gerötetes Gesicht, das vor Hitze und Aufregung glänzte. Diese Frau ist eine Zeitbombe, die nicht mehr richtig tickt, dachte er voller Panik. Sie näherte ihren Mund seinem Ohr und wollte gerade etwas hineinflüstern, als ein kollektiver Schrei sie mit hinwegriss wie eine Brandungswelle.

»Olga II! Olga! Olga! Sie hat gewonnen!«

»Und du hast sechshundert Mark gewonnen«, schrie Gabriele.

»Komm, lass uns in Champagner baden, ich habe eine Kingsize-Badewanne im Adlon …«

»Mein alter Freund Ronald sagt immer: Es ist ein Merkmal gesetzten Alters, wenn man von zwei Versuchungen jene auswählt, die es erlaubt, um neun Uhr wieder zu Hause zu sein. Na ja, neun ist eh schon vorbei, aber Exzesse brauche ich im Moment wirklich nicht.«

Ein Handy klingelte. Sofort griffen alle Umstehenden in ihre Taschen, doch es war Bellas Handy, das in Julians Hosentasche rumorte.

»Du hast ein Handy?«, fragte Gabriele erstaunt.

»Ist nur geliehen«, antwortete er verlegen, denn genau diese Peinlichkeiten hatte er immer vermeiden sollen. Wer wirklich wichtig ist, braucht kein Handy, war immer seine Devise gewesen. »Wo muss ich überhaupt drücken?«

»Hier«, sagte Gabriele und wollte ihm das kleine Gerät aus der Hand winden, doch Julian hielt es fest umklammert.

»Bella?«, fragte er. Dann hörte er nur noch zu.

»Und?«, fragte Gabriele neugierig.

»Ich erzähl es dir morgen früh. Klingt nach Hollywood, mindestens, bestimmt irgendeine Schauspielerin. Also, behalte die Kakerlaken im Auge und drück mir die Daumen, ja?«

»Du willst mich doch jetzt nicht etwa hier allein lassen«, sagte Gabriele aufgebracht. »Machst du für Geld eigentlich alles?«

Julian starrte sie verblüfft an, während er spürte, dass die Haarrisse in ihrer Freundschaft sich zu Gräben erweiterten. Dann drehte er sich um und ging.

Vor dem Haus wartete eine schwarze Limousine. Der Schlag wurde von innen geöffnet, und er sah Bella Schnitzler auf dem Rücksitz kauern. Sie hatte ein dunkles Tuch um ihre nackten Schultern geschlungen und wirkte außerordentlich konspirativ.

»Nun sag schon, wer ist die große Unbekannte?«, fragte Julian voller Neugier.

»Nicht jetzt«, flüsterte Bella. Die Limousine setzte sich in Bewegung und holperte mit deutlich erhöhter Geschwindigkeit über die schadhaften Straßen.

»Werde ich entführt?«, fragte Julian.

»So ähnlich«, erwiderte Bella. »Warte, da vorn ist es schon!«

Sie fuhren inzwischen durch das Regierungsviertel, vorbei an den monumentalen, düsteren Neubauten, die bei Nacht noch nutzloser aussahen als am Tag, wie vergessene Ufos.

Der Wagen bog bei der Schweizer Botschaft ein und passierte ein Wärterhäuschen. Der Fahrer hielt, kurbelte die Scheibe herunter, zeigte einen Ausweis und fuhr wieder an.

»Ich glaub's ja nicht«, sagte Julian.

Bella schwieg. Zwei fahle Beamte in dunklen Anzügen geleiteten sie in eine niedrige Vorhalle, die wie der Vorraum einer futuristischen Nervenklinik wirkte. Rechts und links verloren sich schwarz lederne Polstergruppen, vor allem aber gab es eines: viel Platz. Julian erholte sich allmählich von seinem ersten Erstaunen.

»Pass mal auf, Bella, wenn ich hier schon mal reinkomme, dann nicht durch den Dienstboteneingang. Ich will vorn herein.«

Bella stutzte kurz, dann zog sie ihn nach links.

»Bitte, wenn du das brauchst, kein Problem.«

Sie gingen verwinkelte Flure entlang und gelangten unvermittelt in eine riesige Halle. Rechts und links führten breite Treppen nach oben, in der Mitte öffnete sich ein ausladender, niedriger Gang. Ein großer, kahler Tresen schloss sich linker Hand an, der äußerst ungastlich wirkte, und auch das Liliengebinde, das darauf stand, machte eher den Eindruck, als sei es dort vergessen worden.

»Sieht aus wie der Eingang einer Tiefgarage«, witzelte Julian. Wenn das meine Mutter noch hätte erleben können, dachte er plötzlich gerührt.

Bella wurde ungeduldig.

»Komm schon«, flüsterte sie, obwohl niemand sie belauschen konnte. Oder doch? Unwillkürlich suchte Julian die Ecken nach Kameras und Mikrofonen ab.

Sie stiegen nach oben. Überall hingen Gemälde, erstklassige Moderne, wie Julian anerkennend feststellte. Die Crème der internationalen Avantgarde. Er hätte gern noch ein wenig davor verweilt, da er selber gerade begonnen hatte Kunst zu sammeln, doch Bella trieb ihn zur Eile.

Als das Treppenhaus sich zu einem kleinen Amphitheater öffnete, überkam Julian eine kindliche Lust, das Echo auszuprobieren.

»Wer ist der Bürgermeister von …«, hob er an, doch Bella hielt ihm entsetzt den Mund zu.

»Keine Spielchen jetzt«, zischte sie. »Wir sind gleich da.«

Ein Bodyguard öffnete die Tür aus Kirschbaumholz.

Das war es also, das Zentrum der Macht. Überrascht sah sich Julian in dem niedrigen Raum um, der seltsam verbaut wirkte. Die Fenster hatten allesamt asymmetrische Formen und verweigerten den unverstellten Blick auf den Reichstag, der direkt gegenüber lag. Die Kuppel war hell erleuchtet. Irgendwie hatte er das Gefühl, in eine wenn auch luxuriöse Abstellkammer geraten zu sein, in einen marginalen Nebenraum, der als architektonischer Abfall einer nach außen hin repräsentativen Architektur entstanden war.

»Guten Abend.«

Der Politiker war völlig lautlos aus dem Dunkel eines Winkels getreten und hielt Julian die Hand hin. Er war erstaunlich klein und massiger als im Fernsehen. Ein aufgeregter Referent wieselte um ihn herum.

Julian verstand noch nicht ganz, was er hier sollte. Es war bekannt, dass die Gattin dieses Politikers sehr auf ihre Frisur bedacht war, aber er konnte sie nirgends entdecken. Außerdem war es mitten in der Nacht.

Es klopfte.

»André? Was machst du denn hier?«

Statt einer Antwort lächelte sein Salonchef nur und überreichte Julian ein Köfferchen mit Kamm, Schere, Haarbürsten und mehreren Flaschen. Es war Haarfarbe, die ganze Skala von Hellbraun bis Aubergine.

»Strähnen«, flüsterte Bella und schob Julian zum Schreibtisch. »Er will Strähnen. Es soll alles ein bisschen natürlicher aussehen. Verstehst du? Er will diese Diskussionen nicht mehr – hat er nun gefärbt oder hat er nicht? Er ist es leid. Er will den perfekten Look!«

Julian warf noch einen kurzen Blick auf die Reichtagskuppel, die von den Pilastern der ambitionierten Architektur zerschnitten wurde, dann begann er sein Handwerkszeug auszupacken.

»Morgen ist ein Staatsempfang«, hauchte Bella. »Es muss absolut gelungen sein!«

»Wie ist denn die Naturfarbe?«, erkundigte Julian sich vorsichtig. Der Politiker hatte inzwischen sein Jackett ausgezogen und sich in seinen Schreibtischsessel fallen lassen.

»Weiß ich nicht«, brummte er und griff zu einem Aktenstoss, auf dem ein Exemplar der »Society« lag. Aha, dachte Julian. Der guckt genauso wie alle anderen nach, ob er drin ist.

Dann sagte der Staatsmann: »Früher war ich mal, na, wie heißt das noch – aschblond?«

Und wenn ich ihn nun grün färbe, dachte Julian mit plötzlich aufbrechender anarchischer Lust. Der Spitzenpolitiker als Punk. Wahnsinn.

Der gestrenge Blick von Bella rief ihn zur Ordnung.

»Keine Sorge, das wird sssuper!«, rief Julian und begann das prominente Haar zu kämmen, das sich hinter den Ohren ungebärdig wellte. »André, ich brauche mittelbraun, Kastanie und Ebenholz.«

*

Der Fotograf hatte wirklich alles dabei: Von den Lichtkoffern bis zur angesagten Visagistin, die Vicky hieß und ein putziges Tattoo rund um den Bauchnabel spazieren führte. Sie hatte Julian nur kurz abgepudert und sich dann Gabriele zugewandt.

»Ein schwerer Fall«, flüsterte Vicky ihm zu, als die beiden bei einer schnellen Zigarettenpause an der Bar zusammentrafen.

»Was hat die denn für einen Schneider? So hässliche Narben habe ich lange nicht gesehen. Die sieht ja aus wie mit der Stichsäge zugerichtet. Bald muss sie auch im Sommer Rollkragenpullover tragen. Sie sollte es lieber mal mit Botox probieren, kommt einfach besser bei den Stirnfalten. Sonst musst du bald die Augenbrauen föhnen, weil sie im Haaransatz hängen.«

»Können wir denn mal?«, fragte der Fotograf und tippte vorwurfsvoll auf seine Rolex.

»Aber klar«, rief Julian und löschte schnell seine Zigarette.

Es sollte eine Riesenstory werden. Die Eröffnung des neuen Hamburger Salons. Neuer Glamour für die in edler Langeweile versinkende Hansestadt. Und Gabriele bekam die Sache exklusiv, noch vor der offiziellen Premiere.

Julian hatte mit sicherem Gespür herausgefunden, dass ihre vom Job ausgehärtete Seele empfänglich war für Kompensationsgeschäfte. Sie war von Beate Budenbach mit allen Informationen versorgt worden, sie wusste von Lukrezia und dem unseligen Drogenverdacht, doch sie würde stillhalten, solange er mit ihr kooperierte.

Und wenn ihm auch schwindelig wurde bei dem Gedanken, wie er sich auf die Dauer das Schweigen all dieser gierigen Lämmer erkaufen sollte, so fühlte er sich doch sicher bei diesem Pakt, über den sie zwar nicht offen verhandelt hatten, der aber für beide eine beschlossene Sache war.

Gabriele genoss ihren Schachzug. Dass schon die kleine Andeutung beim Kakerlakenrennen genügt hatte, um sie in den Glanz einer Exklusivgeschichte zu katapultieren, versetzte sie in einen Taumel der Euphorie.

Sie freute sich bereits auf das wütende Gesicht von Beate Budenbach, wenn sie Gabrieles Story lesen würde. Und damit die gute Beate sich vollends an ihrer Missgunst verschluckte, hatte Gabriele vorgeschlagen, dass sie selber sich als Promi-Kundin für die Fotosession in Szene setzen ließ.

»Wir bringen es gleich nächste Woche, bevor du mit Alexa in der ›Donnerwette!‹ bist«, rief sie siegesgewiss. »Das wird ein Knaller!«

»Apropos – die zehn Titelblätter sind geschafft! Und die Talkshow ist mit der ›Donnerwette!‹ auch erledigt. Hast die die goldene Amexcard dabei?«

»Aber klar, Süßer. Jetzt wird erst mal frisiert, und dann feiern wir deine gewonnene Wette!«

Julian griff beherzt zu Kamm und Schere und setzte sich auf den Rollhocker. Gabriele lehnte sich zurück und – legte Julian eine Hand aufs Knie.

Auf der Stelle versteinerte Julian, der immerhin einiges gewohnt war, in tiefem Schreck. Das hier, das war kein rituelles Bussi-Bussi und keine kumpaneske Umarmung, das war weder fotogenes Schnäbeln noch beschwipstes Party-Gekuschel. Das hier war Anmache. Pure Anmache.

146

»Ein bisschen mehr Emotion,« rief der Fotograf ungehalten. »Ihr seid doch hier nicht auf dem Debütantinnen-Ball!«

Julian begann geschäftig drauflos zu kämmen. Jetzt war's raus: Gabriele hatte ganz offensichtlich eine vorübergehende Taubheit des Hirns und die hatte sie reichlich öffentlich. Aber jede Diskussion um diese Hand, die auf seiner Hose hockte wie eine unförmige weiße Spinne, würde die Sache nur noch spannender machen, das wusste Julian genau, und er kämmte und bürstete, bis die Funken sprühten.

»Schön, schön, sehr schön«, murmelte der Fotograf, während Gabriele ihre Hand um keinen Millimeter verrückte, so als habe sie statt einer Handcreme Sekundenkleber benutzt.

»Und nun die andere Seite, Julian, mein Bester, gehen Sie doch bitte mal nach links.«

Erleichtert rollte Julian um Gabriele herum. Plopp, weg war die Hand. Drei Sekunden später lag die andere auf seinem Bein. Gabriele lächelte schief wie für ein Verlobungsbild. Sie hatte darauf bestanden, den üblichen schwarzen Umhang wegzulassen, und öffnete nun den zweiten Knopf ihrer tollkühn gemusterten Pucci-Bluse. Was für ein Moment. Julian gehörte ihr. Und alle sollten es sehen. Sie bekam nicht nur die große Story, nein, diese Fotos würden auch ein Dokument ihrer einzigartigen Beziehung sein. Dieser Herzensfreundschaft. Dieser – ja, sie wusste es, dieser Liebe.

»Ist es so gut?«, fragte sie und warf den Kopf in den Nacken. Mein Gott, war sie sinnlich. Ihre Hand wurde heiß auf Julians blauem Gabardine.

Dann drehte sie ihm das Gesicht zu, mit einem Augenaufschlag, der an einen zärtlichen Schoßhund erinnerte.

Der Fotograf zwirbelte entnervt seinen langen Zopf, der bis auf seine schwarze Lederhose herunterhing.

»Komm Mädel, Lady Di ist tot, ein bisschen natürlicher, wenn's geht!«

Julian lachte leise in sich hinein und stand auf.

»Kleiner Break, ja? Bin gleich wieder da.«

147

Er lief in die hinteren Räume und schloss die Tür.

»Tommy!«, rief er nur, dann schüttelte ihn ein Lachen, das ihm die Tränen in die Augen trieb. Tommy war extra aus München angereist, um Julian bei dieser Story beizustehen.

»Du glaubst es nicht«, brachte Julian schwer atmend hervor, »sie will mich umdrehen! Missionarin Gabi will mich auf den rechtgläubigen Weg bringen!«

»Schon wieder so eine mit dem Hetero-Tick?«

Tommy sah von seinen Papieren auf.

»Probier's doch mal aus. Wenn sie so wild drauf ist.«

Julian wurde ernst.

»Wie weit würde sie gehen, was glaubst du?«

»Bis Feuerland, mindestens. Die hat's erwischt. Soll ich schon mal das Aufgebot bestellen?«

Langsam nahm Julian seine Brille ab und begann sie zu putzen.

»Es fing ganz harmlos an. Das Buch. Die Reise nach Berlin. Na ja, da hat sie schon ein bisserl aufgedreht. Aber ich dachte, sie sei einfach nur hinüber vom Wodka.«

»Und nun?«

Entschlossen setzte Julian seine Brille wieder auf.

»Du, ich will's wissen.«

Gabriele war nicht von ihrem Platz gewichen. Auch ein dritter Knopf hatte mittlerweile dran glauben müssen und aufgekratzt unterhielt sie die Foto-Crew mit ein paar Promi-Bettgeschichten.

»Da hat der Helmut doch tatsächlich das Mädel in diese puffige Sauna bestellt und dann … oh, Julian.«

»Alles klar!«, rief Julian. »Weiter geht's!«

Er kickte den Rollhocker ins Aus und blieb vorsichtshalber stehen. Mit energischen, tänzerischen Bewegungen beugte er sich über Gabrieles Kopf, der ihm wie von schweren Gewichten gezogen entgegensank.

Donnerwetter, Gabriele ging aufs Ganze. Und das nicht etwa im Schutze von Bar oder Boudoir, nein, im vollen Rampenlicht des vielfarbigen Blattes.

»Klasse! Sooo will ich das sehen«, lobte der Fotograf. »Super, Julian! Und immer schön locker bleiben, Gabi. Wenn's denn geht. Denk an was Einfaches, Banales, an Slipeinlagen oder so.«

»Und wo gehen wir nachher essen?«, flüsterte Julian in Gabrieles muschelförmigen goldenen Ohrring hinein.

»Der Tisch ist schon bestellt. Heute wird gefeiert bis zum Abwinken«, flüsterte Gabriele zurück.

Sie wusste noch nicht, wie Recht sie hatte.

*

Julian hatte das Vier Jahreszeiten in der Hansestadt nie besonders gemocht, obwohl es immer wieder ganz oben auf den einschlägigen Bestenlisten landete. Es war ihm einfach zu verplüscht und unfroh.

Doch heute Abend war das alles genau richtig. Die Melancholie der sich selbst zitierenden Pracht. Angestrengtes Blattgold. Täfelungen, die wie das Innere eines luxuriösen Sarges wirkten. Kellner, die sich mit betretenen Mienen und verdrucksten Bewegungen permanent für ihre Anwesenheit zu entschuldigen schienen.

In der Lobby langweilten sich Zementfabrikanten, die hofften, dass sich inmitten des nachgemachten Chippendales ein gewisses Duodezfürsten-Feeling einstellen würde. Resigniert betrachteten sie ihre Ehefrauen, deren schulterpolsterbewehrte Kostüme mehr Goldknöpfe hatten als die Livrees der Pagen. Auch die riesigen Gobelins hingen schon etwas durch, und ihre einstmals fröhlichen Schäfer lehnten ermattet in den Kulissen.

Der Maître führte Gabriele und Julian mit ein wenig arthritisch wirkenden Verbeugungen quer durch das Restaurant zu einem Tisch, der etwas abseits in einer Nische stand. Am Revers des Mannes hing ein ovales Messingschildchen mit seinem Namen, so, als stehe er permanent zum Verkauf auf dem Sklavenmarkt der Kellner.

»Bitte sehr, gnädige Frau, schön, dass Sie mal wieder hier sind!«

Gabriele ließ sich hoheitsvoll den Stuhl zurechtrücken und lächelte Julian listig an.

»Julian, mein Julian, ich habe extra diesen Tisch hier bestellt, sollte einen Hauch intimer heute sein, na, wie findest du unser Chambre séparée?«, gurrte sie.

»Du, ich finde das ...«

»Wünschen Sie vielleicht einen Apéritif? Oder erst mal die Karte?«

Gabrieles Hand schnellte durch die Luft.

»Champagner bitte, Alfred, wir haben etwas zu feiern. Ich habe eine Wette verloren und ein Date gewonnen. Sie haben doch einen Jahrgangs-Dom-Pérignon, wenn ich mich recht erinnere?«

»Gewiss«, antwortete der Maître etwas heiser, da er auf der Stelle die Qualität des ersten Getränks auf den zu erwartenden Umsatz dieses Tisches hochrechnete und das voraussichtliche Trinkgeld überschlug. Noch dazu gaben Frauen immer zu viel Trinkgeld, das war bekannt. So, als ob sie sich vom schlechten Gewissen freikaufen mussten, wenn sie sich von Männern bedienen ließen.

Julian sah sich um. Es war gespenstisch still in dem hohen, großen Raum. Vereinzelte Paare, die sich kauend anschwiegen. Geschäftsleute, die ihr Business so diskret abwickelten, dass sie sich nur mit stummen Gesten verständigten, und von Zeit zu Zeit einander bedeutungsvoll abnickten. Alle bewegten sich derart zeitlupenartig, dass sein eigener Auftritt mit Gabriele wie eine Demonstration pathologischer Hyperaktivität gewirkt haben musste.

Hier saßen die, die im hellen Licht der angesagten Restaurants fröstelten. Wer hier freiwillig zu Abend aß, der suchte den Schutz der abgedunkelten Luxus-Höhlen, wo die Kellner noch verlässlich devot waren und nicht so frech und selbstbewusst wie in den Szeneläden.

Umso schärfer hob sich in dieser diffus wattierten Szenerie Gabrieles exaltierte Performance ab. In ihrer bunten Bluse und mit ihrem verrissenen Gekicher wirkte sie wie ein schriller Partygast, der sich auf eine Beerdigungsfeier verirrt hatte.

Sie nahm alles in die Hand. Zunächst bestellte sie ein achtgängiges Menü und eine ganze Batterie erlesenster Weine, dann erkundigte sie sich nach den Digestifs. Vermutlich hat sie auch bereits ein Zimmer bestellt, dachte Julian, ach was, sicherlich die Präsidentensuite. Mit Rosenstrauß und Champagner-Kübel.

Er betrachtete sie mit der Neugier eines Insektenforschers, dem es gelungen war, eine noch unentdeckte Spezies just während der Paarungszeit in einem Marmeladenglas zu fangen. Da hockte nun dieses seltsame, schillernde Tier und tat rätselhafte Dinge.

Während der ersten fünf Gänge sprach Julian kaum ein Wort. Gabriele war in Form. Sie plapperte wie ein Radio, das man vergessen hatte abzustellen. Mit dem Tempo einer absurden Revue referierte sie alle ihre Lover mit Namen und Tatzeit, skizzierte ihren Aufstieg von der kaffeekochenden Hospitantin zur Front-Lady der »Society« und pries zwischendurch noch ihre Fähigkeiten als Köchin.

Als der Käsewagen heranrollte, sank sie erschöpft in sich zusammen. Wortlos klaubte sie sich ein paar Walnüsse und einige blaue Trauben auf den Teller.

Während Julian Roquefort und Ziegenkäse wählte, spürte er ihren sanft missbilligenden Blick.

»So was isst man aber nicht, wenn man noch etwas Besonderes vorhat«, tadelte sie ihn schalkhaft.

Julian nahm ungerührt noch ein Stück Appenzeller dazu.

»Ich glaube, es wird Zeit, dass wir mal über UNS sprechen«, raunte Gabriele und formte ihre aufgeblasenen Lippen zu einem roten Rettungsring.

Hilfe, dachte Julian. Jetzt geht's los, Tommy, steh mir bei.

»Tja, Gabilein, woran denkst du da so – konkret?«

»Komm schon, sei nicht so g'schamig. Du willst es doch auch. Du kannst mir nichts vormachen. Ich meine, alle Welt weiß, dass du normalerweise«, sie gluckste, »äh, nicht so auf, wie soll ich sagen, auf ...«

»... Frauen stehe«, ergänzte Julian und nahm einen Schluck Chateau Pétrus.

»Ja, genau. Ich meine, ich verstehe ja, dass du bei Lukrezia abgedreht bist. Aber das heißt noch nichts. Du hast einfach noch
nicht die Richtige getroffen. Das heißt, getroffen hast du sie
schon ...«

In diesem Moment verschluckte sich Julian dermaßen heillos,
dass ein Kellner herbeistürzte.

»Hat der Herr ein Problem?«

Nein, einen Fuß im Gemächte, hätte Julian am liebsten geantwortet, aber er verschonte den Mann mit solchen Details. Das wäre
schließlich ein harter Contenance-Test gewesen.

Stattdessen hustete Julian hingebungsvoll weiter.

Im Grunde konnte er ja froh sein, dass Gabriele wenigstens ihren Lack-Stiletto vorher ausgezogen hatte. Nicht auszudenken,
was da alles so hätte passieren können.

Gabriele lächelte nachsichtig. Ach, wie süß war er doch, dieser
Julian, so richtig schüchtern konnte er sein. Da musste man
schon die Initiative ergreifen. Augen auf und durch. Heute war
die Nacht der Nächte. Morgen früh würde sie in seinen Armen
aufwachen und alles, alles würde gut sein.

Sie zog vorsichtig ihren Fuß zurück, stand auf und klopfte reso-
lut auf seinem Rücken herum.

»Danke. Geht schon wieder«, ächzte Julian.

Unentschlossen blieb Gabriele neben ihm stehen. Erst jetzt bemerkte sie, dass ihr rechter Fuß noch immer schuhlos war. Eilig
hinkte sie zu ihrem Platz zurück.

So. Und jetzt mal ran an den Speck, ermunterte sie sich.

»Schatzerl, wir können auch die beiden Desserts knicken und
uns mit einer Flasche Champagner zurückziehen.«

Julian tupfte sich die Stirn mit der immer noch untadelig ge-
stärkten Serviette.

»Zurückziehen? Wohin denn? Wir sind hier doch ganz unter uns!«

»Aber ein bisschen mehr Privacy könnte nicht schaden ...«.

Gabriele strich langsam mit dem Daumen über ihr Dekolletee,
eine Geste, die sie mal in einem Hollywoodfilm gesehen hatte.

»Meinst du die Bar?«, fragte Julian und versuchte alle ihm zur Verfügung stehende Arglosigkeit in diese Frage zu legen.

»Stell dir vor, das ist hier ein HO-TEL!« Gabrieles Stimme klang wie die einer äußerst geduldigen Waldorf-Pädagogin.

Julian hob die Augenbrauen.

»Und?«

»Die haben hier ZIM-MER!«, setzte Gabriele ihre kleine Schulung fort.

»Und darin kann man SCHLA-FEN!«, imitierte Julian ihren Kleinkinder-Fortbildungs-Tonfall.

»Nicht nur.«

Gabriele wurde es jetzt doch in wenig mulmig zumute. Irgendwie geriet die große Verführungsnummer allmählich zu einem Fall für die Pannenhilfe, Abteilung Abschleppservice.

Aber wer jetzt nichts sagt, der schweige für immer, machte sie sich Mut. Los jetzt! Solch eine Gelegenheit kommt so schnell nicht wieder.

»Ich habe mal gelesen, dass man in Betten auch ganz andere Sachen anstellen kann«, platzte es aus ihr heraus, und mit einem genau kalkulierten Prankenhieb griff sie nach Julians Hand.

»Ich will dich. Immer schon. Ich will dich, seit ich dich das erste Mal sah. Ich habe weiche Knie, wenn ich dich sehe. Ich kann an nichts anderes mehr denken. Ich habe die Präsidentensuite …« – Bingo, dachte Julian – »… gemietet, es sind nur ein paar Schritte, ich werde dich verwöhnen, ich werde dir zeigen, was …«

»Halt! Stopp! Warte. Einen Augenblick mal.«

Julian löste seine Hand aus der Umklammerung. Jetzt weiß ich, wie weit sie geht, dachte er. Schön. Schön blöd. Und nun? Wie komme ich hier jemals wieder heraus? Und zwar so, dass sie mir nicht das Gesicht zerkratzt und das ihre wahrt?

Er schloss die Augen und atmete tief. Immer, wenn er in eine desolate Situation geriet, aktivierte er das, was sein Motivationstrainer auf Schloss Elmau das mentale Power-Potenzial genannt hatte: Er versetzte sich augenblicklich in seine bayerische Heimat. Hier lag seine Kraftquelle, in dieser Kindheit, in der er so unverletzlich gewesen war, so übermütig, so siegesgewiss. Alles, was er erreicht hatte in seinem Leben, verdankte er dieser Kindheit. Der Schliersee tauchte vor ihm auf, seine Großmama, eine gleichermaßen stilsichere wie lebenskluge Dame, die ihm immer die Entschuldigungszettel geschrieben hatte, wenn er statt in die Schule auf die Skipiste gegangen war. »Und vergiss nicht, dir das Gesicht mit Melkfett einzureiben«, hatte sie ihm dann nachgerufen. »Sonst kommst braun wie a Haslnuss vom Berg und ein jeder merkt, dass der Bub nicht in der Schul' war!«

Julian lächelte. Die Großmama. Eine tolle Frau. Die Ikone seiner Kindheit. Von Zeit zu Zeit hatte sie den Jungen mitgenommen, wenn sie nach München fuhr. Dann zog sie ein Kostüm an, elegante Pumps und Glacéhandschuhe. Mit dem kleinen Julian im Schlepptau hatte sie die Läden durchstreift. Zuerst immer die teuren. Gekauft hatte sie dann zwar in den nicht so teuren, doch auf diese Weise wusste sie stets, was gerade en vogue war.

Gelacht hätte sie, kopfschüttelnd, aber amüsiert, wenn sie ihn hier so hätte sehen können. Großmama war wunderbar gewesen. Und sie hatte eine Vorliebe für Oberammergau gehabt. Nicht ein einziges Festspieljahr hatte sie versäumt.

Erleichtert öffnete Julian die Augen. Das war's. Oberammergau. Fredl fiel ihm ein, der verrückte Herrgottschnitzer. Ein »Corpus Christi«-Anhänger, der sich abends vor dem Bette kniend geißelte. Wegen der verdammten Unzucht. Danke, Großmama.

Gabriele hatte staunend beobachtet, wie Julian sich offenbar ganz der Innenschau widmete. Aus der Gegenwart gefallen wie ein Walkman-Hörer in der U-Bahn, der sich in seine eigene Klangwelt zurückzieht, schien Julian konzentriert auf irgendetwas zu lauschen.

War sie zu schnell gewesen? Oder kostete er einfach diese stürmische Avance aus?

Na, wenigstens waren die Augen wieder offen. Oder hatte er unbemerkt etwas genommen? Wie war das noch mit den Drogen? Verstohlen checkte Gabriele seine Pupillen.

»Spatzerl?«, hauchte sie.

»Gabi, ich muss dir ein Geständnis machen«, sagte Julian leise, sehr leise.

»Aber sicher, mein Hase. Red dir nur alles von der Seele.« Geistesabwesend zerkrümelte Julian das Pumpernickel, das zum Käse serviert worden war.

»Du erlebst mich als einen Menschen, der als everybody's darling durchs Leben geht«, sprach er behutsam. »Aber ich bin ganz anders. Nicht so leichtfertig, wie du denkst. Nicht so unbedacht. Ich bin ein gläubiger Mensch …«

Gabriele zuckte ein wenig zusammen, wie der Teufel, wenn er vom Weihwasser reden hört.

»Es wird dich überraschen, aber ich …« – an dieser Stelle faltete Julian mit kindlicher Inbrunst die Hände – »… ich lebe mittlerweile in Keuschheit.«

Er betrachtete zerknirscht seinen Teller. Gabriele griff mit fahrigen Bewegungen zu ihren Zigaretten und warf prompt ein Weinglas um.

Julian schien es gar nicht zu bemerken. Mit gesenktem Kopf sprach er weiter.

»Sicher, ich hatte meine Affären, meine Liaisons, meine Beziehungen, ich habe gelebt und gefehlt, ein schwaches Menschenkind. Doch ich habe gelernt aus diesen Taten, ich habe sie bitter bereut, die schnellen Nummern, die Freuden des Fleisches, die Exzesse der Leidenschaft, ganz zu schweigen von der professionelle Peinigung in Lukrezias Kabinett …«

Verquält sah er auf und ergriff nun seinerseits Gabrieles kalte Hand.

»Und wenn mir die Sünde begegnet, so wie heute Abend, verführerisch, schön, zum Greifen nah«, schnell zog er seine Hand zurück, als könne Gabriele ihn in einen Abgrund ziehen, »dann …«

Er brach ab.

»Dann?« Gabriele hatte Tränen in den Augen. Enttäuschung, Scham und Erschütterung beutelten sie.

»Dann versuche ich stark zu sein. Sehr stark. Und bevor ich zu Bett gehe, kniee ich nieder, löse den Gürtel von der Hose und –«

»Julian, nein, bitte nicht!« Gabriele schrie fast. Ein Seitenblick auf die neugierigen Augen des gerontologischen Publikums ließ sie zusammenfahren.

»Bitte nicht«, flehte sie tonlos.

»Ich nehme den Gürtel, entledige mich meiner Kleider und züchtige mich – so! Und so! Und so!«

Julian deutete gestisch ein schauerliches Selbstbestrafungs-Ritual an.

Die darauffolgende Stille war unheimlich. Fassungslos betrachtete Gabriele ihr Gegenüber. Sie wagte sich nicht zu bewegen.

»Ich habe es noch nie jemandem erzählt«, flüsterte Julian schließlich. »Und du musst mir versprechen, es nie, nie …«

»Natürlich nicht! Wie könnte ich! Oh, Julian, was habe ich getan!« Aufgewühlt rieb sie sich ihre Tränen aus den Augen, die zusammen mit der Wimperntusche wüste Spuren auf ihren Wangen hinterließen und fatal an die wirren Tapetenmuster der fünfziger Jahre erinnerten.

Ein Kellner erschien mit zwei riesigen Tellern, auf denen verschwenderisch dekorierte Salzburger Nockerln klebten. Als er Gabrieles Gesicht sah, machte er schleunigst kehrt.

Julian lehnte sich zurück. Irgendwie tat ihm Gabriele schon wieder Leid. Er beschloss auf der Stelle, sie zu erlösen.

»Du kannst es wieder gutmachen«, sagte er weich.

»Alles, alles, was du willst, mein liebster Freund«, schluchzte Gabriele. »Was ist es, sag es mir!«

»Bald ist Weihnachten«, erklärte Julian mit bebender Stimme, »und ich hätte so gern eine kleine Madonna, nur eine kleine, weißt du, für die Reise, ich bin doch so viel unterwegs, dass ich nicht immer Gelegenheit habe, eine Kapelle aufzusuchen, und da dachte ich …«

»Ja, das ist eine wunderbare Idee«, unterbrach ihn Gabriele. Die Aussicht auf eine schnelle Wiedergutmachung hob ihre Stimmung augenblicklich.

»Es gibt da einen Herrgotts-Schnitzer in Oberammergau, einen unglaublich begabten Kerl, der macht herrliche Madonnen«, sagte Julian.

»Wie heißt er? Bitte, verrate mir seinen Namen!«

Fast war sie schon wieder die Alte. Eifrig holte sie ihren Block aus der Tasche und suchte nach einem Stift.

»Fredl. Fredl heißt er. Du würdest mir eine Riesenfreude machen …«

»Aber natürlich! Selbstverständlich! Ich werde mich persönlich darum kümmern. Oberammergau. Reise-Madonna. Fredl. Sehr gut.« Der Stift kratzte eilig über das Papier.

»Äh – Fredl, und weiter?«

»Fredl Oberhammer.«

Gabriele sah kurz auf.

»Der heißt wirklich so«, sagte Julian und lächelte.

»Ich bin ja so froh, dass du wieder lachen kannst«, brach es aus Gabriele heraus, und nun weinte sie völlig losgelöst und entspannt.

Aufs Neue marschierte der Kellner mit zwei Tellern an und bog im letzten Moment wieder ab.

»Augenblick mal, junger Mann, was wollten Sie uns da gerade vorenthalten?«, rief Gabriele mit plötzlich erwachenden Lebensgeistern.

Etwas verstört näherte sich der Kellner dem Tisch.

»Passionsfruchtvariationen an Anisparfait«, antwortete er gehorsam.

»Passionsfrucht, ist das nicht ein begnadetes Apercu zu Oberammergau?«, juchzte Gabriele.

»Her damit«, befahl Julian knapp.

*

Susie, die Maskenbildnerin, war dermaßen aufgeregt, dass sie unwillkürlich einen Knicks machte. Atemlos hauchte sie: »Wollen Frau Fürstin hier, ich meine, äh, Hoheit …«

»Sag einfach Alexa, Schätzchen.«

Bestens gelaunt nahm Alexa Platz und musterte Susies pinkfarbenes T-Shirt, auf dem in Glitzerbuchstaben »Zicke« stand.

»Tolles T-Shirt«, sagte sie. »Julian, guck doch mal!«

»Kinder, wir hängen!« Mit diesen Worten kam ein hoffnungslos verschwitzter Herr in einer unförmigen Anglerweste in den Raum gestürzt. Unablässig nestelte er an einem Walkie-Talkie herum, das munter fiepte.

»Wo ist denn die depperte Durchlaucht? Oh, äh, schon da, wie ich sehe! Nun aber speedy, das hier ist nämlich kein gräflicher Teesalon, sondern eine Live-Sendung!«

Damit war er wieder verschwunden.

»Was war das denn?«, fragte Julian. »Der Running Gag?«

»D-der Aufnahmeleiter«, stotterte Susie und begann, Kleenex-Tücher in Alexas Ausschnitt zu stopfen.

»Was soll denn das? Ich bin doch gut bestückt!« Alexa zündete sich eine Zigarette an und gab sie an Julian weiter, der sie aufmerksam betrachtete.

»Schatzerl, bist du etwa schwanger?«

»Na, sieh dir das doch mal an. Ich bin jetzt bei Cup C. Und das ist nur der Anfang! Zu Weihnachten kannst du mir eine Milchpumpe schenken!«

Susie wurde rot unter ihrem modisch bleichen Gesicht.

»Ein Baby? Oh Gott, ein Baby?«

»Klar! Ich nehme keine Pille, ich bin allzeit bereit!«, verkündete Alexa. »Aber behalt's für dich. So, Mädel, und nun male mal schön! Und bloß nicht zu zaghaft! Heute wird dick aufgetragen!«

»Die Kleenex sind nur als Puderschutz gedacht«, flüsterte Susie. »Damit die Robe nicht vermüllt. Wollen Durchlaucht Glitzergel für die Augenwinkel? Würde doch gut passen zu dem Outfit?«

Alexa sah an ihrem Lederkostüm herab, dessen blinkende Nieten jedem Harley-Fanclub zur Ehre gereicht hätten. Julian hatte noch ein paar andere Assoziationen zu diesem Anblick, aber Alexa stand nicht im leisesten Verdacht, einen Hang zur Dominanz zu zeigen.

»Glitzergel? Her damit!«, rief sie. »Julian, heute werden wir es denen zeigen! Mach mich so wild, wie du kannst!«

Er hatte bereits begonnen, einzelne Strähnen abzuteilen und mit Gel zu wehrhaften Stacheln aufzurichten. Das Bankett im Schloss war nur der Anfang gewesen. Morgen früh würde Alexa der ultimative Star sein. Kult. Julian wusste seit dem Coup im fürstlichen Schloss, dass er alles zutage fördern konnte, was in Alexa schlummerte, wenn er ihr Temperament adäquat kostümierte. Er war mit vielen Schauspielerinnen befreundet und wusste um die Magie von Robe und Maske, die ein Ladenmädel zur Königin machen konnte und eine Lady zur Kurtisane.

»Aber sicher, du schönes, wildes Tier!«

Ängstlich hatte er in den vergangenen Tagen alle Zeitungen, alle Magazine durchblättert, aber nichts war erschienen über ihn, außer den bildergespickten Artikeln über seinen Geburtstag und einer fulminanten Lobhudelei von Gabrieles Hand. Kein Wort über die Crillon-Affäre, keine Andeutung über sein Kiez-Capriccio. Er war noch einmal davongekommen. Er hatte eben doch Freunde, auch wenn sie sich manchmal wie Hyänen aufführten. Keiner bewarf ihn mit Schmutz, oh nein.

»Das ist ja eine wahnsinnig tolle Haarfarbe«, murmelte Susie andächtig.

»Das gemeine Streifenhörnchen ist out«, verkündete Julian. »Hier habe ich mit sieben, acht Farben gearbeitet, Palisander, Ebenholz, die ganze Regenwald-Palette, sieht sssuper aus, oder?«

»Wirklich, sssuper«, wiederholte Susie und wich geistesgegenwärtig einer Spraywolke aus.

»Tupf mal den Running Gag ab, der hat's nötiger«, sagte Julian, »und wenn ich fertig bin, dann kannst du malen, okay?«

»Bin schon weg!«, antwortete Susie. »Ich gehe mal kurz rüber zu Thorsten Schalke.«

»Aber red ihm seine Dauerwelle aus, sei so gut«, rief Julian ihr hinterher. »Kaum zu glauben, dass der Mann sich immer noch diese herzwärmenden Löckchen machen lässt«, gluckste Alexa.

»Der bekommt bestimmt mal den Shirley-Temple-Gedächtnis-Preis für öffentliche Schnuckligkeit«, sinnierte Julian. »Fehlt nur noch die Schleife im Haar!«

»Schwiegermutter-Ranschmeiße«, sekundierte Alexa.

»Also, du hast das wirklich nicht nötig. Und den Thorsten bringen wir auch noch auf Linie. Denk an den Wetteinsatz!«

»Also, bis später«, sagte Susie und verschwand.

Julian sprayte wieder drauflos. Noch konnte Alexa sein Werk nicht sehen, denn er hatte sie mit dem Rücken zum Spiegel bearbeitet. Ein letzter Checkup, dann trat Julian einen Schritt zurück.

»So. Fertig. Na?«

Mit diesen Worten gab Julian dem Drehstuhl einen Schubs und gewährte der Fürstin den ersten Blick in den Spiegel.

»O Gott, Julian, mein Hase, was hast du mit mir gemacht?«, rief Alexa mit kokettem Erschrecken.

»Frag mich lieber, was ich *aus* dir gemacht habe. Jetzt sieht es endlich auf deinem Kopf genauso aus wie drinnen. Du bist die schräge Queen!«

Ungläubig betrachtete Alexa sein Werk. Gegen diesen glitzernden Irokesen-Igel war die punkige Bankett-Variante von neulich eine Konfirmandinnenfrisur gewesen. Julian lächelte ihr im Spiegel zu.

»Hase und Igel, sind wir nicht ein Traumpaar?«

»Wahnsinn«, flüsterte Alexa. »Genau richtig für die Fachsendung der Tüftler und Bastler. Was passiert eigentlich heute in der Show?«

Julian schraubte geschäftig die Gel-Dose zu.

»Ich glaube, heute kommt einer, der kann in zwei Minuten ein Kondom mit dem Ohr aufblasen.«

*

160

»Meine Damen und Herren, begrüßen Sie heute mit mir in der ›Donnerwette!‹ Alexa, die wilde Fürstin – und ihren Leib-Coiffeur!«

Thorsten Schalke knöpfte sich das karierte Jackett zu, das um die Mitte herum merklich spannte. Dann machte er seinem Ruf als Erfinder der Berufsjugendlichkeit alle Ehre durch ein paar beherzte Sprünge zur Showtreppe.

An deren oberem Ende standen bereits Alexa und Julian und warteten auf das Kommando des Aufnahmeleiters, der sie bemerkenswert konstant schwitzend zur Bühne geführt hatte, ohne sein Handy-Gespräch zu unterbrechen, bei dem es um gebrauchte Autos ging.

»Toi, toi, toi«, flüsterte Julian.

Ein Portal öffnete sich. Fanfaren erklangen. Mit einem Mal wurde es blendend hell.

Alexa schluckte. Damals, an diesen trübsinnigen Samstagabenden, wenn sie zum Babysitten ging statt auf Partys und vor dem Fernseher vereinsamte, damals schon hatte sie immer seine Sendung gesehen. Thorsten Schalke – der Mann war wie ein Erdbeben gewesen, das ihr ereignisloses Leben erschüttert hatte. Sie war hingerissen gewesen. Und sie hatte an seinen Lippen gehangen. So respektlos, so locker, so flapsig hatte sie immer sein wollen. Sie hatte seine spacigen Outfits angestaunt und sich in seine gleißende Welt geträumt, in der es so munter zuging und so schwerelos, während sie auf fremden Sofas herumlümmelte, mechanisch Chips und Erdnüsse in sich hineinstopfte und schwere Faltenröcke trug. Irgendwann, so hatte sie sich geschworen, irgendwann werde ich auch dort stehen.

Und nun stand sie da, auf der Schwelle zu dieser Welt, und sie bemerkte überrascht, dass sie nicht die Spur aufgeregt war. Das hatte sie Julian zu verdanken. Er hatte sie verwandelt. Er hatte dieses nietenbesetzte Mugler-Teil ausgesucht, dessen asymmetrische Geometrie ihr den Look einer Amazonen-Königin gab. Die martialischen Stacheln auf ihrem Kopf unterstrichen den Herrschaftsanspruch. Sicher, sie war eine Fürstin. Doch all das bedeutete nichts in diesem Moment, in dem sie eine Showtreppe hinuntergehen musste. Hier galten andere Regeln. Dies war kein Terrain, in dem der Gotha irgendetwas bedeutete, außer vielleicht einem schrägen Kick. Julian hatte sie zur Herrscherin eines extraterrestrischen Fantasiereichs gemacht, in jener Galaxie, die man Entertainment nennt.

Der Aufnahmeleiter flüsterte entnervt: »Na, los doch, die geben doch schon dauernd Zeichen!«

»There's no business like show-businezzz«, summte Alexa, und dann schritt sie mit der herablassenden Noblesse eines gefeierten Revuestars an Julians Arm die glitzernden Stufen hinunter. Ihre Titel, ihr Vermögen, ihre glänzende gesellschaftliche Position, all das umgab sie mit einer deutlich wahrnehmbaren Aura, doch erst Julian hatte diese Aura sichtbar gemacht, hatte die virtuelle Reputation mediengerecht umgesetzt.

Thorsten Schalke deutete einen doppelt eingesprungenem Kratzfuß mit integrierter Verbeugung an.

»Willkommen, Ihro Gnaden«, witzelte er. »Und ein Salut dem fürstlichen Dauerwellen-Doyen!«

Dann stand er eine Weile wortlos da und betrachtete Alexas nietenstarrendes Outfit, um seinen Blick schließlich zu ihren Strähnen-Stacheln wandern zu lassen. Währenddessen hatte sich das Publikum in Euphorie geklatscht.

Mit der stummen Autorität eines strengen, aber gerechten Erdkundelehrers brachte Thorsten Schalke durch eine winzigen Geste das Saalpublikum zum Schweigen. Dann richtete er das Wort an Alexa.

»Herrschaftszeiten, das nenne ich einen Auftritt! Was sagt eigentlich Ihr Mann, der Fürst, zu diesen haarsträubenden Auswüchsen?«

Alexa spielte kokett an ihrem Ohrring, der einem Phallus nachgebildet war. »Der sagt: Kleine Mädchen muss man behutsam erziehen!«

»Dann kriegen Sie sich also deshalb nicht in die Haare?«, setzte der Moderator launig nach.

»Das ist bei der Frisur meines Mannes nur schwer möglich«, gluckste Alexa und nahm strahlend den Applaus entgegen, während sie mit den beiden Herren zur roten Couch schritt und sich darauf niederließ.

Thorsten Schalke öffnete sein Jackett und lugte kurz auf einen eng beschriebenen Spickzettel, auf dem er offenbar alles gesammelt hatte, was das Friseurhandwerk an Kalauern hergab.

»Julian! Wir wollen die Gelegenheit beim Schopfe packen und ein wenig über das Geheimnis von Kamm und Schere erfahren. Ihr Job ist es, den Prominenten den Kopf zu waschen. Nun spülen Sie nicht nur Glanz ins Haar, sondern shampoonieren auch noch gekrönte Häupter. Warum begibt sich die Fürstin denn ausgerechnet in Ihre Hände?«

»Eine schöne Frisur bringt Glanz in die Seele«, erwiderte Julian gelassen.

»Aha, da spricht der mit allen Duftwässerchen gewaschene Psychologe. Sie sind ja bekannt für Ihren kultivierten Lebensstil. Welche Oper ist Ihnen eigentlich lieber – der ›Barbier von Sevilla‹ oder ›Figaros Hochzeit‹?«

»Ja mei, des sind haarige Fragen! Ich ziehe das Musical ›Hair‹ vor!«, antwortete Julian.

»Und wessen Skalpell lassen Sie an Ihren Skalp?«

Alexa gluckste los.

»Alle sechs Wochen schneidet er sich die Haare selber. In der Badewanne.«

»Warum gehen Sie nicht zu Bodo Lansky? Oder zu Marion Meier? Das wären doch standesgemäße Kollegen.«

Julian zupfte sich das rechte Ohrläppchen, wie immer, wenn er ins Scheinwerferlicht geriet.

»Also, die Marion Meier hat mit ihrer Haarpflege-Linie eine Menge angerichtet in deutschen Schlafzimmern. Kennen Sie ihr ›Night Hair Care‹? Das ist der Frontalangriff auf den Ehefrie-

den. Möchten Sie etwa mit einer Frau ins Bett gehen, die fett-
glänzende Creme im Haar hat? Und dann vielleicht noch einen
Handtuch-Turban darüber?«

»Igitt. Man sagt ja, dass Friseurinnen den Penisneid mit dem
Schnipp-Schnapp ausleben. Ist das so bei Kollegin Meier?«

»Sagen wir mal so: Die Schere ist ihre Droge, die muss einfach
immer schneiden, und jetzt will sie sogar einen Gegensalon aufmachen in München, will mir die Stirn bieten, aber da bleibe ich
ganz ruhig.«

»Und Bodo Lansky?«

»Ach ja, mein Freund Bodo, ich mag ihn sehr gern, mit seinem
melancholischen Sean-Connery-Blick, und Goldfinger hat er
auch. Aber ranlassen würde ich ihn nicht.«

»Schade, alle lieben doch den Berliner Bären. Und – schneiden
Sie andere Friseure?«

»Nein, ich grüße Sie natürlich!«

»Na, so wie der Mann loslegt, bleibt ja wohl keiner ungescho-
ren«, kicherte Thorsten Schalke in die Kamera und wandte sich
wieder Alexa zu.

»Was machen Sie eigentlich, wenn Sie um die Welt jetten? Wer
macht Ihnen dann den Igelkopf?«

»Ganz einfach, ich lasse Julian einfliegen. Demnächst geht's
nach Mexico, und einen Tag später sind wir auf Barbados. Ein
bisserl anstrengend, aber ohne Julian läuft gar nichts!«

»Sakra! Die beiden kommen rum! Julian, was halten Sie denn so
frisurentechnisch von unseren Politikern?«

»Also, der Bundespräsident … dessen Haar muss sich offenbar
noch vom Jet-Stream erholen. Ich empfehle eine Starkbier-Spü-
lung. Und was den Bundestagspräsidenten angeht – da fordere
ich: Haupthaar-Entwirrung und Gesichtsfreilegung!«

Der Saal brüllte.

»Und die Damen des politischen Parketts? Sind die wenigstens
stilvoll behaart?«

»Ich bin ausschließlich für das Haupthaar zuständig«, sagte Julian. »Aber leider sehen unsere Politikerinnen entweder aus wie geplatzte Sofakissen, das ist die grüne Variante, oder das Haar hängt wie Spaghetti vom Scheitel, was bekanntlich im konservativen Lager zu vermelden ist.«

»Also sollten die mal auf Ihrer Wasserwelle surfen?«

»Na ja, die sollten erst mal zu mir zum Schonwaschgang kommen, und dann würde ich mich um eine locker fließende Silhouette kümmern.«

»Den Adel haben Sie schon unter Ihrer Haube, da wird es bald auch mit den Politikern klappen. Fürstin, ist Ihre Frisur eigentlich standesgemäß?«

»Ich habe damit nichts zu tun. Da müssen Sie schon den Julian fragen.«

»Aber mancher Dame von Stand fällt doch der Kamm aus der Tasche, wenn Sie so bei einer Party erscheinen.«

»Das Leben ist zu kurz, um es in Mausgrau zu verbringen«, philosophierte Alexa drauflos.

»Zu lang«, verbesserte Julian.

»Meine Damen und Herren! Heute Abend heißt die Devise: Jeder soll nach seinem Fasson-Schnitt glücklich werden!«, rief Thorsten Schalke, stolz darauf, einen weiteren Kalauer untergebracht zu haben.

Er strich sich über sein Jackett. Alexa beugte sich huldvoll vor und prüfte den Stoff, der eine gewisse schottische Anmutung hatte.

»Nettes Karo tragen Sie da. Ist das etwa Westwood?«

»Na klar. Ich sage immer: Solange ich Vivienne Westwood von Clint Eastwood unterscheiden kann, bin ich noch einigermaßen bingo in der Birne!«

»Und – macht das eigentlich immer noch Spaß?«, fragte Alexa arglos.

»Was denn, Ihro Gnaden?«, blinzelte Thorsten Schalke verdutzt.

»Na, blond sein«, antwortete Alexa.

Es wurde beängstigend still im Saal.

Thorsten Schalke stutzte kurz, dann rückte er ganz nach vorn, an die Kante der Couch, deren rote Farbe unmerklich auf sein Gesicht abzufärben begann.

»Hoheit geruhen offenbar zu denken, dass ich der Unterhaltungsheimer einer sinnfreien Spielshow bin! Aber weit gefehlt! Mein Job ist es«, dozierte er, »wie ein Bienlein den Unterhaltungs-Faktor aus meinen Gästen zu saugen, ganz egal ob es sich um den Papst oder um ein Porno-Model handelt. Aber es ist schon manchmal ein verdammt hartes Holz, in das ich meinen Rüssel bohre!«

»Aber wir sind doch weich und locker wie Föhnschaum«, beschwichtigte Julian den etwas echauffierten Entertainer.

»Herrschaftszeiten!«, rief Thorsten Schalke. »So, und nun weiter im Programm. Gleich gibt's was auf die Ohren, dann kommt diese Newcomer-Band aus Birmingham, die ›Untouchables‹, ja, die Teenies kreischen schon, hoijoijoi, jetzt aber erst mal die Wette! Wir haben hier ein Team, das behauptet, es könnte mit vierzig Föhnen in fünf Minuten einen Heißluftballon aufblasen und eine Runde durchs Studio fliegen, derweil einem Mädchen während des Flugs die hüftlangen Haare auf Streichholzformat geschnitten werden. Na? Werden sie's schaffen?«

»Das mit den Föhnen geht in Ordnung«, sagte Julian.

»Aber die Sache mit dem Mädel grenzt an Körperverletzung«, befand Alexa.

»Wie denn nun?«, fragte Thorsten Schalke.

»Die schaffen das schon«, sagte Julian.

»Und wenn nicht?«

»Dann ...«, setzte Julian an.

»... wird Julian dem Herrn Moderator einen neuen Look verpassen«, gluckste Alexa.

Unwillkürlich griff Thorsten Schalke in seine frisch ondulierte Lockenpracht. »Einen neuen ...?«

»Genau«, sekundierte Julian. »Alles runter, zack, zack, und dann einen Satz anständiger Strähnen, nicht dieses grelle Blond, ein bisschen Haselnuss dazu, ein wenig Kupfer. Weg mit dem Mantalook. Auf die Dauer dann einen Dreitagebart, und schon …«

»… bin ich ruiniert«, schluchzte Thorsten Schalke.

Das Publikum tobte.

»Mit den Korkenzieher-Locken kriegen Sie sowieso keine Flasche auf«, beruhigte ihn Alexa.

»Dankeföhn!«, ächzte Thorsten Schalke mit letzter Kraft. »Top, die Wette gilt!«

Und schon sprangen vier Youngsters in roten Overalls auf die Bühne und brachten ihre vierzig Föhne in Position, um dann an einem Ballen Stoff herumzuhantieren.

»Schneller, Jungs, schneller!«, schrie Thorsten Schalke.

»Ist alles zwecklos«, lachte Alexa. »Denen haben wir eine Reise auf die Malediven versprochen, wenn's nicht klappt.«

»Himmel, hilf!«, japste Schalke und musste sich offenbar schwer beherrschen, um nicht selbst Hand anzulegen bei der Heißluft-Nummer.

Eine riesige Uhr tickte. Der Countdown lief.

Aufgelöst irrte der Aufnahmeleiter zwischen den Kameras umher und versuchte durch heftiges Winken die Jungs zur Eile anzutreiben.

Doch es war vertrackt. Das Mädchen mit der Haarpracht musste hilflos zusehen, wie die tausendfach geprobte Choreographie der Handgriffe im Chaos versank. Der erste stolperte in dem Durcheinander aus Stoff, der zweite verhedderte sich in den Tauen der Sandsäcke, die Föhne summten, gingen aus, fingen an zu rappeln wie alte Rasenmäher. Das Team begann zu schwitzen in den roten Overalls.

Thorsten Schalke hielt es nicht mehr auf dem Sofa.

»Was sind denn das für dösige Föhne?«, schrie er. Es ging um alles. Es ging um sein Leben. Um seine Existenz. Um sein Haar.

*

Gabriele lackierte sich die Zehen, zwischen die sie zwecks sauberer Trennung der frisch glänzenden Nägel Marshmellows geklemmt hatte. Ihr Haar war unter einem Frottee-Tuch verstaut, wo es in genau jener Haarkur marinierte, über die Julian sich soeben lustig gemacht hatte. Aber Gabriele schwor auf »Night Hair Care«, es war teuer, es war luxuriös, und es gab ihr das Gefühl, sie könnte irgendetwas an der Konsistenz ihrer ewig dünnen Haarsträhnen ändern.

Überdies liebte sie es, in ihren eigenen vier Wänden so schlampig wie möglich herumzulaufen. Sie trug Pyjama und Wollsocken, das Gesicht war unter einer grünlichen Schönheitsmaske verborgen, so lagerte sie vor dem Fernseher und erholte sich vom aufreibenden Rampenservice, wie sie ihre gesellschaftlichen Auftritte nannte. Ihrer Katze war es egal, und sie selber fand es einfach unsagbar entspannend.

Das lilafarbene Ledersofa war bedeckt mit Zeitungsausschnitten. Einige Schlagzeilen hatte Gabriele rot angestrichen. »Julian beim Pferderennen in Chantilly«. »Julian feiert Geburtstagsparty auf Sylt – Speisekarte auf T-Shirt gedruckt«. »Julian feiert Silvester in Buenos Aires«.

Und doch kehrt er immer wieder zu ihr zurück, dachte sie und lehnte sich wohlgefällig in die Kissen. Er trägt meinen Ring in seiner Hosentasche und meinen Namen in seinem Herzen. Sie seufzte und nippte an ihrem Amaretto auf Eis.

Dass ihr Annäherungsversuch im Vier Jahreszeiten so kläglich gescheitert war, erfüllte sie noch immer mit Beklommenheit. Sie schämte sich für ihren dreisten Auftritt, für ihre ungehemmte Flirterei. Aber auf wundersame Weise hatte dieser Abend sie beide auch zusammengeschweißt, davon war sie überzeugt. Entstiegen einem Meer der Peinlichkeiten und Fehltritte nicht manchmal lebenslange Freundschaften, wie tröstliche Eilande? Vielleicht würde er sogar eines Tages hier auf ihrem Sofa sitzen. Hier, bei ihr. Bei dem einzigen Menschen, dem er sein Vertrauen schenken konnte. Sie würde ein paar belegte Brote für ihn machen oder eine Pizza bestellen, hier würden sie sich erholen vom Talmi der Welt da draußen.

Und wenn erst einmal das Buch erschienen war, ihr Buch, ihr wunderbares Buch, würde er nicht aus Rührung und Dankbarkeit ihr ständiger Begleiter werden, der Trost ihres kinderlosen Alters? Der Freund fürs Leben?

Dann erinnerte sie ein Blick auf den Fernsehschirm, dass Julian in diesem Moment nur auf eine eher abstrakte Weise zu Gast in ihrem Wohnzimmer war.

»Dieses blöde kleine Dummchen«, grantelte sie und musterte Alexa, die vergnügt auf der Couch von Thorsten Schalke saß.

Wie sie Alexa hasste. Freudlos knöpfte Gabriele ihren Flanell-Pyjama zu.

»So ein damisches Zirkus-Pferd«, fauchte sie den Fernseher an. Alexa sonnte sich im Studio-Licht, ein Wesen aus einer anderen Welt, ein bizarres und gleichzeitig unwiderstehliches Geschöpf. Lachend verfolgte sie das Geschehen neben der Bühne, wo gerade die Heißballonwette scheiterte. Mitten durch das Gewühl aus Stoff sprang Thorsten Schalke und feuerte die glücklose Crew an. Eine riesige Uhr zählte teilnahmslos den Countdown. Noch zwanzig Sekunden. Noch zehn.

Ziellos griff Gabrieles Hand in die Schälchen mit Pralinen und Nüssen, die sie vor sich aufgereiht hatte. Dann hörte sie auf zu kauen.

»Julian!«, schrie sie. »Thorsten!«

Die Nüsse kullerten auf den Teppich, wo die fette kleine Siamkatze schon auf ihren Anteil gewartet hatte.

Gebannt starrte Gabriele auf den Monitor, wo zwei Sanitäter neben Thorsten Schalke knieten. Während sie seinen Puls fühlten und eine Kochsalzlösung vorbereiteten, murmelte der Moderator immer wieder: »Nicht meine Haare. Alles könnt ihr mir wegnehmen, aber bitte nicht meine Haare.«

Das Telefon klingelte.

»Gabimaus? Hast du die Kiste an?«

Was für ein blödsinniger Fehler, dass sie damals während dieser unseligen Liaison Hermann Huber ihre Privatnummer gegeben hatte. Sie hielt den Hörer abseits, aus dem es bellte und blaffte.

»Was ist los, Gabi? Bist du tot?«

»Nö, kurz vorm Koma«, antwortete sie.

»Keine Spielchen jetzt. Zieh dich an!«

»Wie bitte?«

»In fünf Minuten steht ein Taxi vor deiner Tür ...«

»Moment mal ...«

»... runter vom Sofa, rein ins Taxi! Und zwar ein bisschen plötzlich! Du musst sofort ...«

»Was heißt hier: Sofort? Ich bin nicht angezogen, ich bin nicht frisiert, ich bin ...«

»Miss World wirst du eh nicht mehr! Aber Miss Rausschmiss, wenn du nicht sofort losfährst! Deinen verschleimten Lobgesang auf Julian habe ich ja einmal durchgehen lassen, aber nun will ich eine Story. Eine echte Story. Eine Reportage mit Live-Feeling! Du musst stante pede in das Studio. Von mir aus auch im Bademantel! Und wenn dir Julian wieder durch die Lappen geht, dann kannst du ab morgen mit den Praktikanten Kaffee kochen. E basta cosi!«

Klick. Der Hörer schwieg verstockt.

Mit brennenden Augen warf Gabriele einen letzten Blick auf die unwiderstehlichen Stacheln von Alexa. Dann rannte sie ins Badezimmer.

*

»Wohin fahren wir?«, fragte Alexa. Das Taxi bahnte sich hupend eine Gasse durch die Menschenmenge.

»Ich fliege doch nach New York, schon vergessen?«, erwiderte Julian und zündete sich eine Zigarette an.

»Gutes Timing«, lachte Alexa. »Sonst kämst du wahrscheinlich in Beugehaft, damit die nationalen Löckchen unversehrt bleiben!«

»Dass er so darauf abfahren würde, konnte ja keiner ahnen«, sagte Julian und winkte den Wartenden zu. »Der Mann hat ja ein waschechtes Samson-Syndrom.«

»Ein – was?«

»Samson und Delilah. Steht in deinem Lieblingsbuch, in der Bibel. Delilah hat den Schopf gestutzt und aus war's mit der Kraft des Samson.«

»Und das darf natürlich nicht passieren mit unserem National-Heiligtum. Was machst du eigentlich in New York? Party? Premiere? Hochzeit?«

»Privat«, antwortete Julian. »Ich tauche für eine Weile ab.«

»Aber pass auf dich auf, ja?«

Julian sah abwesend aus dem Fenster. Er war manchmal geradezu kindlich erstaunt, wie perfekt das Räderwerk der Öffentlichkeit funktionierte, wie seine im Grunde harmlosen Inszenierungen einen Mechanismus in Gang setzten, der mit der Präzision einer Schweizer Uhr ablief. Schon im Studio waren sie fast erdrückt worden von Journalisten und Fotografen, von Tonmännern mit ihren an Galgen baumelnden Mikrofonen, von Kameraleuten, die ihr Handwerkszeug auf der Schulter mit sich herumschleppten und ihre Assistenten anschrien, damit sie einen guten Platz erkämpften. Sie alle verbissen sich in den Köder, hungrig, unersättlich. Alexa und er waren heute endgültig zum Kamerafutter geworden, zu Hoflieferanten für Klatsch und Kolumnen.

»Schatzerl?« Alexa griff nach seiner Hand. Julians Nachdenklichkeit, jetzt, auf der Höhe ihres gemeinsamen Triumphes, irritierte sie.

Julian lächelte.

»Du wirst es nicht glauben, aber manchmal gibt es noch ein Leben jenseits von …«

Er deutete auf die Menschen, die sich vor das Auto drängten.

»Ein Mann?«

»Eine Frau, du kennst sie, glaube ich, Eva Gabor, eine ungarische Lady, sie liest mir aus der Hand und besänftigt meine Seele …«

Alexa ließ seine Hand los.

»Deine Zukunft kann ich dir auch voraussagen, das ist leichter als das Einmaleins. Gestern noch warst du bekannt. Ab heute bist du berühmt. Ein Star. Endgültig.«

»Und dann?«

Alexa sah ihn erstaunt an. Sie hatte sich noch nie die Frage gestellt, was »und dann« bedeuten könnte. Sie sah sich auf einer funkelnden Showtreppe, die unaufhaltsam nach oben führte. Aber was würde da oben passieren? Sie hatte keine Ahnung.

»Was wünscht du dir denn?«, fragte sie leise. »Make a wish.«

»Wish und weg«, sagte Julian.

*

Gabriele stieg hastig aus dem Taxi. Der Fahrer hatte alles gegeben, angefeuert von Hermann Huber, der sich per Handy immer wieder in die fahrtaktische Gestaltung dieses Wahnsinns-Trips eingeklinkt hatte.

»Fünf Hunnies, wenn Sie das in einer halben Stunde schaffen!«, hatte er gebrüllt. »Die Strafmandate übernehme ich! Fahren Sie gefälligst wie die Wildsau!«

Und das hatte der Mann denn auch getan. Er hatte auf der Autobahn rechts überholt, jedwede Geschwindigkeitsbegrenzung ignoriert, nach der Abfahrt zum Studio zwei rote Ampeln missachtet und Gabriele auf ihrem Rücksitz hart hin und her geschleudert. Sie dagegen hatte sich stoisch während der Fahrt geschminkt, was zu einem eher expressionistischen Lidstrich und einer etwas übertriebenen Lippenkontur geführt hatte. Die luxuriös verbutterten Haare hatte sie kurzerhand unter eine Baskenmütze gestopft, die noch aus Studentenzeiten hinten im Schrank lagerte. Sie spürte, wie ihre frisch lackierten Fußnägel innen am Schuh festklebten. Ihre Wut auf Hermann Huber verdichtete sich zu solidem Hass.

Eilfertig präsentierte sie am Entree ihren Journalisten-Ausweis, doch der Pförtner interessierte sich nicht im Geringsten dafür.

»'n bisschen spät dran, was?«, bemerkte er nur und wandte sich dann wieder seinem Fernseher zu, auf dem ein junges Mädchen gerade ihre Brüste entblößte.

Abgekämpft schlich Gabriele über das Studio-Gelände, durch die nur noch tröpfelnde Menge, die sich gerade verlief. Kegelclubs und Wandervereine stiegen geräuschvoll in ihre Busse. Hier und da debattierten kleine Grüppchen über die Ereignisse des Abends. Endlich fand sie die Tür zum Studio.

»Wo ist denn … wie geht es denn …«, sprach sie irgendwelche Menschen an, die sie streiften, doch alle liefen gleichmütig an ihr vorbei.

Endlich gelangte sie in den Saal. Stumpfes Neonlicht beschien die leeren Stuhlreihen, zwischen denen Pappbecher und Papierfetzen herumlagen. Putzmänner mit Staubsaugern auf dem Rücken schritten langsam und ernst umher.

Sie stapfte die Stufen zur Bühne hinunter, auf der Suche nach irgendjemandem, der wichtig aussehen könnte. Nichts. Wo vor einer halben Stunde noch das schillerndste Quotenevent der deutschen Fernsehlandschaft stattgefunden hatte, sah es so trostlos aus wie auf der Reeperbahn morgens um halb sieben. Jede Menge Müll, ein paar versprengte Irrläufer, bunte Dekorationen, die dem hellen Licht nicht standhielten und sich nun eher schäbig ausnahmen. Das war sie also, die pralle Glitzerwelt, die sie gerade noch im heimischen Wohnzimmer erlebt hatte.

Gabriele schritt weiter die Treppe hinunter. Bühnenarbeiter brüllten sich Kommandos zu. Kulissen wurden zerlegt. Aber da vorn, da saß noch jemand. Sie beschleunigte ihren Schritt. Dann erkannte sie ihn. In der ersten Reihe saß völlig allein Werner Riesmann und aß eine Bratwurst.

»Hallo Gabi, wo kommst du denn her?«

Er wischte sich den Mund mit einem bunt befleckten Papiertaschentuch ab und beäugte seine Kollegin, deren Aufmachung gleichermaßen verwegen wie befremdlich wirkte.

»Arbeitest du neuerdings bei der Résistance, oder was?«

»Lass doch den Quatsch, wo ist Julian? Wo ist Thorsten? Wo sind die denn alle?«

»Tja, wo sind die nur alle? Vielleicht mal eben aufm Klo oder so?«

Werner Riesmann genoss sichtlich seinen Platzvorteil. Gabriele setzte ihn sogleich auf Platz zwei ihrer Hass-Liste. Betont langsam stippte er seine Wurst in die Ketchuplache auf dem Pappteller und hielt sie ihr hin.

»Willste 'n Stück? Du siehst irgendwie total fertig aus.«

»Bratwurst? Willst du mich ins Elend ziehen? Pfui Deibel!«

»Ach, ich vergaß, gnädige Frau speist ja nur Hechtnockerln an Krebsschwanz-Ragout!«

Er stand auf. »Also, dann einen schönen Abend. Was machst du eigentlich hier? Hast du noch ein Date mit 'nem Putzmann?«

»Werner, jetzt mal Klartext, wo geht's hier zur Garderobe? Oder sind die schon alle bei der After-Show-Party?«

»Party? Du hast Nerven. Thorsten ist mit Tatütata abgerückt, und Julian …« er machte eine Geste mit der flachen Hand, die schräg nach oben zeigte.

Gabriele sank auf das Gestühl.

»Mach dir nichts draus. In der Aufmachung passt du eh besser in einen Dark Room.«

»Abgeflogen? Wo ist er denn hin?«

Gabriele weinte fast. Sie war mal wieder am Ende der Schlange gelandet. Alle wussten immer alles über Julian. Nur sie nicht. Allen erzählte er, was er machte, was er vorhatte, oh ja, alle zog er ins Vertrauen, nur sie, seine einzige, seine beste Freundin, sie tappte im Dunkeln herum wie ein Lemur. Himmelherrgottnochmal, was für eine bodenlose Gemeinheit.

Werner Riesmann ließ das benutzte Taschentuch auf den Boden fallen und tätschelte ihr freundschaftlich die Schulter.

»Wird schon«, sagte er. »Das nächste Mal kriegst du die Story.«
Gabriele sah auf. Von Werner Riesmann getröstet zu werden
war so ziemlich das Letzte, was sie sich wünschte. Tiefer konnte
man nicht sinken. Aber das gönnte sie dem Kerl einfach nicht.

»Ich habe bereits alles exklusiv«, log sie drauflos. Die Flucht
nach vorn war allemal besser als das Eingeständnis ihrer Niederlage. Sie sah sich schon als Gespött der Branche. Also setzte sie
alles auf eine Karte.

»Ich brauche nur noch ein bisschen Kolorit«, schwindelte sie
weiter. »Die Basics habe ich schon. Wird eine Super-Story. Total
gebacked durch Julian. Sensationelle Insiderinfos. Und scharfe
Details von Alexa. Na, ich sehe mich mal ein wenig um. Ciao
Werner, und grüß daheim!«

Werner Riesmann reagierte mit einem verdrucksten Lächeln.
Strafe muss sein, dachte Gabriele. Sie wusste, dass er soeben von
seiner Frau samt drei Kindern verlassen worden war.

»Viel Spaß, Gabi! Vielleicht gehst du mal bei der Maske vorbei,
die haben bis jetzt noch jede Visage wieder hingekriegt!« Dann
drehte er sich unvermittelt um und ging.

Sie überhörte die Beleidigung. Die Maske. Die Maske! Das war
eine wunderbare Idee. Vielleicht gab es dort noch etwas, noch irgendetwas, eine Spur, den winzigen Zipfel einer Story, den sie ergreifen könnte. Die Geschichte vom kleinen Häwelmann fiel ihr
ein, der in seinem Rollenbettchen den Hemdzipfel zwischen die
Zehen nimmt und in das solcherart improvisierte Segel hinein-
bläst, bis sich das Bett in Bewegung setzt. Mehr, mehr!, schrie
der kleine Häwelmann. Sein Ruf gellte ihr in den Ohren. Mehr,
mehr! Sie brauchte die Story.

Gabriele rannte los, quer über die Bühne.

»Hallo, Sie können hier nicht einfach so durchlaufen, gleich
kriegen Sie eine Lampe auf den Kopf!«, schrie ein Bühnenarbeiter ihr nach. Sie wich schimpfenden Männern in blauen Latzho-
sen aus und rannte Haken schlagend weiter. Dann wandte sie
sich nach links. Irgendwo mussten doch die Garderoben sein.

Da. Ein grauer Flur. Maske eins, Maske zwei, Maske ... Holla. Da hockten noch drei junge Frauen auf dem Schminktisch und unterhielten sich. Sie verstummten, als Gabriele auftrat.

Kaltblütig fixierte sie die drei. Wenn sie jetzt Glück hatte, nur ein winziges Stückchen Glück, dann hatte eines von diesen Girlies Julian und Alexa bearbeitet. Aber sie musste vorsichtig sein. Jetzt bloß nicht die coole Kolumnistin geben, dachte sie, das wird die nur verschrecken. Sie war plötzlich froh, dass sie in ihrem albernen Notlook nebst Baskenmütze daher kam.

»Hallo, Entschuldigung, ich möchte nicht stören, aber ...«

Die Mädels tauschten kurze Blicke.

»Also, ich bin – ich bin die Tante von Alexa, Sie wissen doch, Fürstin Alexa, sie hat mir versprochen, dass sie mich mitnimmt zur Show, aber irgendwie hat das nicht geklappt. Ist sie denn noch da?«

Gabriele mobilisierte alle ihr zur Verfügung stehenden Underdog-Gefühle, um sich in die Rolle der unterprivilegierten armen Verwandten hineinzuversetzen. Ihre Stimme klang spitz und klein, und sie spürte, dass diese komische Baskenmützen-Nummer jetzt goldrichtig war.

»Die ist weg«, antwortete eines der Mädchen kurz angebunden und zog an ihrer Zigarette.

Aha. Gabriele musterte ihr Opfer. Das T-Shirt mit dem Aufdruck »Zicke«, die enge Jeans, das hübsche, bleiche Gesicht. Das musste sie sein. Sie also hatte Alexa und Julian aufgebrettert. Die Kleine wirkte müde. Sie hatte einen anstrengenden Job. Und niemand dankte es ihr, so viel war klar. Erst ließen sich alle von ihr herausputzen, doch schon beim ersten Schritt ins Scheinwerferlicht hatte man sie schon vergessen, und auch nach der Show gab es gewiss kein Dankeschön.

»Ich heiße Petra«, nuschelte Gabriele und trat näher. »Darf ich mal gucken, bitte? Ich habe so einen echten Schminktisch noch nie gesehen!«

Die Maskenbildnerinnen grinsten einander an. Ehrfürchtig betastete Gabriele die Puderdosen, die Schwämmchen und die Lippenstifte.

»Alexa sah sooo schön aus«, schwärmte sie. »Ich habe sie draußen auf einem Monitor gesehen. Also, ich könnte so was ja nicht. So toll schminken. Wenn ich mich mal hübsch machen will, dann kommt immer nur so was dabei heraus.«

Mit einer Geste komischer Verzweiflung deutete sie auf ihr Gesicht, das im hellen Licht des Schminkspiegels in der Tat Mitleid erregend aussah. Die Mädchen lächelten verständnisvoll. Aus dem Augenwinkel beobachtete Gabriele das Mädchen mit dem »Zicken«-T-Shirt.

»Lieber von Picasso gemalt, als vom Schicksal gezeichnet, was?«, versuchte sie sich weiterhin in der humoristischen Variante, aber die Mädchen rollten nur gelangweilt die Augen über diesen reichlich betagten Spruch. Blitzschnell wechselte Gabriele die Tonart.

»Was hatte Alexa eigentlich am Auge? Das funkelte so schön!« Die selbsterklärte Zicke beugte sich zu ihr vor.

»Glitzergel«, sagte sie knapp und hielt Gabriele die Tube hin. Gabriele schraubte ein wenig daran herum, dann probierte sie die Andeutung eines Schluchzens. Na also, klang doch ganz echt. Aber im Grunde war ihr ja auch zum Heulen.

»Alexa war immer meine Lieblingsnichte«, schniefte sie. »Immer habe ich ihr Apfelkuchen gebacken, in den Ferien kam sie zu uns aufs Gut. Aber jetzt hat sie mich vergessen. Jetzt ist sie so weit weg ...«

»Tja, so sind sie, die Stars«, sagte die bleiche Maskenbildnerin erbittert. »Ex und hopp. Das kennen wir alles.«

Die anderen nickten. Aha, dachte Gabriele erleichtert. Darauf fahren sie ab.

»Sie glauben gar nicht, was wir hier alles erleben«, fuhr das blasse Mädchen fort. »Neulich kam so eine Fernsehtante, die ließ sich ohne ein Wort auf den Sessel fallen und hielt mir ein Polaroid vor die Nase, damit ich sehen konnte, wie sie es denn gern hätte.«

»Und manche reißen uns die Stifte aus den Händen und legen selbst Hand an. Da fühlt man sich wie der letzte Dreck!«

»Alexa ist jetzt auch ein Star. Sie war immer so ein gutes Mädchen«, setzte Gabriele nach. Ein Versuchsballon.

»Na, jetzt ist sie jedenfalls ziemlich durch den Wind«, sagte das Mädchen mit dem »Zicken«-Shirt. »Ist ja auch kein Wunder. Schließlich ...« – sie zögerte kurz, aber eine ihrer Kolleginnen ermunterte sie: »Sag's schon, Susie!«

»... schließlich ist sie zu allem Überfluss auch noch schwanger!«

»Nein!«, rief Gabriele. Sie war so überrascht, dass sie sich setzen musste. Unfassbar. In dieser muffigen Garderobe wurde ihr gerade die Top-News auf dem Silbertablett serviert.

»Ja, wussten Sie das denn nicht?«

Gabriele frohlockte innerlich. Halleluja. Susie hatte sich verplappert, das gute Ding. Und wenn der Damm erst mal gebrochen war, dann gab es auch noch mehr zu holen. Mit dem Instinkt eines ausgehungerten Jagdhundes witterte sie die Story. Die ganz große Story.

»Ob ich das gewusst habe? Nein, das heißt, doch, sie wollte immer Kinder, noch vor kurzem sagte sie, dass es vielleicht bald klappen würde, aber, oh ... dann wird das Baby unser Familientaufkleid tragen, ich selber bin darin getauft worden und auch Alexa, Brüsseler Spitze, ein Traum, ach, ich bin ja so glücklich!«

Sie redete sich in Begeisterung.

»Ich werde Großtante! Oh, meine kleine unschuldige Alexa!«

»Na, so unschuldig ist die auch wieder nicht«, unterbrach eine von Susies Kolleginnen die entzückten Ausrufe.

Gabriele wurde ernst.

»Sie haben Recht«, sagte sie bitter. »Alexa ist nicht gerade eine Zierde des Adels. Also, was sie heute Abend alles so von sich gegeben hat, das war schon ein starkes Stück. Wer glaubt sie eigentlich, wer sie ist?«

»Die hat ein ganz schön loses Mundwerk«, bekräftigte Susie. »Die Sache mit Thorstens Haaren haben die beiden hier in der

Maske ausgeheckt. Die haben sich lustig gemacht über seine Dauerwelle. Was sagten die noch? ›Den werden wir auch noch auf Linie bringen!‹«

Gabriele stutzte erneut. Auf Linie bringen? Vor ihrem inneren Auge entstand ein Bild, auf dem feines weißes Pulver mit einer Rasierklinge zu einer akkuraten Linie geformt wurde. Wie war das noch mit dieser Geschichte in Paris? Fünfzigtausend in einer Plastiktüte? Und dann die Affäre mit Lukrezia? Passte das alles nicht auf eine geniale Weise zusammen? Als Psychogramm eines Wüstlings? Oder war Julian doch das keusche Unschuldslamm, das sich in der Einsamkeit seines Hotelzimmers züchtigte?

Nein, beschloss sie. Nein. Er hatte sie angeschwindelt. Hatte sich einen Spaß gemacht. Hatte sich über sie lustig gemacht.

Nun gut, Julian, dachte sie. Jetzt bin ich dran. Jetzt werde zur Abwechslung mal ich ein wenig Spaß haben.

Vor ihrem inneren Auge setzte sich mit Hochgeschwindigkeit das Puzzle einer hochexplosiven Story zusammen. Ihr wurde heiß. Wenn sie das schrieb, dann … Sie wagte kaum, weiter zu denken. Nur eines wusste sie: Es durfte weder nach Hochverrat noch nach übler Nachrede aussehen. Aber wie nur?

Sie lächelte schlau. Alles ausbreiten und gleichzeitig als böses Gerücht diffamieren, diese Taktik würde sie aller Vorwürfe entheben, den Freund an den Pranger zu stellen. Genau, überlegte sie, ich schreibe alles im Tonfall der besorgten Freundin. Als offenen Brief. Lieber Julian, werde ich schreiben. Ich mache mir Sorgen. Was ist nur aus dir geworden? Und dann würde sie völlig ungeniert alles preisgeben, was sie wusste.

Gabriele konnte es kaum erwarten, Hermann anzurufen. Er würde sie mit Champagner duschen, keine Frage. Sie war rehabilitiert. Unvermittelt erhob sie sich.

»Also, nochmals vielen Dank und einen angenehmen Abend«, sagte sie und vergaß in ihrer Hochstimmung den demütigen Touch.

Misstrauisch betrachtete Susie diese merkwürdige Frau. Ihr

wurde es nun doch etwas bang. Verschwiegenheit gehörte zu ihrem Job dazu wie das fachmännische Auftragen von Puder und Lidschatten. Indiskretionen aber führten unweigerlich zur fristlosen Kündigung, das wusste sie genau.

»Sie sagen es doch keinem weiter?«, fragte sie ängstlich.

»Aber nein. Das sind Familiengeheimnisse. Und die bleiben genau dort, wo sie hingehören!«

*

Eva hatte eine Stretch-Limo geschickt. Benommen von der Feuchtigkeit der Nacht streckte Julian sich auf den Ledersitzen aus. Die unmerkliche Kühle der Klimaanlage umgab ihn wie perfekt temperiertes Badewasser. Sacht federnd glitt der Wagen dahin, vorbei am Gewirr und Gehupe der Yellow Cabs.

Nachts anzukommen war ihm am liebsten. Er freute sich auf die Fahrt, auf den Moment, wenn nach all diesen verwüsteten Vorstädten mit ihrem Durcheinander aus Straßen, Reklameschildern und kasernenartiger Gelegenheitsarchitektur plötzlich die Silhouette Manhattans auftauchte, die in der Dunkelheit eine gleichsam sakrale Andacht in ihm auslöste.

Im Kühlschrank standen eine Flasche Wodka und Tonic Water. Daneben ein Zettel, auf den Eva »Mischen impossible« geschrieben hatte. Julian öffnete das Fach mit den Kristallgläsern, um sich einen Wodka Tonic zu mixen. Wieder fand er einen Zettel. »Tschokolom«. Tschokolom. Küss die Hand.

Eva tat ihm einfach gut. Er hatte sie bei einer Hochzeit auf Barbados kennen gelernt. Auf der Stelle waren sie ineinander vernarrt gewesen.

Nach der durchfeierten Nacht hatte sie damals frühmorgens am Strand Julians Hände betrachtet und ihm sein ganzes Leben erzählt. Die Linien seiner Handflächen boten sich ihr zur Lektüre dar, wie andere Leute Landkarten lesen. Sie hatte all die Verwerfungen und Verletzungen herausgelesen, die ihm zu schaffen

180

machten, und sie hatte seinen Stern aufgehen sehen, seinen hell strahlenden Stern, lange bevor er zu den Phasensprüngen seiner Karriere angesetzt hatte.

Sie hatte die Geschichte des vaterlosen Jungen erzählt, der auszog, das Fürchten zu verlernen, sie erzählte die Geschichte des Unschlüssigen, der zwischen den Geschlechtern schwankte und schließlich die Männer vorzog, sie beschwor seine Engel und hielt seine Teufel in Schach. Neider hatte sie gesehen, Feinde und Kriegsgewinnler, und sie hatte ihn beschworen, auf seinen Umgang Acht zu geben.

Dann hatte sie, vielleicht als Ausgleich für die Indiskretion, mit der sie Einblick in sein Leben genommen hatte, das ihre erzählt. Eine Mischung aus großem Drama und kapriziösem Boulevard, eine Irrfahrt von Budapest nach New York, eine romanhafte Biografie, gesäumt von vielen Männern und einigen Frauen. Zunächst waren es ältere Männer gewesen, die ihr verfallen waren und sie reich gemacht hatten. Intermezzi mit Frauen hatten sich angeschlossen. Und dann waren die jüngeren Männer gekommen, jene, die sie sponsorte, wie sie es nannte. Die letzten drei hatte sie adoptiert und lebte nun mit ihrer schrägen Wahlverwandtschaft an der Lower Eastside.

Julian war ein wenig eingenickt, als der Fahrer an die Trennscheibe klopfte. Er sah aus dem Fenster. St. Mark's Place. Das magische Erscheinen Manhattans hatte er verpasst, aber der kurze Schlaf, der eher eine vor den Ereignissen kapitulierende Ohnmacht gewesen war, hatte ihn eigentümlich erfrischt, mehr als das flache Einnicken während des Fluges.

Er öffnete selbst den Wagenschlag, zum Kummer des Chauffeurs, aber Julian war zu ungeduldig, um auf dessen einstudierte Handreichungen zu warten.

Es war heiß, er hatte es fast vergessen während der klimatisierten Fahrt. Und während überall sonst in Amerika solch südliche Nächte in eisgekühlten Räumen vergeudet wurden, waren hier in »Low'sada« alle auf der Straße. Auch der kleine Park am

181

Ende der Straße war voller Menschen, Studenten, fliegende Händler, Straßenmusiker. Ein Saxophonist hatte sich neben einem Zeitungsstand postiert und spielte »In a sentimental mood«. Schräg gegenüber erkannte Julian das kleine Kino, in dem freitags immer Fassbinder-Filme gezeigt wurden.

Hier fühlte er sich zu Hause. Kein Mensch kannte ihn, niemand beachtete ihn. Und alle waren sie hungrig. Es war vitaler Hunger, nicht diese missvergnügte Begehrlichkeit, wie er sie aus seiner Heimat kannte, der ewige zähe Wettlauf um das schwankende Gut gesellschaftlicher Anerkennung. Hier träumten alle vom großen Coup, vom märchenhaft einsetzenden Ruhm, vom Erfolg über Nacht, nicht vom disziplinierten Marsch durch die Institutionen.

Eva öffnete die Tür mit ihrem kleinen Silberpudel auf dem Arm, der sogleich nach Julians Krawatte schnappte.

»Darling, du siehst furchtbar aus«, empfing sie ihn mit der üblichen Schnoddrigkeit. »Du darfst duschen, aber nur fünf Minuten, wir bringen dann dein Zeug ins Waldorf und gehen essen. Ich habe schon einen Tisch im ›Z‹ bestellt.«

Sie war eine Erscheinung. Eine Lady des Glam. Sie zog sich nicht an, sie kleidete sich. Meist waren es üppig drapierte Tuniken aus orientalisch gemusterten Stoffen, die sie bei »Sak's« gleich meterweise kaufte und sich von ihrer alten polnischen Schneiderin auf den Leib heften ließ. Sie liebte Turbane, Pompadours, Fellrucksäcke. Sie besaß einen hochentwickelten Sinn für Exzentrik und stand völlig außerhalb jedes modischen Opportunismus.

Eine Stunde später betraten sie das Restaurant. Es lag im zweiundsechzigsten Stockwerk eines Hochhauses an der Madison Avenue. Julian atmete tief ein. Hinter der Glasfassade drängten sich die Wolkenkratzer mit ihren immer noch hell erleuchteten Fenstern und wirkten so festlich wie überdimensionale Adventskalender.

Die Tische lagen im Halbdunkel und gruppierten sich um einen riesigen flachen Pool, der türkisfarben schimmerte und an dessen Rand metallglänzende Palmen standen.

Eva sah ihn fragend an. Er nickte. Sie hatten von Anfang an diese stummen Dialoge geführt, so wie es eingespielte Ehepaare tun, sie waren auf geradezu osmotische Weise miteinander verbunden und brauchten einander keine langen Erklärungen abzugeben.

»Mäuserl, genau das«, sagte Julian, als er saß und den Knopf seines Jacketts öffnete. Er betrachtete Evas große dunkle Augen, die chirurgisch freigelegt waren, nahezu lidlos, aber nicht mit dem erstaunten Entenblick europäischer Schneiderkunst, sondern offen, beweglich, klar. Ihr Mund war tiefviolett geschminkt und lächelte.

»Du bist übergearbeitet und unterverliebt, dear. Aber wenn du ein kleines Update haben willst: Du hast seit gestern den Uranus im Merkur, die perfekte Konstellation, die Venus geht ins dritte Solarhaus, das verwirrt dich, das erotisiert dich, aber es erdet dich auch. Nach dem Hype, den du gerade erlebt hast. Doch Vorsicht. Pluto ist im Anmarsch! Das bedeutet Missgunst und Intrigen.«

An ihren astrologischen Jargon hatte er sich gewöhnt, ohne jeden Ehrgeiz, die Begrifflichkeiten der planetaren Konstellationen verstehen zu wollen. Das Einzige, was ihn immer wieder erstaunte, war ihre Treffsicherheit.

Er antwortete lediglich durch das Anheben seiner zwei Daumen.

»Ich weiß, Karriere ohne Ende, auch wenn die Neider lauern«, antwortete Eva knapp. »Du bist ganz oben. Ruh dich aus. Zeit fürs Vegetative, darling.«

Der Kellner sah aus wie ein Model für Calvin-Klein-Unterwäsche. Er goss mit gezierten Bewegungen Eiswasser ein und reichte die Speisekarten, deren Einbände metallisch glänzten wie die Palmen. Hinter dem Tresen spazierte ein umwerfend aussehender Latino auf und ab, der die Kunst des Mixens mit der Grazie eines Ballettstars absolvierte.

»Something from the bar?«, fragte der Kellner mit einer Stimme, deren Timbre die devote Attitüde mehr persiflierte als bediente.

Ja, dachte Julian. Den Barkeeper. Please. Er fühlte sich nach dem Fernsehauftritt mit Alexa und dem Flug gleichermaßen ermattet wie übermütig, eine Verfassung, die ihn empfänglich machte für die Freuden des Fleisches. Eine unbestimmte Erregung hatte ihn erfasst.

Eva musterte ihn kurz, dann griff sie zu seiner Hand und ließ ihren Daumen über seine Fingerkuppen gleiten.

»Kesseth tschokolom«, gurrte sie. »Der Service ist durchaus appetitlich, aber da kommt noch was Besseres. True.«

Julian schluckte unwillkürlich. Er sah sich um. Der ungeschriebene Dresscode war tiefes Schwarz, aufgehellt durch die weißen Hemden der Männer und die weißen Tischtücher und Servietten, die im Licht des Pools schimmerten. Die Frauen führten ihre diszipliniert ausgezehrten Körper mit jenem nonnenhaften Purismus vor, den Labels wie Prada und Yamamoto vorschrieben. Wenn jemand lachte, was selten geschah, hatte man den Eindruck, dass New Yorker mehr Zähne besitzen als irgendjemand auf der Welt. Der gelassene Snobismus, der den Raum erfüllte wie ein Parfum, hatte etwas zutiefst Beruhigendes.

Dann blieb sein Blick hängen. Der Mann auf der anderen Seite des Pools war viele Meter entfernt, aber auf der Stelle konnte Julian ihn riechen, spüren.

Eva folgte seinem Blick.

»Ich dachte nicht, dass es so schnell gehen würde«, raunte sie, aber Julian hörte es nicht mehr.

Er schaute. Er konnte sogar die Augenfarbe erkennen. Helles Bernstein mit honigfarbenen Einschlüssen. Wenn er es später erzählte, glaubte man ihm nicht. Der Raum war zu dunkel und das Augenpaar zu weit entfernt gewesen. Alle Wahrscheinlichkeit sprach dagegen. Und doch täuschte er sich nicht.

Auf der Stelle war seine Unrast dahin. Er, der notorisch Hyperaktive, der keine zwei Minuten still an seinem Platz sitzen konnte und sich selbst bei Banketten ständig erhob, um seinen Gesten Raum zu verschaffen oder um Zigaretten zu holen oder um ein schnelles Gespräch zwischendurch im Stehen zu führen, er spürte seine Erregung als erdenschwere, ruhige Erwartung, weil er auf der Stelle alles wusste und alles voraussah und entschlossen war, sich ganz dieser Situation auszuliefern.

Ohne den Blick von Julian zu wenden, erhob sich der Mann. Er war selbst für dieses Lokal auffallend elegant gekleidet, sein schwarzer Maßanzug saß perfekt und seine gelbe Fliege mit den schwarzen Punkten glänzte seidig. Ruhig faltete er seine Serviette zusammen und legte sie auf den Teller. Dann stieg er ebenso ruhig auf den Rand des Pools, tauchte den Fuß mit dem handgenähten Schnürschuh hinein und ging langsam, völlig selbstverständlich, quer durch das leise plätschernde Wasser auf Julian zu. Schritt für Schritt.

Knietief watete er in den blauen Fluten und stand eine Minute später vor Julian. Er verbeugte sich, nahm Julians Hand und führte ihn zum Lift.

*

»Nein, erzähl es mir bitte nicht!«, rief Jacques Bermann und begann, sich abwendend, mit Flaschen und Gläsern herumzuhantieren.

Gabriele betrachtete entrüstet die Rückenansicht seines schwarzen Leinenjacketts. Sie konnte es nicht erwarten, ihre Neuigkeiten loszuwerden und da Hermann Huber sich wieder einmal verspätete, erstickte sie fast an den Informationen, die ihr der Zufall und ihre Hartnäckigkeit beschert hatten.

»Jacques, nur eine Minute«, flehte sie.

Der Wirt drehte sich um, kam auf sie zu und bohrte seine Ellenbogen in das helle Holz des Tresens.

»Gabilein, lass mich bittschön in Ruhe, ja? Wenn du einmal damit anfängst, dann willst du mir jedes Mal dein Herz ausschütten. In diesem Gewerbe heißt die goldene Regel, dass man nie und nimmer mit seinen Gästen den ganzen Seelenquatsch bespricht. Klar? Sonst kann ich auch gleich die Kassenzulassung beantragen!«

Beleidigt schürzte Gabriele die Lippen. Normalerweise rief sie sofort Julian an, um die neuesten Gerüchte loszuwerden. Doch erstens war Julian nicht in München, und zweitens ging es um genau ihn. Und um Alexa. Und was sich dieser selbsternannte Promiwirt da erlaubte, verdiente eine kräftigen Abmahnung in ihrer nächsten In & Out-Kolumne.

Abschätzig sondierte sie das Terrain. Der könnte ruhig mal renovieren, notierte sie innerlich, und überhaupt sitzt ja heute Krethi und Plethi hier herum. Lächerlich. »Bermann's Bar« geriert sich seit Jahren als coolste Institution des Night Life, dabei hat sie mittlerweile allenfalls die Anmutung einer Dorf-Disco.

»Hallo, meine kleine fette Wachtel, hast du dem lieben Onkel was Schönes mitgebracht?«

Gabriele hätte Hermann Huber für seinen dreisten Tonfall am liebsten geohrfeigt.

»Mach doch bitte mal die Knöpfe an deinem Hemd zu, dein Schamhaar finde ich herzlich uninteressant«, revanchierte sie sich.

»Shoppst du neuerdings in der Kleiderkammer vom Roten Kreuz?«, gab Hermann zurück und stupste ihre Baskenmütze an.

»Ich geh dann mal besser«, sagte Gabriele und glitt vom Barhocker.

»Champagner!«, brüllte Hermann Huber. »Und für dich eine Incentive-Reise, wenn du mir was Geiles erzählst. Wolltest du nicht immer mal nach Hongkong?«

Gabriele kletterte auf ihren Barhocker zurück. Sie schwankte leicht, denn vor lauter Pfadfinderglück hatte sie bereits drei Proseccos heruntergestürzt. Hongkong. Der Gedanke gefiel ihr. Massagen im »Mandarin«. Hafenrundfahrt in einer Dschunke. Einkaufen bis zum Systemabsturz.

»Tja, Hermann«, begann sie gedehnt, »die nächste Auflage würde ich vorsichtshalber mal verdoppeln.«

»Nun red schon, Gabimaus. Oder willst du auf die Streckbank?«

»Das ist mehr Julians Abteilung.«

»Was?«

»Also. Nummer eins. Alexa ist – schwanger! Und keiner weiß es bis jetzt!«

Hermanns Augen weiteten sich.

»Wahnsinn!«

Er rüttelte an Gabrieles Schultern.

»Wahnsinn!«

»Zweitens: Sie könnte – wie soll ich sagen, sie könnte ihr neues Temperament durchaus der einen oder anderen Prise Koks von Julian verdanken. Und drittens, na ja, Julian, aber es ist nur ein Gerücht, Julian sagt man eine heiße Affäre mit Lukrezia nach. Dietrich Busse war dabei und, tja, Alexa vermutlich auch, das gute Ding. Ist natürlich nicht gerade eine standesgemäße Location für eine Fürstin, schwanger im Sadomaso-Keller …«

Nun war es heraus. Schlagartig wurde ihr bewusst, dass das, was sie soeben gesagt hatte, Wunden schlagen konnte, die möglicherweise nie wieder heilen würden.

Hermann Huber schrie auf.

»Ja, ja, ja!«, brüllte er und ging in die Knie, während er mit dem rechten Arm eine Geste machte, als ziehe er spaßeshalber mehrmals eine Notbremse.

»Gabriele, du bist genial! Wir verdoppeln die Auflage nicht, wir verdreifachen sie! Drogenfürstin misshandelt ihr ungeborenes Kind! Schwanger auf Droge! Skandal! Und der Promi-Friseur nimmt statt Trockenshampoo reinstes Koks! Drogentrip im Folterkeller! Deutschland bangt um das Kind der wilden Fürstin! Wahnsinn, Wahnsinn, Wahnsinn!«

Er improvisierte eine Limbonummer unter Gabrieles Beinen hindurch und führte sich auf wie ein Fußballer nach dem Torschuss. Gabriele spürte eine leichte Übelkeit aufkommen.

»Hermann, leiser bitte. Es muss ja nicht gleich die ganze Bar wissen! Außerdem sollten wir das erst noch ein bisschen genauer …«

»Nix da! In ein paar Tagen werden es Tausende wissen. Ach, was sag ich: Millionen! Jacques, die Magnum-Flasche!«

Gabriele zog unwillkürlich den Kopf ein. Hermann Huber war berüchtigt dafür, dass er in Erwartung einer guten Story seine Autoren gern mit Champagner bespritzte wie bei der Siegerehrung eines Autorennens.

»Sei so gut, geh mit dem Ding auf die Straße. Letztes Mal hat hier zwei Wochen lang alles geklebt!«, sagte Jacques Bermann, der die Flasche zwar wie gewünscht aus dem Kühlschrank geholt hatte, aber noch in Sicherheitsverwahrung unterm Arm festhielt.

»Wieso denn, Gabriele hat sowieso schon die Bademütze auf, und du wirst dir ja wohl eine professionelle Putzkolonne leisten können!«

Hermann Huber lehnte sich über die Bar, entriss dem Wirt die Flasche und schüttelte sie heftig. Mit einem explosionsartigen »Plopp« entwich der Korken und mit ihm die schäumende Flüssigkeit. Das war der Startschuss. Die Jagd hat begonnen, durchfuhr es Gabriele, während der Champagner die letzten Reste ihres misslungenen Make-ups fortspülte.

*

Als Julian erwachte, war es Viertel nach zwölf, mittags. Ungläubig las er die Zeit vom Zifferblatt einer Uhr ab, die nicht ihm gehörte. Es war eine goldene Rolex, und er konnte sich beim besten Willen nicht daran erinnern, wie sie an sein Handgelenk geraten war. Flüchtige Bilder blitzten auf, Roberts Gesicht, verzerrt vor Begierde, fordernd, brutal, und dann die leisen Umarmungen der Ermattung.

Er ließ sich zurückfallen in die Kissen aus grauem Satin. Die Raserei der letzten Nacht hatte eine tiefe Erschöpfung zurückgelassen. Robert war nicht gerade zimperlich gewesen. Seine Umgangsformen des perfekten Gentleman waren pure Attitüde, die er übergangslos abgestreift hatte, als sie das Appartement betreten hatten.

Leicht verschwommen, als hätte jemand seine Brillengläser mit Vaseline bestrichen, nahm Julian langsam das Schlafzimmer wahr, den satinbespannten Himmel des Betts, den Lüster an der Decke, die Schränke mit ihren Türen aus anthrazitfarbenem Japanpapier. Von Robert keine Spur.

Julian stand auf und suchte nach seinen Zigaretten.

Nackt durchwanderte er die Wohnung, die er im Taumel der Liebesnacht kaum beachtet hatte. Tief sanken seine Füße im Teppichboden ein. Er erinnerte sich an eine riesige Küche mit einem Marmortresen, auf dem sie es getrieben hatten, an ein Badezimmer ganz in Travertin, an halbdunkle Wohnräume, wo sie von der Couch bis zum Sideboard alle Möglichkeiten durchprobiert hatten.

Jetzt erst, bei Licht, sah er, wie riesig diese Wohnung war. Ein Raum nach dem anderen öffnete sich ihm, ein Arbeitszimmer mit einem voluminösen Schreibtisch in Mussolini-Manier, ein Fernsehraum mit einer kinogroßen Leinwand, ein Esszimmer mit goldverzierten venezianischen Möbeln, eine Bibliothek, ein Kaminzimmer, eine Bar, ein leerer Raum mit Bildern von Keith Haring, ein anderer voller Warhols, noch ein Wohnzimmer, schließlich die Küche mit meterhohen Schränken aus gebürstetem Metall und einer gigantischen Kochbuchsammlung, in der er sich sofort festlas.

Jemand klopfte.

»Excuse me, Sir«. Das Dienstmädchen bewahrte beiläufig Contenance, ganz so, als seien fremde Männer, die nackt in der Küche lesen, ein durchaus alltäglicher Anblick.

»Breakfast, Sir?«, fragte sie.

Julian schüttelte den Kopf. Er musste raus hier, an die frische Luft. In der Dusche fand er seinen Slip, den Rest sammelte er im Schlafzimmer ein.

»224 Park Avenue« las er, als er am beflissen grüßenden Doorman vorbei das Haus verließ. Den ganzen Weg zum Waldorf ging er zu Fuß.

Unterwegs kaufte er Zigaretten und machte Halt an einem Coffeeshop. Er bestellte gleich zwei Becher Kaffee, und am liebsten hätte er drei Zigaretten auf einmal geraucht, so wie er es einmal im Kino bei Johnny Depp gesehen hatte, nach einer Liebesszene mit Faye Dunaway, bei der die beiden das gesamte Mobiliar in Trümmer gelegt hatten.

Vorsichtig bewegte er die Schultern, die Hüften. Alles tat ihm weh, ein heillos glücklicher Schmerz. Während er seine Kaffees aus Pappbechern trank, genoss er die urbane Schäbigkeit dieses kleinen schmalen Lokals, die prall gepolsterten roten Plastik-Bänke, die ihn an aufgespritzte Lippen erinnerten, die chromglänzenden Tische, die freundliche Achtlosigkeit, mit der die Menschen einander benutzten.

Robert hatte ihn regelrecht entführt. Ohne ihn zu fragen, ohne große Erläuterungen. Irgendwo, hinter diesen Tausenden von Fenstern, saß er jetzt in seinem Büro, befehligte Mitarbeiter, telefonierte, verhandelte, checkte die Börsenkurse. Eva fiel ihm ein. Er musste sie anrufen, sicherlich fahndete sie schon nach ihm.

Als er im Waldorf Astoria die Zimmertür öffnen wollte, sprang das kleine Lämpchen nicht wie üblich auf grün, sondern blinkte beharrlich rot. Wieder und wieder zog Julian die Chipkarte durch den Schlitz, ohne dass sich etwas daran änderte.

Das Mädchen an der Rezeption war sehr freundlich, auf diese einstudierte, unerschütterliche Art, die ihn rasend machte.

»You're checked out, Sir. Thanks for staying with us«, sagte sie lächelnd.

Er starrte auf den monströsen Blumenstrauß, der mitten in der Lobby stand, ein weihnachtsbaumhohes Gesteck aus roten Lilien. Ausgecheckt? Das musste ein Irrtum sein.

»Room 543«, rief er voller Panik. Entkräftet von den Ereignissen der Nacht, hielt er plötzlich alles für möglich, Diebstahl, Mafia, Erpressung.

»I'm sorry, Sir, you're checked out. The bill is payed.«

»And the luggage?«, schrie Julian.

»Just a moment, Sir, *please*«, antwortete das Mädchen und hob beschwichtigend die Hände. Sie besprach sich leise mit dem Concierge. Der zog eine Visitenkarte aus der Reverstasche und überreichte sie ihm feierlich.

»Your luggage is there, Sir«, sagte er knapp. Robert Batford, las Julian, 224 Park Avenue.

Wie ferngesteuert von dieser unbekannten Macht, die so umstandslos von ihm Besitz genommen hatte, ging er die Stufen zur Lounge hoch und ließ sich auf einen der weichen Sessel fallen. Eine träge verlebte Barpianistin im Strasskleid sang alte Cole-Porter-Songs, ein Paar küsste sich verstohlen in den hellblauen Couchen.

Robert verlor wirklich keine Zeit. Und Julian stellte mit Erstaunen fest, dass ihm das gefiel. Er, der Macher, der seine Friseurtruppe mit der Autorität eines Feldherrn im Griff hatte, er fand sich plötzlich in der anderen Rolle wieder, als Objekt, als Spielball, als Spielzeug für den Prinz der Park Avenue.

»Darling!«

Eva hatte wie immer einen großen Auftritt. Selbst hier in New York, wo sich niemand wunderte über grelle Paradiesvögel, selbst hier drehten alle die Köpfe herum, als Eva die Stufen hoch eilte. Ein Mantel aus orangefarbenem Organza umwehte sie, das Haar verbarg sie unter einem gelben Turban. Sie nickte kurz der Pianistin zu, die ihr einen Kussmund herüberschickte, dann umarmte sie Julian. Sie roch nach welken weißen Blüten, denn sie hatte ein Faible für französische Parfums der zwanziger Jahre mit ihrem schweren Blütenduft.

»Ein bisschen Sorgen habe ich mir schon gemacht«, rief sie außer Atem. »Aber ich verstehe dich: Der Mann ist ja sensationell!«

»Stimmt. Und er hat schon mein Gepäck abholen lassen, stell dir das mal vor!«

»Julian, don't overdo it! Das ist eine harte Stadt ...«

»... hammerhart«, bekräftigte Julian anzüglich.

»Schon gut, take care, ja? Sei so gut! Und jetzt möchte ich etwas zu trinken. Hast du überhaupt schon gefrühstückt? Gestern Abend hattest du nicht mal eine Vorspeise ...!«

»Ich hattė gestern Abend das volle Menü ...«

»Unsinn, Schatzerl, gleich gehst du schön lunchen mit Tante Eva, aber vorher trinken wir einen Cole-Tini.«

»Einen – was?«

»Ist so ein Special von Cole Porter gewesen, er war jahrelang Resident im Waldorf. Also, ein Cole-Tini, das ist Wodka, Erdbeersirup und Champagner, und das bringt dich total hoch!«

Julian unterdrückte eine obszöne Bemerkung. Schon der vage Gedanke an Robert versetzte ihn in einen Zustand völlig unkontrollierter Erregung.

Die Pianistin kam herüber und küsste Eva auf den Mund. Einen Moment lang ließen die beiden ihre Augen ineinander ruhen, dann stellte Eva Julian vor.

»Cheryll, this is a very special friend, Julian.«

»Nice to meet you. A special request?«, fragte Cheryll und musterte ihn mit halb verhangenem Blick. Sie hatte sich in ihrem Job eine Menschenkenntnis angeeignet, wie sie sonst nur Pfarrer haben oder Croupiers. Sie sah ihn an und sah alles. Das fiebrige Glück, die tiefe Ermüdung, die flaumige Aufgeregtheit einer frischen Liaison.

Julian betrachtete die Uhr, die schwer an seinem Handgelenk hing.

»Love for sale«, sagte er.

Cheryll trippelte zum Flügel zurück, einem alten Steinway, dessen rötliches Holz mit Schäferszenen bemalt war. Ihre über und über beringten Finger griffen routiniert in die Tasten, die so brüchig und vergilbt waren wie sie selbst. Mit wenigen Akkorden intonierte sie ein kurzes Vorspiel, und dann begann sie zu singen, ein Klagen eher, eine kleine verlorene Melodie für die große Stadt.

Julian nippte an dem rötlichen Drink, der ein wenig nach Hustenbonbons schmeckte, eben so ein typisches Getränk für Heten, dachte er, aber das war egal, Cheryll sang für ihn, mit einem traurigen, mitfühlendem Lächeln, so, als ob sie kommendes Unheil sah, aber auch das war ihm egal, denn er war unverwundbar und stark. Er war verliebt.

*

Reglos überwachte Gabriele das Faxgerät. Unaufhörlich schoben sich die Blätter heraus, Anfragen, Kommentare, Leserbriefe, sogar ein paar Glückwünsche. Der Computer meldete im Sekundentakt neue E-Mails. Das Telefon klingelte ohne Pause.

Seit einer Stunde nahm sie nicht mehr ab, sondern hörte nur noch die Botschaften ab, die auf das Band gesprochen wurden. Jeden Moment musste das Dementi aus dem Fürstenhaus kommen, zusammen mit der einstweiligen Verfügung des fürstlichen Anwalts. Doch auch der Verkaufsstopp, wenn er denn angeordnet wurde, konnte nichts mehr ändern. Die verdreifachte Auflage war in wenigen Stunden ausverkauft gewesen, die Boulevardzeitungen würden morgen ihren Artikel auf Seite eins zitieren, fünf Talkshow-Anfragen lagen bereits vor, in der Redaktion war die Hölle los.

Ohne anzuklopfen, stürzte Hermann Huber in ihr Büro.

»Vergiss Hongkong!«, rief er. »Die nächsten Wochen musst du hier strammstehen, es ist der reine Wahnsinn, aber wenn alles vorbei ist, dann schenke ich dir eine Weltreise, von Fidschi bis Tralala, du hast Carte blanche!«

»Toll«, sagte Gabriele und machte sich noch ein bisschen kleiner auf ihrem Drehstuhl.

»Was ist los, Gabimaus? Genieße es! Du hast es allen gezeigt. Die gute alte Gabi ist immer noch allererste Sahne!«

Er stützte die Hände auf die Armlehnen ihres Stuhls, beugte sich zu ihr herunter und einen Moment lang sah es so aus, als wolle er sie küssen.

»Lass mal stecken«, sagte Gabriele teilnahmslos und drehte sich samt Stuhl weg.

»Komm, wir lassen es jetzt richtig knallen«, versuchte es Hermann Huber aufs Neue und setzte sich auf ihren Schreibtisch. »Ein, zwei Gläser Schampus, und dann wuppt es wieder. Du meine Güte, das kennen wir doch alle, postnatale Depression nach dem großen Durchbruch, aber für solches Herzeleid hast du ja schließlich mich, gell?«

Gabriele reagierte nicht. Eine Weile starrte sie wieder das Faxgerät an, dann stand sie unvermittelt auf und zog den Stecker heraus.

»Bist du verrückt? Was soll das? Gleich kommt doch die Anfrage von der ›Sven-Müller-Show‹, sie wollen dich morgen Abend! Live!«

»Ich gehe weder zu Sven Müller noch sonst wohin«, sagte Gabriele. »Ich will nach Hause.«

Sie griff nach ihrer Handtasche.

»Gabilein!«

Hermanns Stimme nahm eine leicht drohende Färbung an.

»Das hier sind keine Spielchen, bei denen du nach Belieben einsteigen und aussteigen kannst. Wenn du jetzt zickst, wackelt das ganze Blatt. Das hier, das ist dein Ding. Und du wirst es durchziehen, die ganze Palette! Du gehst gefälligst in diese schwachsinnigen Talkshows, du schreibst jede Woche ein Sequal, ab jetzt fliegst du auf einem One-Way-Ticket, kapiert?«

»Sonst?«, fragte Gabriele, die das Ultimatum bereits aus dem Gesagten herausgehört hatte.

»Sonst bist du tot«, antwortete Hermann knapp und ging.

Gabriele bemerkte erst, dass sie weinte, als ihr die Tränen bereits in den Kragen der Designer-Bluse liefen. Immer wieder ging sie die Chronologie der letzten Tage durch, immer wieder suchte sie nach dem Augenblick, in dem sie noch hätte umkehren können, nach dem Moment, in dem ein dezidiertes Nein noch alles hätte verhindern können.

Aber seit den Bekenntnissen in »Bermann's Bar« hatte die Eigendynamik ihres Gewerbes mit einer solch unheilvollen Energie Ereignisse produziert, dass nichts mehr aufzuhalten gewesen war. Noch in derselben Nacht hatte es die ganze Bar gewusst, einen Tag später bereits meldete der Abendkurier bevorstehende Enthüllungen über Alexa und Julian, und seit heute stand die Unumkehrbarkeit ihrer Tat außer Zweifel.

Mit gesenktem Kopf schlich sie die Flure entlang, nahm leidenschaftslos die Gratulationen und Umarmungen der Kollegen hin, stieg in ein Taxi und weinte einfach weiter.

»Wohin soll's denn gehen, gnädige Frau?«, fragte der Taxifahrer vorsichtig, ein junger Bursche, ein Student vielleicht, der sich ein paar Mark dazuverdiente.

»Ich bin keine gnädige Frau, verdammt noch mal, ich bin ein … «

… Miststück, hatte sie sagen wollen, aber der erschrockene Blick des jungen Mannes hielt sie zurück. Auf dem Beifahrersitz lagen Bücher, sicherlich lernt er in den Pausen für seine Seminare, dachte Gabriele gerührt, er wirkt so unschuldig, ein weißes Blatt Papier, auf dem das Schicksal noch nicht herumgekleckst hat.

Wie hatte sie damals an sich geglaubt, im literaturwissenschaftlichen Seminar, wo sie innerhalb weniger Monate zur brillanten Protagonistin des akademischen Nachwuchses aufgestiegen war. Sie hatte in Rekordzeit ihren Magister gemacht, gleich zwei Professoren hatten ihr angeboten zu promovieren. Aber vorher, so hatte sie sich auserbeten, vorher wollte sie noch ein Praktikum machen, bei einer Zeitung. Den Staub der Bibliotheken kurzfristig gegen den Geruch von Druckerschwärze einzutauschen, das war ihr witzig erschienen, unkonventionell. Es war eine Laune gewesen, weiter nichts.

Und dann war sie hängen geblieben, trunken vom schnellen Erfolg ihrer Artikel und vom Geld, das sie plötzlich verdiente. Sie erinnerte sich noch genau an das erste Armani-Kostüm, ihr war fast schlecht geworden, als sie es bezahlte, und dann wollte sie mehr, ein Auto, einen Luxusurlaub, ein elegantes Appartement, und die Promotion gerann zu einem fabelhaften Plan, zu einer glänzenden Option, von der sie schließlich immer seltener sprach.

Sie zündete sich eine Zigarette an. Der Taxifahrer beobachtete sie verstohlen im Rückspiegel. Ihr Handy klingelte. Sie stellte es aus.

»Möchten Sie nach Hause?«, fragte der junge Mann leise.

Gabriele flüsterte die Adresse. Als sie angekommen waren und der Fahrer den Preis nannte, brach sie wieder in Tränen aus. Mit zitternden Fingern reichte sie einen Hundertmarkschein nach vorn. Der junge Mann wollte gerade wechseln, als sie flüsterte: »Würden Sie mich noch nach oben bringen? Bitte.«

»Sorry, Lady, ich muss noch die ganze Nacht fahren, Geld verdienen«, antwortete er.

Gabriele reichte ihm einen zweiten Hundertmarkschein. Unsicher betrachtete der Fahrer das Geld.

»Und was muss ich dafür tun?«, fragte er. Die Frage klang eher ängstlich als geschäftstüchtig.

»Nur da sein«, schluchzte Gabriele.

Langsam, geradezu behutsam bog er in eine Parklücke und stellte den Motor aus. Er öffnete den Wagenschlag und half Gabriele heraus.

»Danke«, sagte sie fröstelnd.

»Na, komm schon, Lady«, sagte er und legte einen Arm um sie. Gabriele ließ ihren Kopf an seine Schulter sinken und sog den Geruch seiner Lederjacke ein. Es ließ sich wunderbar weinen an dieser speckigen Lederjacke, die nach Zigaretten roch und nach ungelüfteten Nächten im Taxi und auch ein wenig nach Frittenbude.

Später, auf der Couch, saßen sie nur da, starrten auf den dunklen Fernseher und schwiegen. Als Gabriele an seiner Schulter eingeschlafen war, holte er sich ein Bier aus dem Kühlschrank, steckte noch ein paar CDs und etwas Bargeld ein und verschwand.

*

»Sweetheart, get dressed, we've got a date in Mexico!«
Julian sortierte das Gesagte, doch irgendetwas darin passte nicht.
»We go – wir gehen zum Mexico«, fuhr Robert auf Deutsch fort. Seine Großeltern waren einst aus Heidelberg eingewandert, aber die Rudimente seiner deutschen Sprache hatten schon jene drollige Färbung angenommen, die typisch ist für Deutsch-Amerikaner, ein verquirltes Potpourri zweier Sprachen.
»Jetzt?«
»Sure, die plane ist schon aufgetankt, Mario, der Pilot is waiting for wir Turtle-Tauben, das ist Spaß, come on!«
Sie hatten sich zunächst im Whirlpool vergnügt und dann auf einem der riesigen Sofas geruht. Julian schob die Cashmere-Decke von sich und sah zum Fenster hinaus auf den Central Park. Die Ausdünstungen der Stadt filterten das Sonnenlicht, sodass ein grauer Schleier auf den Baumwipfeln lag wie ein federleichtes Netz aus Millionen von Spinnweben. Er war jetzt schon drei Tage bei Robert und hatte fast vergessen, dass es noch eine Welt irgendwo da draußen gab, bis auf die endlosen Baseballmatches, die sich Robert im Fernsehen ansah. Überall hingen Monitore herum, und bei den ganz wichtigen Spielen legte Robert sich vor die Kinoleinwand, während Julian gelangweilt durch die Wohnung wanderte.
Manchmal hatten sie das Appartement verlassen, um irgendwo zu essen, doch das war nicht das New York, das Julian kannte, es war eine Abfolge völlig anonymer Lokale, die einander ähnelten, allesamt hochgestylte, kühle Tresore, in denen die Luxus-

güter dieser Stadt ausgestellt und aufbewahrt wurden. Schmuck, Kleidung, Essen, Getränke. Mit Wehmut dachte Julian an das kleine Kino am St. Mark's Place. Robert hatte sich geweigert, ein Kino zu betreten, obwohl Julian versucht hatte, ihm seine Vorliebe für Fassbinder nahe zu bringen.

»Wir haben eine cinema in here«, hatte Robert immer wieder beteuert, »we need not gehen in eine schmutzige place, wo people immer essen, you know, und stink.«

Aber Julian hatte keine Lust auf »Starwars« und »Terminator«. Robert warf ihm einen Arm voller nagelneuer Hemden zu, die noch in Zellophan verpackt waren.

»Your size, Liebling?«, fragte er lässig.

Meine Größe ja, dachte Julian. Aber nicht meine Kragenweite. Er ging ins Ankleidezimmer und blieb unschlüssig vor dem Schrank stehen, in dem seine Sachen hingen. Dann holte er ein weißes Hemd heraus und den Leinenjanker, seinen schon leicht abgeliebten hellen Leinenjanker, den er immer bei Tatjana von Hohensteins Brunch trug, während der Salzburger Festspiele. Und den er an seinem Geburtstag getragen hatte, an seinem vierzigsten Geburtstag. Das alles war Lichtjahre entfernt, irgendwo in einer anderen Galaxie.

Robert war begeistert.

»My kleiner Lederhoseboy«, raunte er und umarmte Julian.

»Fliegen wir wirklich nach Mexico?«, fragte Julian, als sie eine halbe Stunde später auf die Stadtautobahn bogen. Robert lachte nur.

Am Flughafen betraten sie einen Terminal, den Julian noch nicht kannte. Überrascht sah er sich um. Die kleine Wartehalle war mit Teppichboden ausgelegt und mit Designercouchen möbliert. Robert setzte sich.

»Just eine Minute«, sagte er. »We're starting soon. Möchtest du eine Drink?«

»Eine Zeitung wäre schön, ich möchte mal wissen, ob es die Welt noch gibt«, seufzte Julian.

Robert erhob sich.

»Die haben alle newspapers von die Welt, even deutsche ones, ich hole dir«, und schon war er verschwunden und kam mit einem ganzen Stoß Zeitungen und Zeitschriften zurück.

»Let's go, Flugzeuge ist fertig«, rief er Julian zu. Der Chauffeur brachte die Koffer.

»Müssen wir denn nicht einchecken?«, fragte Julian.

Wieder lachte Robert.

»You're kidding. In meine own Maschine?«

Es war das erste Mal, dass Julian mutterseelenallein zu zweit in einem Privatjet flog. Statt Sitzreihen gab es weich gepolsterte Bänke, die sich an den Wänden entlang zogen, nebenan gab es einen Schlafraum mit einem großen runden Bett, außerdem ein Badezimmer und eine Küche, an deren Tresen sie Champagner tranken, nach dem sie den Start angeschnallt auf den Couchen verbracht hatten. Und eine Toilette gab es auch, wie Julian erleichtert feststellte.

Verstohlen sah er zu den Zeitungen hinüber.

»I know, du willst jetzt not me, but eine coole Lektüre«, sagte Robert, griff zum Zeitungsbündel und zog Julian ins Schlafzimmer.

»Aber first ...«

Als Julian kurze Zeit später seine Brille wiedergefunden hatte, breitete er voller freudiger Erwartung die Zeitungen auf der Bettdecke aus. Endlich wieder Nachrichten von daheim.

Dann wurde ihm schlecht. Er spurtete zum Badezimmer, schaffte es noch gerade bis zum Bidet mit den goldenen Armaturen und erbrach sich. Keuchend spülte er seinen Mund aus und sah Hilfe suchend in den Spiegel. Das war er, Julian. Irgendwo zwischen New York und Mexico hing er in der Luft. Dabei war er gerade abgestürzt.

Er ließ kaltes Wasser über sein Gesicht laufen. Dann schleppte er sich zum Bett zurück. Wieder und wieder las er die Schlagzeilen, betrachtete die Bilder, überflog die Artikel, die soeben sein Leben zerstörten. Gabriele hatte die Vorlage bereitet mit geschickt dosierten Spekulationen über Drogen und erotische Exzesse, die sie infamerweise mit Alexas Schwangerschaft verknüpft hatte. Beate Budenbach aber hatte das Tor geschossen. Ihr Artikel glich einem Säureattentat.

»Ein Dampfplauderer am Abgrund«, las er. »Der Salonlöwe outet sich als Straßenköter«. Zitternd blätterte er um. »Einst in, jetzt voll daneben«, lautete die Bildunterschrift eines Fotos, auf dem Ellen von Anhalt sich an seiner Hose zu schaffen machte.

»Das Dinner am Valentinstag«, flüsterte er entsetzt. »Sie hat es von langer Hand geplant ...«

Auf dem nächsten Foto lag er auf dem Boden und wand sich unter Gabriele, es war die Wiedergutmachungsaktion nach seiner Rückkehr von Mustique, daneben aber stand: »Ranschmeiße im Friseursalon: Er flirtete mit der Presse bis zum Umfallen!«

»Hey, that's you!«, sagte Robert verwundert, der sich aufgesetzt hatte und ihm über die Schulter sah.

»Ja, das bin ich, oder besser, das, was sie von mir übrig gelassen haben«, schluchzte Julian.

*

»Hallo, Tante Petra«, sagte das junge Mädchen mit dem bleichen Gesicht.

Gabriele verharrte in starrem Schreck an der Tür. Das konnte einfach nicht wahr sein. Solche dummen Zufälle gab es nicht.

»Komisch, man trifft sich immer zweimal im Leben«, fügte Susie hinzu und verschränkte die Arme.

Instinktiv ging Gabriele einen Schritt zurück. Das hatte gerade noch gefehlt. Sie hätte eben nicht kommen dürfen. Aber Hermann Huber hatte sie persönlich abgeholt und zum Sender gefahren. Wegen Fluchtgefahr, wie er betont hatte.

Unschlüssig klammerte sie sich an der Türklinke fest, als die hübsche junge Aufnahmeleiterin hereinkam, die ein sehr professionell aussehendes Head Set trug und einen Klemmblock mit unzähligen Zetteln in der Hand hielt.

»Gabriele Himmerl ist jetzt in der Maske«, sprach sie leise in das Mikro, das vor ihren Lippen hing, und dann lauter, an Susie gewandt: »Wir hängen ein bisschen, also bitte mal Speed, okay?« Susie nickte mit unbeteiligtem Gesicht, während die Aufnahmeleiterin rasch ein paar Notizen auf ihren Zetteln machte. Dann sah sie verdutzt auf, denn weder Susie noch Gabriele machten Anstalten, so etwas wie »speed« in ihre eingefrorenen Bewegungen zu bringen.

»Was ist denn los?«

»Nichts«, sagte Gabriele heiser und setzte sich auf einen Armlehnensessel vor dem Spiegel.

»Viel Spaß!«, rief die Aufnahmeleiterin fröhlich. Dann klappte die Tür. Sie waren allein. Das Schweigen hämmerte in Gabrieles Ohren.

»Wie geht's?«, versuchte sie es zaghaft.

»Oh, prima. Bei der ›Donnerwette!‹ bin ich rausgeflogen. War ein Super-Job.«

Susie erledigte Gabrieles Frisur mit ein paar groben Bürstenstrichen, dann rückte sie eine Box heran, die neben den Schminkutensilien stand und holte einen Lockenwickler heraus.

»Oh, äh …«, Gabriele räusperte sich. »Bitte keine Lockenwickler, nur föhnen …« Das wenigstens hatte sie von Julian gelernt, auch wenn sie sein Haarsprayverbot missachtete. Ab vierzig keine Lockenwickler mehr, beschwor er sie immer, sonst wirst du verhaftet und ins Seniorenheim abtransportiert! Karrierefrauen haben Schwung im Haar und kein Kukident! Merk's dir! Und dann föhnte er immer kreuz und quer und mit vier Rundbürsten gleichzeitig und hinterher fühlte sich Gabriele tatsächlich wie eine Karrierefrau.

Ohne ein Wort drehte Susie eine Strähne auf den Wickler und clippte ihn mit einer grauen Klammer fest.

»Au!« Gabriele schrie fast.

»Sorry, das sind Heißwickler«.

Das Ding brannte auf ihrer Kopfhaut. Ungerührt machte Susie weiter.

»Was soll das?« Gabriele wurde allmählich wütend. Gut, gut, die Kleine hatte ihren Job verloren. Aber das gab ihr nicht das Recht, sie jetzt mit heißen Lockenwicklern zu foltern und ihr eine madammige Vorstadtfrisur zu machen.

»Schön stillhalten«, sagte Susie mit perfider Freundlichkeit. »Sonst ...«

Gabriele begann zu frieren.

Mit fliegenden Händen öffnete sie ihre Handtasche, die sie die ganze Zeit an sich gedrückt hatte, und holte ihre Börse heraus. Sie nahm drei Hunderter und hielt sie Susie hin.

»Als kleine Wiedergutmachung ...«, sagte sie kleinlaut.

Susie nahm mit spitzen Fingern die Scheine, griff zu ihrem Feuerzeug und zündete sie an. Eine kleine Stichflamme loderte auf, dann verfärbte sich das bläuliche Papier allmählich schwarz. Susie ließ es achtlos in den Aschenbecher fallen.

Das bedeutete Krieg. Gabriele wusste nun, dass sie in der Falle saß. Sie überlegte panisch, was zu tun sei. Einfach rauslaufen? Eine andere Maskenbildnerin verlangen? Ein Blick auf Susies versteinertes Gesicht sagte ihr, dass sie nichts Schlimmeres tun konnte. Sie musste stillhalten, in der irrwitzigen Hoffnung, dass Susie sie nicht verraten würde.

Wenn das publik wurde, dass die sensationelle Inside-Story böswillig erschlichener Garderobenklatsch war, dann war sie erledigt. Ein für alle Mal. Sie hatte ihren Artikel gespickt mit vorgeblich aus nächster Nähe erlebten Szenen, die die Anschuldigungen als Reportage hatten erscheinen lassen, und hatte sich solcherart als Kronzeugin aufgespielt, als Vertraute von Julian und Alexa, die ihr selbst alles gebeichtet hätten.

Susie war inzwischen mit dem Aufwickeln fertig und tupfte Foundation auf Gabrieles blasse Haut. Sofort leuchtete sie rosa. Spanferkelrosa.

»Das ist die falsche …«, wollte Gabriele protestieren, doch Susie murmelte nur kurz so etwas wie »Klappe halten« und stäubte einen mehligen Puder über die rosa Farbe.

Ein Albtraum. Dies ist einfach nur ein sturzblöder Albtraum, dachte Gabriele. Eine Ausgeburt meiner Schuldgefühle. Gleich werde ich aufwachen. Entsetzt beobachtete sie, wie Susie pinkfarbenes Rouge aufpinselte. Gabrieles Wangen brannten.

»Susie, bitte«, ächzte sie.

»Ich heiße Brückner, Susanne Brückner.«

Gabriele sackte in sich zusammen. Hilflos musste sie ansehen, wie Susie giftgrünen Lidschatten auftrug und ihre Augen mit dicken Kajalbalken umrandete. Sie sah mittlerweile aus wie ein farbenblinder Clown, der sich überdies im Dunkeln geschminkt hatte.

Die Aufnahmeleiterin platzte herein.

»Wie lange noch?«, fragte sie und musterte irritiert Gabriele, um dann fragend Susie anzusehen. Die zuckte mit den Achseln und deutete mimisch ein Herrgott-die-will-das-nun-mal-so-was-soll-ich-machen an.

»Kinder, wir hängen! Gleich fahren wir die Werbung ab, und in vier Minuten sind wir auf Sendung. Alles klar?«

»Alles klar«, antwortete Susie. Sie färbte Gabrieles schlauchartige Lippen leuchtend orange, dann entfernte sie vorsichtig die Lockenwickler und ließ die Haarröllchen einfach so wie sie waren, sodass die Frisur an eine Perücke des siebzehnten Jahrhunderts erinnerte.

Gabriele schloss die Augen. Sie musste es noch vor der Sendung in die Toilette schaffen, dann konnte sie vielleicht das Schlimmste verhindern. So würde sie nicht vor die Kamera gehen. Niemals.

»Wo sind denn die Toiletten?«, erkundigte sie sich so sachlich wie möglich.

»Hier gibt es keine Toiletten. Ich bringe Sie direkt zur Bühne, verstanden?«

»Verstanden«, flüsterte Gabriele, während sich ihre Augen mit Tränen füllten.

»Mein Sohn ist zweieinhalb«, sagte Susie tonlos. »Ich bin allein erziehend. Es hat Jahre gedauert, bis ich endlich einen festen Job hatte. Geregelte Arbeitszeiten. Regelmäßige Kohle für die Miete. Jetzt bin ich wieder ein Springer. Fange wieder von vorn an.« Gabriele wagte nicht, Susie anzusehen.

»So. Fertig«, sagte Susie und entfernte den Papierumhang.

Gabriele warf nur kurz einen letzten Blick in den Spiegel, sie wollte gar nicht mehr so genau hinsehen. Sie hatte genug gesehen.

Es war das Schlimmste, was jemals ein Mensch ihr angetan hatte. Sicher, sie war gedemütigt worden, viele Male, von Hermann Huber und all den anderen Despoten ihrer Branche, Lover hatten sie über Nacht verlassen und Freundinnen hatten die Weichteile ihrer Seele als Partytalk ausgestellt. Doch all das gehörte mittlerweile zum voraussehbaren Szenario ihres Lebens. Sie hatte sich dagegen gepanzert.

Aber dies hier traf sie wie eine Naturkatastrophe. Nie zuvor war sie im Fernsehen gewesen. Und nie zuvor hatte sie dermaßen entstellt ausgesehen. Das Fatale aber war: Sie konnte es niemandem erklären, sie war zum Schweigen verdammt, wenn sie nicht alles verlieren wollte, ihren Job, ihr Standing, einfach alles.

»Hier entlang«, befahl Susie.

Wortlos schritten sie die Gänge ab, bis zu einer eisernen Tür, über der ein beleuchtetes Schild rot blinkte. Ruhe. Aufnahme.

In Gabrieles Kopf überschlugen sich die Panikattacken. Ich will hier weg, ich will da nicht rein, ich sehe aus wie eine pensionierte Vorstadtnutte, wie die blöde Kuh der Saison, dies ist mein Untergang. Eine Träne löste sich und rutschte langsam die buntscheckige Wange herab.

Ungerührt öffnete Susie die Tür und schob Gabriele hinein. Die Aufnahmeleiterin hatte sie schon erwartet.

»Danke, Susie, das ist nett, dass du sie uns extra herbringst«, flüsterte sie. »Und Sie, Frau Himmerl, Sie gehen gleich zum blauen Sessel da vorn, alles klar?«

Gabriele nickte verzweifelt. Ob sie eine Ohnmacht spielen sollte? Aus dem Dunkel der Kulisse kam Hermann Huber auf sie zu.

»So, Gabilein, jetzt mach mal 'ne geile Performance für unser Käseblatt!« Dann stutzte er.

»Um Gottes willen, wie siehst du denn aus?«

»Ruhe«, zischte die Aufnahmeleiterin. »Und los!«

Gabriele spürte ein Schluchzen in ihrer Kehle. Alexa fiel ihr ein, die noch vor wenigen Tagen in einem anderen Studio aufgetreten war, strahlend, schön, unwiderstehlich. Und noch dazu an Julians Arm, am Arm eines Freundes. Sie hingegen war jetzt völlig allein. Der einsamste Mensch der Welt.

»Verehrtes Publikum! Einen Applaus für die Grande Dame des investigativen Klatschjournalismus: Die himmlische Gaaabriele Himmerrrl!«, rief Sven Müller, der smarteste Entertainer der Republik, gefürchtet und geliebt für seinen unnachahmlich lockeren Berufszynismus.

Alles in Gabriele starb in diesem Moment ab. Ihr Selbstvertrauen, ihre Energie, ihr Ehrgeiz, einfach alles. Unsicher marschierte sie auf den blauen Sessel zu, stolperte über eine kleine Stufe und plumpste auf den Sitz, der viel niedriger war, als sie es erwartet hatte.

»Ja, hallooo, endlich lerne ich mal die Queen of Style kennen!«, rief Sven Müller launig und rückte etwas näher.

»Guten Abend«, sagte Gabriele förmlich. Sie fühlte sich spießig, lächerlich. Sie war in der falschen Show. Alles war falsch.

»Na, der Julian hat Sie ja offensichtlich in die Friseur-Wüste geschickt«, feixte Sven Müller und nahm seine Brille ab, um ausgiebig ihre biederen Löckchen zu betrachten.

»Ist ein abgedrehtes Styling, wirklich, meine Damen und Herren, ein Applaus für die Grande Dame der Trockenhaube!«

Das Publikum grölte. Gabriele versuchte zu lächeln. Eine Kamera fuhr direkt auf sie zu, wie ein hungriger Alien.

»Muss man sich merken«, schob Sven Müller nach und verzog die schmalen Lippen zu seinem berühmten maliziösen Lächeln, das sich ganz in der Horizontalen abspielte und ausschließlich seine unteren Schneidezähne entblößte.

»Gabriele Himmerl hat den Mut zur Trendsetterin und läutet hiermit das Achtziger-Jahre-Revival ein. Motto: So wird Omi noch mal jung! Und das in unserer Show. Whow!«

Irgendwo hinter den Kameras entdeckte Gabriele jetzt Hermann Huber. Er saß in der ersten Reihe und gestikulierte hektisch in ihre Richtung, als wolle er ihr den rettenden Text soufflieren.

»Wo ist Julian eigentlich? Hat er sich schon bedankt für Ihren herzwärmenden Artikel?«, setzte Sven Müller das Verhör fort. Der Tic nerveux an seinem rechten Auge pulsierte unternehmungslustig.

»Der Julian, also, ich glaube, das heißt …« Verdammt, was stotterte sie sich da zusammen?

»Also, sooo genau wollten wir das nun auch wieder nicht wissen«, schnitt der Moderator ihr das Wort ab und sonnte sich in dem prompten Lacher.

»Aber Klatschkolumnisten haben nun mal ein flinkes Mundwerk! Das Verfertigen der Gedanken beim Reden ist dem schreibenden Gewerbe in die Wiege gelegt, nicht wahr? Wie war das eigentlich mit den Mutterfreuden der Fürstin? Hat Sie Ihnen das wirklich in der Sauna gesteckt?«

»Nun, Alexa ist … wie soll ich sagen, sie hat eine gute, eine sehr gute – eigentlich eine enge …«

»Bitte nicht weiterreden, vielleicht sitzen noch Minderjährige vor dem Fernseher«, unterbrach sie Sven Müller, während das ganze Studio brüllte.

Ich bin eine Lachnummer. Eine strunzdumme Lachnummer, dachte Gabriele und verkrallte sich in die Sessellehnen.

»Und die Kokserei? Ist das auch so ein Boudoirgeheimnis unter Busenfreundinnen? Wenn man Ihren Zeilen Glauben schenken darf, sitzen Sie dem Hochadel ja unablässig auf dem Schoß und sehen alles, was hinter den Kulissen läuft!«

»Na ja, ich denke, die Enttabuisierung von Drogen, und überhaupt ...«

Ihr Kopf war leer. Festplatte gelöscht, dachte sie. No file found.

»Tjaaa ...«, sagte Sven Müller gedehnt, offensichtlich wurde es ihm nun doch etwas zu eintönig, aus ihrem Gestammel Pointen zu schlagen.

»Wir haben noch ein zweiten Gast, den ich mal auf die Bühne bitten möchte, meine Damen und Herren, einen ...«, er machte eine kurze Pause und grinste, »... waarrmen Applaus für den Gegenpapst aus Berlin, hier ist er, Bodoooo Lanskyyy!!«

Auch das noch. Gabriele verglühte innerlich. Ein zweiter Sessel wurde eilig neben den ihren gestellt, und Bodo Lansky tauchte auf, im eleganten Nadelstreifenanzug und umgeben von einer Wolke der Selbstzufriedenheit.

Sofort wurde Gabriele bewusst, dass sie mit ihrem Artikel nicht nur Schmutz auf Julian und Alexa geworfen und die Existenz von Susie zerstört hatte, sondern dass dieser ganze Wahnsinn auch noch Bodo Lansky nach oben spülen würde. Ganz nach oben.

»Hallo Bodo, na, was sagen Sie zu Gabrieles neuem Styling?«

Bodo Lansky streifte Gabriele mit einem flüchtigen Blick, dann sagte er ernst: »Dieser ganze Haarquatsch interessiert mich nur, wenn ich arbeite. In dem Moment, in dem ich die Tür zu meinem Salon von außen schließe, ist mir das völlig wurscht. Von mir aus kann sie auch Glatze tragen. Ich möchte lieber etwas ganz anderes sagen.«

Es wurde langsam still im Studio. Bodo Lansky nahm seine Brille ab.

»Wir haben ein verdammt hartes Gewerbe. Wir stehen zehn Stunden am Tag in unseren Läden. Im Gestank von Haarspray und Blondierung und Dauerwellenflüssigkeit. Abends haben wir runde Füße. Und kaputte Ohren. Dauernd werden wir zugetextet. Wir sollen Beichtväter sein. Und tolle Frisuren machen. Das ist ein Knochenjob. Für mich. Für Julian. Für all die anderen.«

Er nahm einen Schluck Wasser aus einem Glas, das auf einem niedrigen Tischchen stand. Im Studio war es nun völlig still.

Sven Müller hatte die kleine Rede staunend angehört und besaß genügend Instinkt, um die kleine Pause nicht mit Flapsigkeiten aufzufüllen. Bodo Lansky stellte ruhig sein Glas ab und wandte sich an Gabriele.

»Und wenn ich etwas hasse, dann diese miesen kleinen Parasiten, die Leute wie Julian und mich fertig machen wollen. Was wisst ihr denn von uns? Was wisst ihr denn vom Koksen? Ihr verbringt euer Leben mit dem Champagnerglas in der Hand, schmiert am nächsten Morgen die Reste vom Buffet in die Zeitung, und dann gibt's wieder Party bis zum Brechreiz. Einfach zum Kotzen.«

Verzagt hatte Gabriele ihm zugehört. Dass er sich öffentlich mit Julian solidarisierte, dass er plötzlich Loyalität zeigte, obwohl doch eigentlich sie, Gabriele, an Julians Seite hatte stehen wollen, treu, unverbrüchlich, das gab ihr den Rest.

Und während der Applaus einsetzte, zögernd erst und dann mit zunehmender Begeisterung, brach ihre Beherrschung in sich zusammen.

Von Schluchzen geschüttelt, versuchte sie eine Hand auf Bodo Lanskys Arm zu legen, doch der wehrte sie unwirsch ab.

»Es war ein Missverständnis«, flüsterte sie.

»Nein!«, gellte es aus dem Publikum. Es war Hermann Huber, der sich erhoben hatte und Gabriele wilde Zeichen machte. Sofort hakte Sven Müller ein.

»Ein Missverständnis? Gnädige Frau, Sie haben Julian und Alexa mit Aplomb auf die Abschussliste gesetzt!«

»Es ist so furchtbar, ich möchte ... möchte mich entschuldigen, bei Julian, bei Alexa, bei Susie, bei Bodo ...«

»Jetzt aber nicht das ganze Adressbüchlein vorlesen!«, rief Sven Müller mit der ihm eigenen Gnadenlosigkeit.

Gabriele erhob sich.

»Ich gehe«, sagte sie leise und schleppte sich quer über die Bühne zur eisernen Tür, vorbei an Susie, vorbei an der Aufnahmeleiterin, vorbei an Hermann Huber, der schreiend auf sie zustürzte.

*

»Yes, I will«, hauchte die Braut und presste sich an den Bräutigam. Er trug Zylinder und eine schwarze Badehose, sie einen weißen Bikini und einen endlosen Schleier, der von einem Kinderchor gesäumt wurde. Um ihre Taille wand sich ein Gürtel aus weißem Nerz.

Auf das Jawort hin begann es Rosenblätter zu regnen, und Whitney Houston sang mit der Inbrunst einer Feuersirene ihr »I will always love you«, während der Kinderchor in Gospelmanier in den Gesang einfiel.

»In Europa wird der Song neuerdings auf Beerdigungen gespielt«, sagte Julian düster.

»Come on, forget about diese Dreckstory, jetzt wir machen Party«, erwiderte Robert und betrachtete mit hungrigem Interesse die Kellner.

Auch Julian hätte deren Kombination aus Stringtangas und weißen Spencern unter anderen Vorzeichen durchaus appetitlich gefunden, aber goutieren konnte er das alles heute nicht. Nicht die hundert Palmenkübel, die man an den Strand geschafft hatte, nicht die wehenden rotweiß gestreiften Zelte mit den goldenen Kordeln und auch nicht die riesigen Buffets, die mit Blumen und Obst geschmückt waren.

»Wer heiratet hier eigentlich wen?«, fragte er.

Robert hob mit einem Ausdruck fröhlicher Indifferenz die Schultern.

»No idea«, sagte er. »Eine actress, glaube ich, und eine musician, but now wir wollen machen Party, right?«

»Und warum laden sie dich ein?«, wollte Julian wissen.

»Honey, sie kaufen lists, da ich stehen drauf, und they bezahl for die celebrities, look over there, Richard Gere und Julia Roberts, everybody ist da, but für money, understand?«

Julian verstand nur zu gut. Auch in Deutschland gab es mittlerweile die gekauften Gäste, die Einladungen mit Ticket und Scheck, die eilig eingeflogenen Gesichter, die für Publicity garantierten. Während sich der Adel immer mehr zurückzog und hinter geschlossenen Türen feierte, von Newcomern wie Alexa einmal abgesehen, sonnten sich die emporgekommenen Nobodys zunehmend im Glanz gemieteter Prominenz.

Ein Knall ließ ihn aufschrecken. Instinktiv warf er sich zu Boden.

»Julien, what are you doing? Sie now have ihre Hochzeits-Cake!«

Julian blickte auf und sah, wie der mannshohe Hochzeitskuchen herangeschafft wurde, aus dem bunte Raketen in den Himmel schossen.

Dann senkte er den Kopf zwischen die Knie und begann zu weinen. Robert kniete sich neben ihn und streichelte seinen Rücken.

»Julian! Juuulian!!«

Er hob den Kopf.

»Julian, mein Julian!«

Es dauerte eine Weile, bis er begriff, was er sah. Aus der lachenden Menge löste sich eine Frauengestalt im cognacgoldener Seidenrobe, die wild winkend auf ihn zu lief. Atemlos machte sie vor ihm halt.

»Julian, seit Tagen versuche ich dich zu erreichen, aber nicht im Traum hätte ich gedacht, dass ich dich ausgerechnet hier finden würde. Sag mal, hast du schon …«, keuchte sie.

Julian nickte. Es war Alexa.

»Um Himmels willen, wie konntest du Gabriele …«

»Ich?«, schrie Julian. »Ich? Hast du einen Vogel? Glaubst du, ich bin ein Kamikaze-Modell? Frag mich nicht, woher Gabriele diese Story hat, aber tu mir den Gefallen und verdächtige nicht auch noch mich!«

210

»Entschuldige«, flüsterte Alexa und hockte sich neben ihn. »Alles in Ordnung?«

»Nichts ist in Ordnung«, schluchzte Julian.

»Und der da?«, fragte Alexa knapp und deutete auf Robert, der ein wenig abseits die Szene beobachtet hatte.

»Das ist Robert.«

»Nice to meet you«, sagte Robert unbefangen und streckte Alexa die Hand entgegen. »Ich kenne deine picture aus die magazines, aber in reality du look even better!«

Alexa musterte ihn kurz, dann sagte sie leise: »Ist er gut zu dir?«

»Sehr gut«, sagte Julian und verbarg wieder den Kopf zwischen den Knien.

»Und was machen wir jetzt?«, fragte Alexa.

»Party!«, strahlte Robert.

*

»Bitte sehr, gnädige Frau. Ein Dhalpfannkuchen mit Bananencurry Bombay.«

Gabriele schob den Teller von sich und sah apathisch aus dem Fenster.

Das Hotel lag inmitten von dichten, dunklen Wäldern. Ein Schloss mit Türmchen und Zinnen, wie aus dem Bilderbuch der Brüder Grimm. Vögel zwitscherten von einer CD mit Meditationsmusik, die unablässig aus den dezent platzierten Lautsprechern rann. Den ganzen Tag lang. Schon frühmorgens wurde Gabriele mit ziellos schwelgenden Streicherklängen und synthetischem Meeresrauschen geweckt, über dem das ewig muntere Gezirpe elektronisch erzeugter Vogelstimmen lag.

Sie hatte das Schloss schon gekannt, als es noch »Sanatorium Bärenhöhe« hieß, eine Zuflucht für alle Arten von Gesellschaftsversehrten, die ihre Süchte und Burn-outs mit kalten Güssen und Golfstunden auskurierten. Doch inzwischen hatte es zweimal den Besitzer gewechselt und zunächst »Wellness-Zentrum

211

Wiesengrund« geheißen, bis der neue Chefarzt es vollmundig zum »Vital Resort High Energy« ernannt hatte.

Im Schlosskeller, wo einst die Kegelbahn gewesen war, gab es nun einen marokkanischen Hamam ganz in Türkis, mit mosaikgepflasterten Arkaden und Sitzbadewannen aus Alabaster. Das Schwimmbad war zur »Thalasso-Oase« umgestylt worden, und der ehemalige Wintergarten mit seinen Palmen und Orchideen war gnadenlos entrümpelt und zenbuddhistisch sparsam dekoriert worden. Dort versprach man nun exotische Treatments wie »Qui-Gong-Massagen« und »Designer-Thai-Chi«.

Nur zwei Dinge waren geblieben: das resolute Personal und die verspannte Clientèle, die sich von ihrer Überdosis schädlicher Partysubstanzen erholte.

Vorsichtig zupfte Gabriele an der Vliesmaske, die langsam antrocknete, was ihre Mimik, wenn sie denn hätte sprechen oder lächeln wollen, empfindlich eingeschränkt hätte. Doch sie wollte weder das eine noch das andere. Sie wollte nur ihre Ruhe.

Der Speisesaal verfügte nach wie vor über den üblichen Luxus eines Grandhotels, von den Kronleuchtern bis zu den Silberschüsseln, ein seltsamer Gegensatz zu den Gästen, die ausnahmslos in Jogginganzügen vor den weiß gedeckten Tischen hockten.

Auch Gabriele trug einen Jogginganzug, hatte ihn aber mit ihrem häuslichen Trümmerfrauenlook verfeinert, mit lilafarbenen Wollsocken und einem rotkarierten Tuch, das sie sich nach Piratenart um den Kopf geschlungen hatte. Das Thema Haare war für sie tabu. Wenn sie einen Föhn sah, brach sie in Tränen aus. Die Pflegerinnen mussten sogar Kamm und Bürste aus ihrem Zimmer entfernen, da Gabriele äußerst heftig auf diese harmlosen Gegenstände des täglichen Gebrauchs reagierte. Nur unter Protest ließ sie sich zuweilen die verfilzten Haare waschen, um sie sogleich wieder unter ihrem Tuch zu verstecken.

Die Kellnerin schob den Teller näher zu Gabriele hin.

»Sie müssen eine Kleinigkeit essen, Bananen sind gut für Ihr Pitta.«

»Ich möchte ein Leberwurstbrot«, sagte Gabriele matt.

»Oh, das wäre ganz falsch. Keine kalten, feuchten Dinge. Das passt nicht zu Ihrem Dosha. Probieren Sie doch mal. Es schmeckt wirklich ausgezeichnet. Schön essen.«

Die Serviererin war es gewohnt, widerstrebende Gäste auf den therapeutisch richtigen Weg zu lenken und sprach mit der geduldigen Verachtung gut bezahlter Betreuer.

»Leberwurstbrot«, flüsterte Gabriele beharrlich.

Sie schloss die Augen. Sie war am Ende. Und wäre so gern an den Anfang zurückgekehrt. Zu Tante Martha mit der Kittelschürze und den Leberwurstbroten, die mit Gewürzgurken garniert waren. Wie einfach das Leben damals gewesen war. Wenn man etwas angestellt hatte, dann musste man es unter Tränen beichten, bekam einen Klaps, und alles, alles war wieder gut.

»Gewürzgurken?«, fragte Gabriele.

»Zu kalt, zu feucht«, befand die Serviererin.

Gabriele weinte leise in den Pfannkuchenteller hinein. Nichts würde jemals wieder gut werden.

Der Klinikchef erschien. Ihr graute vor seiner leutseligen Art, und so machte sie sich noch ein wenig kleiner auf ihrem Stuhl, wie damals in der Schule, wenn sie den Blick des Mathematiklehrers auf sich spürte. Ich bin gar nicht da, sprach sie sich Mut zu, geh weiter, es sind genug andere Idioten da.

Doch Professor Haberwasser marschierte direkt auf sie zu, mit der gut gelaunten Miene eines erfolgsgewohnten Modearztes.

»Sehr verehrte Frau Himmerl, schmeckt es Ihnen etwa nicht?«, fragte er aufgeräumt. »Sie wissen doch: Der Mensch ist, was er isst. Das Sein bestimmt das Bewusstsein.«

Gabriele schwieg verstockt. Für diese Platitüden gehört er in den Kochtopf gesteckt, dachte sie voller Trotz.

»Wir haben einen echt indischen Ayurveda-Koch! So was müssen Sie erst einmal finden! Der Mann ist genial. Der wäre auch mal eine Geschichte in der ›Society‹ wert!«

Gabriele starrte ihn an. Eine Geschichte wert? Was nahm dieser Kerl sich da eigentlich heraus?

»Na ja, das hat Zeit«, fuhr Professor Haberwasser unbeirrt fort. Seine Stimme klang mit einem Mal weich.

»Aber wenn Sie jetzt ein bisschen mitmachen, dann können Sie heute Besuch empfangen.«

»Besuch? Ich will niemanden sehen.«

»Aber ja. Sie müssen mal wieder Kontakt aufnehmen. Ein Fenster zur Außenwelt öffnen, das Licht am Ende des Tunnels wahrnehmen, aufnehmen und annehmen.«

Was für ein armseliges Wortspiel, dachte Gabriele.

»Seit drei Wochen sind Sie jetzt hier. Und Sie machen doch sehr, sehr schöne Fortschritte. Die Ölgüsse bekommen Ihnen fantastisch. Und morgen fangen wir mit der Synchronmassage an. Das wird Ihnen unendlich gut tun.«

Gabriele musterte sein selbstgefälliges Gesicht unter den hochblond getunten Haaren. Seine von intensiven Sonnenbankbesuchen geleppte Haut lag straff über den Wangenknochen. Der isst ganz sicher diesen ganzen Gemüsekrempel, so viel steht fest, überlegte sie. Wie gerne hätte sie ihn im Verdacht gehabt, heimlich Bratwurst und Sauerbraten zu verschlingen. Aber leider war seine Figur untadelig, und er wirkte überhaupt so unangenehm gesund, dass er stets wie ein Kunstprodukt seiner Klinik wirkte.

»Ich will keine Massage mehr«, begehrte sie auf.

Sie wollte nicht mehr gepampert werden. Niemand sollte sie mehr berühren. Sie war ein Objekt geworden, unablässig von fremden Händen hin und her geschoben, massiert und geölt. Und sie hatte mehr als genug von dieser moderaten Gedämpftheit, die sie umhüllte wie ein schwammiger Kokon.

Professor Haberwasser schüttelte tadelnd den Kopf.

»Pssst, nicht so laut. Natürlich sollen Sie hier auch Ihre Wut leben, erleben und ausleben, aber doch in der Encountergruppe und nicht beim Mittagessen, wenn ich bitten darf.«

Wieder sah Gabriele aus dem Fenster.

Dann ging ein Ruck durch ihren Körper. Auf dem schmalen

Weg, der in regelmäßigen Schwüngen zum Sanatorium führte, vorbei an Bonsairabatten und eckigen japanischen Springbrunnen, auf diesem Weg hatte sie ein rotes Cabrio entdeckt.

»Ist das mein Besuch?«, fragte sie und griff zu ihrer Handtasche, als wolle sie flüchten.

Professor Haberwasser folgte ihrem Blick, dann sah er auf seine Armbanduhr.

»Wir hatten Herrn Huber erst am Nachmittag erwartet«, sagte er ungehalten. »Wir schätzen Besucher ausschließlich nach der Mittagsruhe.«

Gabriele hängte die Handtasche zurück an die Stuhllehne. Aha, dachte sie. Ein Kontrollfreak, dieser Professor. Und obwohl sie niemanden auf der Welt weniger sehen wollte als Hermann Huber, bereitete es ihr doch ein pubertäres Vergnügen, die Kuratel des Klinikchefs außer Kraft zu setzen.

»Ich bestehe darauf, Herrn Huber auf der Stelle zu empfangen«, verkündete sie mit fester Stimme und richtete sich aus ihrer gebeugten Haltung auf, in die sie seit Wochen verfallen war.

»Es tut mir Leid, aber …«, begann Professor Haberwasser, doch Gabriele fühlte mit Lust, wie ihr Widerspruchsgeist neue Nahrung erhielt.

»Sie führen ihn ohne Umschweife an meinen Tisch, aber dalli«, sagte sie scharf.

Professor Haberwasser betrachtete sie verdutzt, dann verkümmerte sein Mund zu einem dünnen, freudlosen Strich. Er litt darunter, dass seine Autorität als Arzt stets von seiner zweiten Rolle als Hoteldirektor untergraben wurde, die ihm eine gewisse Devotheit im Umgang mit seinen Patienten auferlegte. So ähnlich mussten sich die Schaffner in diesen neuen Zügen fühlen, die zunächst als Respektsperson auftraten, wenn sie die Fahrkarten kontrollierten, sich dann aber zu Kellnerdiensten gezwungen sahen und mit lachhaften Trinkgeldern zusätzlich gedemütigt wurden.

Er seufzte. Gabriele war ein äußerst lukrativer Gast des Hauses, mit einer traumhaften Rückfallquote.

»Wie Sie wünschen«, murmelte er und wandte sich ab.

Als Hermann Huber den Speisesaal betrat, sahen sich ausnahmslos alle nach ihm um. Nicht nur, dass er einen Anzug trug statt der gängigen Jogging-Uniform, nein, vor allem sein fester Gang und seine federnde Zielstrebigkeit hoben ihn heraus aus der allgemeinen Erschlaffung, die jeden erfasste, wenn er erst mal einige Tage hier war.

Er hatte Gabriele nicht gleich erkannt, doch schließlich erhellte sich sein Blick, und er steuerte mit großen Schritten auf sie zu.

»Na also, Gabimaus, du siehst ja schon wieder viel besser aus«, log er ein wenig erschrocken. Er war einiges gewohnt von ihr, aber so abgeräumt hatte er sie noch nie gesehen.

»Danke. Du wirst es nicht glauben, aber es gibt hier Spiegel. Ich sehe aus wie erbrochen.«

Hermann Huber stand einen Moment unschlüssig vor Gabriele, unsicher, ob er sie küssen sollte. Aber ihr von der Vliesmaske vermummtes Gesicht mit den verquollenen Augen, die ihn aus fransigen Löchern anstarrten, hielt ihn dann doch davon ab. Er klopfte ihr wohlwollend auf den Rücken, wie einem kranken Haustier, und setzte sich ihr gegenüber.

»Willst du einen Dhalpfannkuchen mit Bananencurry?«, fragte Gabriele.

»Oh, vielen Dank, ich habe bereits ...«, er deutete vage auf die Wälder hinter den großen Fenstern, als habe er an Tannenzapfen geknabbert.

»Ach was. Wo denn?«

Seine plötzliche Unsicherheit ließ nichts Gutes vermuten, das spürte Gabriele.

»In so einem, na, Romantikhotel, eigentlich ist das ja nichts für mich, die Romantik, aber die haben einen Stern und da ...«

»Was willst du?«, fragte Gabriele mit fester Stimme.

Hermann Huber schwieg einen Moment. Verstohlen musterte er ihren Aufzug.

»Salzburg«, sagte er. Nur dieses eine Wort: Salzburg.

Gabriele atmete tief. Salzburg gehörte ihr. Alle wollten hin, die ganze Redaktion riss sich darum, doch nur sie hatte das Recht dazu, inklusive einer ganzen Suite im Sacher, damit sie dort ungestört Interviews führen konnte. Und inklusive der begehrtesten Premierenkarten.

Salzburg. Sie fing an zu schwitzen unter ihrer Maske.

»Du, ich weiß ja, du brauchst noch ein bisschen«, fuhr Hermann Huber fort, und sein Blick streifte das nicht eben frisch wirkende Tuch über Gabrieles Stirn.

»Und da dachte ich, ich meine, das Mädel muss ja mal eine Chance kriegen, die Melanie, weißt schon ...«

Wenn Gabriele etwas nervös machte, dann die ungewohnte Behutsamkeit in Hermann Hubers Stimme. Was lief da in der »Society«? Er hatte ihr versprochen, dass sie ihren Job behalten würde, mit allen Privilegien. Nur eine kleine Auszeit, um sie aus der Schusslinie zu nehmen hatten sie ausgemacht. Er war es, der für sie diesen Ayurveda-Tempel mit Schwarzwaldblick gebucht hatte, und er war es auch, der dafür zahlte. Nun aber, da war Gabriele ganz sicher, nun wurde sie entmachtet. Abgeschmückt. Nach allem, was sie geopfert hatte für die »Society«, für dieses Blatt, das ihr manch kleinen Triumph beschert hatte und schließlich die eine finale Niederlage.

»Selbstverständlich«, sagte sie beherrscht. »Selbstverständlich soll die Kleine eine Chance bekommen. Ich habe ja immer schon gesagt: Für Salzburg brauche ich eine Assistentin. Also nehme ich sie mit, als Schlappenschammes. Die kann meine Koffer tragen, die Maus.«

Hermann sah von einer Sekunde zur anderen dermaßen unglücklich aus, dass Gabriele ein Lächeln nicht unterdrücken konnte. Sicher hatte er die Kleine direkt auf seinem Schreibtisch getackert und ihr was Schönes dafür versprochen.

»Ich bin sowieso durch mit der Kur. Der Professor hat mich eben zu meiner schnellen Genesung beglückwünscht. Du kannst ja noch einen weißen Himalajawolken-Duftreis essen, während ich packe.«

Das Unglück in Hermanns Gesicht weitete sich zu tiefer Trübsal aus. Melanie wartet vermutlich schon in wahnsinnig romantischer Stimmung und nicht minder romantischen Dessous im Romantikhotel, hingestreckt auf das romantische Himmelbett, dachte Gabriele. Aber nun ist Schluss mit romantisch.

»Vergiss nicht – wir haben eine Abmachung«, sagte sie und lächelte weiter.

Hermann nickte dumpf.

Nach der unseligen Talkshownummer hatte er Gabriele nur mit Mühe davon abhalten können, den ganzen Schwindel publik zu machen. Er hatte sich ihr Schweigen teuer erkauft, nicht nur mit dieser Luxus-Überholung, sondern auch mit der Zusage, an ihrem Status nicht den kleinsten Millimeter zu rütteln. Und selbstverständlich hatte er vor, sein Wort zu brechen.

»Du, Gabilein, ihr dürft hier drin ja keine Zeitungen und kein Fernsehen, aber ...«

»Was für einen Quark willst du mir jetzt wieder erzählen?«, fragte Gabriele eisig.

»Na ja, wie soll ich sagen, du bist jetzt eine Berühmtheit, da draußen.«

»Eine Berühmtheit?«

»Schatzi, du bist Kult. Du kennst doch den Rainer Steeb, dieses kleine Schandmaul, und er hat, Herrgott, er hat so einen blöden kleinen Song geschrieben, wird rauf und runter gespielt, das Ding und ...«

»... und was habe ich damit zu tun?«

»Du bist gewissermaßen die Sängerin. Er hat dich gesampelt.«

»Ge- was?«

»Na, deinen Auftritt bei Sven Müller, dieses ganze Zeug, was du da losgelassen hast, er hat einen Rap draus gemacht, pass mal auf ...«

Hermann Huber schnippte gekonnt mit den Fingern und klopfte mit einem Fuß den Takt.

»Die Gabi, ja-o-ja, die weiß es genau, doch was sie sagen will, ja – ooh, das weiß keine Sau, sie sagt: ›Julian, also, ich glaube, das heißt‹, bis sich jeder, ja jeder, total wegschmeißt, dididada, dida, dididada, di da.«

Hermann sah Gabriele erwartungsvoll an. Sie zeigte nicht die kleinste Regung. Sofort setzte er wieder an.

»Die Gabi, die coole, die macht ein Gehänge, sagt: Alexa ist sehr gut, denn sie hat eine enge …«

»HÖR AUF!«, schrie Gabriele mit einem so jähen Energiestoß, dass die Maske knirschend von ihrem Gesicht abblätterte.

Hermann Huber brach betreten ab und sah vorsichtig um sich. Die Jogginganzüge beäugten ihn stumm.

»Hör auf«, flüsterte Gabriele noch einmal leise und legte ihr Gesicht, an dem noch Fetzen der Vliesmaske klebten, auf das weiße Tischtuch.

Sofort war Professor Haberwasser zur Stelle. Er hüstelte wie ein Provinzschauspieler in einem Boulevardstück, um seine Anwesenheit ins Bewusstsein zu bringen, dann sagte er: »Mein Herr, ich muss Sie leider bitten zu gehen. Ich befürchte, dass Ihr Besuch für Frau Himmerl einfach noch ein bisschen zu früh ist, sie muss sich erst mal wieder finden, sich neu erfinden und …«

»Ersticken sollen Sie an Ihren müden Kalauern! Und nun ab ins Körbchen!«, rief Gabriele.

Professor Haberwasser blickte kurz zu Boden, dann entfernte er sich rückwärts, ohne Gabriele und Hermann aus den Augen zu lassen.

An der Tür besprach er sich leise mit der Serviererin.

»Siehst du«, sagte Hermann Huber und sah auf die Uhr, »es ist alles noch ein bisschen zu früh, lass mal ein wenig Gras über die Sache wachsen, lass dich noch ein bisschen mit Ölgüssen verwöhnen und dann, in ein paar Wochen, kommst du zurück. Dein Büro ist immer noch frei.«

»Mein Büro interessiert mich einen Pups, was ist mit meinem Job?«

Hermann Huber hob die Hände, als hätte Gabriele eine unsichtbare Pistole auf ihn gerichtet.

»The show must go on«, sagte er zerknirscht.

»Scheißkerl«, zischte Gabriele. Dann stand sie auf und rempelte unversehens die Serviererin an, die mit einem Gläschen voller Pillen erschienen war.

»Frau Himmerl, Ihr QU-10 und die Enzyme, bitte sehr!«

»Enzyme? Dass ich nicht lache! Das ist garantiert Valium sechzig. Aber so leicht lasse ich mich nicht durch den Grießbrei ziehen. So nicht!«

Die Serviererin huschte davon.

»Ich packe«, sagte Gabriele gefährlich leise. »Ruf mal flotti deine kleine Melanie-Maus an und sag ihr, dass sie mit dem Zug nach Hause fahren kann!«

Sie weidete sich einen Moment lang an Hermanns Gesichtsausdruck, dann deutete sie auf ihr Piratentuch und stand auf.

»Das Ding da kann ich ja gleich aufbehalten, das mache ich immer so, wenn ich offen fahre!«

Die Jogginganzüge sahen ihr bedauernd nach, denn Szenen dieser Art gab es im »Vital Resort High Energy« leider viel zu selten. Stattdessen lief im Kinoraum allabendlich »Sieben Jahre in Tibet«.

Herrmann saß eine Weile ungläubig da, dann trommelte er mit den Fäusten auf den Tisch, bis eine Blumenvase umfiel.

»Bitte sehr«, die Serviererin stellte einen Teller auf den Tisch. »Mit einem schönen Gruß vom Chef.«

Verstört starrte Hermann Huber das Leberwurstbrot mit den Gewürzgurken an.

*

»Aber die Fotos sind schön«, sagte Alexa und blätterte sich wieder und wieder durch die Magazine. Sie saßen zu dritt auf dem runden Bett und flogen nach Norden.

»Schatzerl, dafür bekommst du einen Kuss. Gell, Robert, ist sie nicht unbezahlbar? Gerade ist ihr Ruf ruiniert worden, der Herr Gemahl hat ihr die hübschen Ohren lang gezogen, und was macht sie? Freut sich über die schönen Fotos.«

Robert nickte kurz, dann wandte er sich wieder dem Monitor zu, der gegenüber vom Bett in die seidenbespannte Wand eingelassen war. Das Baseballspiel bestand hauptsächlich aus eher dickleibigen Herren in knappen Höschen, die sich ständig vorbeugten und auf irgendetwas warteten, stellte Alexa erstaunt fest.

»Könnte es sein, dass euch zuweilen der Gesprächsstoff ausgeht?«, fragte sie grinsend und steckte sich ein Stück Sellerie in den Mund.

»Die Four-Letter-Words gehen uns immer noch leicht von den Lippen«, grinste Julian zurück und zündete sich eine Zigarette an.

»Darling, don't do that in die Schlafroom«, sagte Robert, ohne den Blick vom Spiel zu wenden.

»Komm, wir gehen in die Küche«, schlug Alexa vor.

Sie goss sich einen Orangensaft ein und lehrte das Glas auf einen Zug.

»Du siehst: Mami ist clean. Und jetzt Plan X, bitte. Was machen wir mit Gabriele? Einen anonymen Brief schreiben? Eine Stinkbombe in ihr Chanel-Täschchen werfen?«

Julian goss Gin und Tonic Water gleichzeitig in sein Glas, bis es randvoll war.

»Nichts machen wir. Ich schmeiße hin.«

»Dann kannst du dich gleich mit wegschmeißen«, sagte Alexa aufgebracht.

»Ihr müsst fasten eure belt«, rief Robert aus dem Schlafzimmer herüber. »Wir sind soon da.«

Julian sah aus dem Fenster.

»Das sieht aber gar nicht nach New York aus«, stellte er fest.

»Nix New York, Detroit!«, rief Robert zurück.

221

»Was hat denn dieser Komiker in Detroit verloren?«, fragte Alexa. »Ich dachte ...«

»Grosse Pointe«, tönte es aus dem Bett. »The nautical mile.«

»Grosse – was?«

»Forget about Long Island, forget about Palm Beach, dies ist die ultimate location!«, rief Robert stolz.

Stumm schnallten sie sich an.

»Hoffentlich landet er sanft, eigentlich darf ich gar nicht mehr in so kleinen Dingern fliegen«, sagte Alexa, doch schon setzten sie so weich auf, als sei die Landebahn gepolstert.

»Soll ich klatschen?«, fragte Julian.

Wenig später raste Roberts silberner Bentley über den Highway, durch eine trostlose, sonnenverbrannte Landschaft, deren einzige Abwechslung aus riesigen Reklameschildern bestand. Dann und wann glitt die finstere Physiognomie eines amerikanischen Trucks an ihnen vorbei. Robert saß vorn, neben dem Chauffeur und war gleich eingenickt, während Julian und Alexa im Fond flüsterten.

»Wo hast du denn den aufgegabelt?«

»Er ist der Wahnsinn. Hat mich einfach eingesackt. Du, ich gebe alles auf da drüben, ich mache einen Salon in New York auf, Robert hat Immobilien ohne Ende, er sagt, dass gerade ein Laden an der Fifth Avenue leer steht, das wird etwas ganz Neues. Ein neuer Anfang.«

»Bist du verrückt?«

»Ja, nach ihm. Ich weiß ja, er wirkt auf den ersten Blick nicht gerade kultiviert, aber ...«

»... auf den ersten Blick schon«, gluckste Alexa. »Aber dann ...«

»Du, ich hatte das alles. Ich brauche keinen mehr, der mir dauernd den neuesten Bayreuth-Skandal runterbetet, ich finde es einfach toll mit ihm, ich fühle mich so undefiniert, kein Mensch kennt mich in New York. Ich fange bei null an, ich beginne noch mal richtig von vorn. Eva hilft mir bestimmt, sie kennt tausend Leute, wir machen eine Eröffnung mit Woody Allen an der Klarinette und das Catering lassen wir aus dem ›Spago‹ in Hollywood einfliegen, dazu kaufen wir Promis ohne Ende ein, das wird ... «

»Hör auf, bitte, du machst mir Angst.«

»Wieso denn? Ist es so schlimm für dich, dass ich zur Abwechslung mal glücklich bin?«

Alexa sah aus dem Fenster hinaus.

»Das schnelle Glück der Flucht«, sagte sie schließlich leise.

»Und in einem halben Jahr ... «

»Egal. Ich habe keine Lust mehr auf diese ganzen Madenhacker, die auf mir herumspazieren und mir die Zecken vom Rücken picken, die sie selbst da reingedrückt haben.«

Alexa sah ihn von der Seite an.

»Es gibt immer noch eine Menge Leute, die zu dir halten. Wer ist schon Gabriele Himmerl? Eine kleine gefräßige Kakerlake, die übrigens völlig von der Bildfläche verschwunden ist.«

»Ach ja?«, sagte Julian mit zögernd aufflackerndem Interesse.

»Die hängt irgendwo in der Klapsmühle ab, nachdem sie die Lachnummer der Nation gegeben hat.«

»Was du nicht sagst!« Er war ehrlich überrascht. Ihr Auftritt im Vier Jahreszeiten fiel ihm ein.

»Gabriele Himmerl. Die ist das Paradebeispiel dafür, was aus jemandem wird, der dieses blöde Spiel mitspielt. In und out, hoch und runter. Ich mache da nicht mehr mit.«

»Oh doch. Und ich weiß auch, wie.«

Alexa straffte sich.

»Du hast mich gemacht, stimmt's?«, fragte sie.

»Stimmt.«

»Gut. Jetzt bin ich an der Reihe.«

»Wovon redest du?«

»Salzburg«, sagte sie und lehnte sich zurück. »Wir gehen nach Salzburg. Wir werden es denen allen zeigen. Jetzt gerade. Mit hoch erhobenem Kopf.«

Julian musterte Roberts schlafendes Gesicht, das sich an die Kopfstütze schmiegte.

223

»Wo liegt noch Salzburg?«, fragte er. »In der Schweiz?«
Alexa sah stumm geradeaus.
»Du bist ja total aus dem Leben gefallen«, sagte sie leise.
»Ich weiß«, flüsterte Julian und nahm ihre Hand.
Der Wagen fuhr langsamer und passierte ein schmiedeeisernes Tor. Rasensprenger berieselten weitläufige Rasenflächen, Meere von Rhododendronblüten leuchteten auf.
»Wo sind wir?«, fragte Alexa.
»Das muss das kleine Sommerhaus sein«, antwortete Julian.
Die Auffahrt war bedeckt von weißem Kies. Hohe Buchsbaumhecken schirmten das Anwesen von der Straße ab. Vor dem Wagen erhob sich ein strahlender Palast mit weißen Säulen und einer vielköpfigen Dienerschaft, die erwartungsvoll aufgereiht auf den Stufen stand.
Robert öffnete die Augen.
»Welcome in meine kleine mansion«, sagte er und rieb sich die Augen.
»Ich hoffe, die Fahrt war not too boring, – I mean, langweilig!«
Er stieg aus und winkte den Bediensteten zu.
»The boat is okay?«, rief er.
Ein Butler trat vor und nickte.
»Let's go«, sagte Robert und zog Julian und Alexa hinter das Haus, wo eine ganze Armada von Wasserbelustigungen dümpelte. Ein hochseetüchtiges Schiff, eine Yacht, ein kleineres Boot, ein paar Jetskies, dazu Schlauchboote mit Außenbordmotor und einige Katamarane.
Er balancierte kurz auf einem schmalen Holzsteg, dann sprang er auf die Yacht und winkte ihnen, es ihm gleich zu tun.
»Was ist denn das?«, fragte Alexa und zeigte auf flächige, schleimige Klumpen, die auf dem Wasser schwammen.
»Well, das sind fish flies – fliegende Sex Organs, they've got keine Münder, sie essen nicht, sie trinken nicht, sie make love and die. Wir haben plenty davon diese Jahr!«

»Make love and die, hübsche Vorstellung eigentlich«, kicherte Alexa und kletterte an Roberts Hand über die Reling.

»Ich weiß nicht, ich habe eigentlich keine Lust mehr auf Eintagsfliegen«, sagte Julian und sprang hinterher.

Robert zeigte ihnen das Innenleben der Yacht, das der Ausstattung seines Jets ähnelte, viel Gold, noch mehr Plüsch und überall einladende Couchen und Bänke. Behände öffnete er die Türen, stieg über Treppchen und Taue.

Seine Körpersprache war eher gemessen und gedämpft, aber hier, in der Beengtheit des Bootes, bewegte er sich mit der flinken Eleganz eines Schimpansen, der jeden Winkel seines Käfigs kennt und die erzwungene Enge durch optimale Platzausnutzung virtuos zu bespielen versteht.

Er öffnete einen kleinen Kühlschrank neben dem Steuer.

»Have a beer!«

Die kleinen blauen Styropormanschetten, in die er die Bierdosen hineinsteckte, erfüllten Alexa und Julian mit Heiterkeit.

»Enjoy!«

Robert startete den Motor. Das Boot beschrieb einen weiten Bogen, sodass der weiße Schaum in das Heck spritzte, dann gab er Vollgas und raste über das Wasser dahin.

»Wohin fahren wir?«, fragte Julian.

»Wir gehen to the Beach Grill!«

Eine halbe Stunde später bog er in einen Hafen ein. Selten hatten Alexa und Julian eine solche Ansammlung prächtiger Yachten gesehen. Nicht an der Côte d'Azur, nicht auf Capri, vom Starnberger See ganz zu schweigen.

Amüsiert lasen sie sich die Namen der schwimmenden Luxus-Appartements vor, die von der hier offenbar üblichen Lust an Sprachspielen zeugte: »PartnerShip«, »DevOcean«, »WonderFuel«.

»Wie heißt eigentlich dein Schiff?«, wollte Julian von Robert wissen.

»Penalty Box«, antwortete er und streifte erst Julian, dann Alexa mit einem kurzen Blick.

»Störe ich?«, fragte sie geistesgegenwärtig.

»Aber nein«, beschwichtigte sie Julian.

»Passt mal auf, die Dame legt sich jetzt zehn Minuten in die Sonne und ihr beiden schrubbt die Kombüse, alles klar?«

Als Robert und Julian wieder auftauchten, mit geröteten Gesichtern und zerzaustem Haar, spazierte sie bereits auf den Planken entlang und betrachtete die internationale Leistungsschau des renommiertauglichen Bootsgewerbes.

Rechts und links des kleinen Kanals lagen hinter gestreiften Markisen verborgen Bars und Restaurants, die nicht wie in St. Tropez und anderswo von Touristen belagert waren, sondern still und ruhig wirkten. Hier aßen die, die sich selbst Publikum genug waren.

»Wahnsinn! Warum kenne ich Grosse Pointe nicht?«, fragte Alexa aufgeregt.

»Oh, hier in die US everybody weiß about Grosse Pointe, aber in Europa ...«, Robert machte eine Handbewegung, als ob er ein Häufchen Sand nach hinten über die Schulter werfen wollte.

»Come on, die haben brilliant food in here!«

Der Beach Grill war ganz in einem angenehm kosmetischen Pfirsichton gestrichen und riesig groß. Runde Tische standen aufgereiht an den hohen Fenstern, vor denen sich der Kanal jetzt, gegen Abend, immer mehr in einen Laufsteg verwandelte. Monströse Yachten zogen vorbei wie Dinosaurier, glänzend weiß, mit turmhohen Aufbauten, geschmückt mit Lämpchen und Fahnen, und oft verstummten alle Gespräche, weil das Brummen eines träge vorüberziehenden Schiffs alles übertönte. Dann erzitterten die Scheiben, das Eis in den Gläsern klirrte leicht, und alle schauten daraufhin nach draußen, wo Yachtbesitzer Boot und Bikini-Mädchen präsentierten. Es waren meist aufgeschwemmte Selfmadetypen in nagelneuen Ralph-Lauren-Poloshirts, während die Ladys ihre Silikon-Auspolsterungen aller als erotisch empfundenen Rundungen so textilarm wie möglich zur Schau stellten.

Manchmal sah man auch das blasse Marmorprofil von Ehefrauen, die reglos an der Reling lehnten, doch das war eher die Ausnahme.

Julian griff zur Speisekarte. Der Beach Grill outete sich darin als Pancake-House. Alexa überflog die angebotenen Gerichte, dann maulte sie: »Also, das hier ist ja wohl die öffentliche Verabreichung gesundheitsschädigender Esswaren! Seht euch das mal an: Alles ist ›rich‹ und ›big‹, wie die Leute hier!«

In der Tat war das Publikum unübersehbar reich, aber auch überraschend korpulent. Schwerfällig quälten sich Fleischberge in das Mobiliar, während die mitgeführten Mädchen beängstigend zerbrechlich aussahen, und es stand zu vermuten, dass sie die fettreichen Speisen umgehend in den Restrooms erbrachen. Alexa starrte einem Mittfünfziger im Hawaii-Hemd nach, der soeben das Lokal verließ, eine viereckige Styroporbox in der Hand.

»Hat der denn immer noch nicht genug?«, rief sie aus.

Robert lächelte zutraulich und zog Julians Hand an die Lippen.

»We Amerikaner sind immer hungry, eine Woche ago, ich war auf eine Golden Wedding, und even da die Leute nehmen ihre Doggy-Bags home!«

Julian ließ es geschehen, dass Robert seinen Daumen in den Mund steckte.

Alexa fixierte wieder die Speisekarte. Ihr wurde schon vom Lesen schlecht, von den angepriesenen Sahnesaucen und den opulenten Desserts.

»Du müsst nehmen eine ›Cool-mint-hot-fudge-Kuchen‹, das ist fun«, sagte Robert und winkte der Kellnerin, die gerade am Nebentisch gleichmütig den Kaffee nachschenkte, so als ob sie ein Auto betankte.

»Das ist eine chocolate cake mit mint ice und darauf eine heiße chocolate sauce!«

»Für mich nur Salat«, winkte Alexa ab.

227

»Und ich hätte gern die Fischstäbchen mit Pommes«, meldete sich Julian zu Wort, dem es immer ein besonderes Vergnügen bereitete, die Kinderkarte zu studieren. Die Kellnerin nahm freundlich die Bestellung auf.

»Schaut, das ist Amerika«, sagte Julian begeistert. »In Deutschland hätten sie doch gleich wieder gezickt, nein, mein Herr, der Kinderteller ist nur für Kinder, wie der Name schon sagt, aber auch nur für kleine Kinder bis zehn Jahre, in Grenzfällen müssen wir leider auf der Vorlage eines gültigen Personalausweises bestehen und so weiter, hier aber heißt die Devise: Anything goes! Nun aber prost! Auf God's own country!«

Er hob sein Champagnerglas in die Höhe. Robert hatte nur den Schluss der kleinen Rede verstanden und streichelte Julians Arm.

»Love you, sweetheart«, strahlte er. Dann veränderten sich seine Gesichtszüge, als hätte jemand sein Lächeln gestohlen. Er rückte ein wenig von Julian ab und erhob sich.

Alexa und Julian sahen sich um. Die Dame, die Robert flüchtig umarmte, wandte ihnen ein bis zur Leblosigkeit gelasertes Gesicht zu, das gelblich schimmerte. Sie trug einen weinroten Hosenanzug, der locker um ihre schmalen Hüften spielte. Das Haar war millimeterkurz und blauschwarz. Schwer zu sagen, wie alt sie war. Die umfangreichen kosmetischen Eingriffe hatte ihr eine gespenstische Alterslosigkeit verliehen, die einen Spielraum von dreißig bis achtzig offen ließ.

»Und now – may I introduce my wife Sally?«

Julian wurde blass. Alexa sah es und stand unwillkürlich auf.

»This is Julian and his friend Alexa«, sagte Robert.

»Nice to meet you«, erwiderte Sally und reichte eine kühle, schlanke Hand, die ähnlich wächsern wirkte wie ihr Gesicht.

»Robert, wir gehen mal eine rauchen, hier drin ist das ja unerwünscht«, sagte Alexa steif und suchte nach Julians Hand.

»Oh, sure, but not too lange, we miss you!«

Ohne ein Wort gingen sie ein paar Schritte und hockten sich auf den Bootssteg. Julian zündete sich eine Zigarette an und ließ das Streichholz ins Wasser fallen, wo es zischend unterging. Er hielt Alexa die Schachtel hin, aber sie schüttelte den Kopf und deutete auf ihren Bauch.

»Wusstest du …«, begann Alexa, aber Julian schnitt ihr das Wort ab.

»Ich hatte keine Ahnung«, flüsterte er. Sie hörten Roberts schwere Schritte.

»What's going on?«, rief er schon von weitem. »Ist alles keine Problem, wir sagen simply …«

»Wir möchten ein Taxi«, sagte Alexa und legte einen Arm um Julian.

Robert sah verständnislos vom einen zum andern.

»Ich kenne das alles«, schluchzte Julian. »Tu einfach so, als gehörtest du zum Personal, meine Frau merkt nichts, sag, dass du ein Schulkamerad bist, fällt gar nicht auf, wir haben getrennte Schlafzimmer, seit Jahren, komm um Mitternacht, aber schleich dich leise an – nein! Nie wieder!«

»Was willst du, darling?« Ohne Schuldbewusstsein stand Robert vor ihm, die Hände in den Hüften.

»Entscheide dich«, sagte Julian und warf die Zigarette ins Wasser. »Und mach die Maschine startklar. Wir fliegen nach New York. Und dann … wann geht denn eigentlich Salzburg los?«

Alexa sah auf die Datumsanzeige ihrer Uhr.

»In drei Tagen. Schaffen wir locker.«

*

Julian war so überrumpelt, dass er erst schreien konnte, als alles vorbei war. Zwar war er überrascht gewesen, als ihn zwei Polizeibeamte gleich am Flugzeug in Empfang genommen und ihn gebeten hatten mitzukommen. Doch dann ging alles ganz schnell. Einer riss seine Hose auf und hielt ihn fest, der andere stülpte sich einen Plastikhandschuh über, mit dem er erst Julians

Mund untersuchte, dann seinen Anus. Nach der Prozedur stießen sie ihn auf eine abgewetzte Holzbank. Es dauerte eine Weile, bis er verstand, was da gerade passiert war. Dann brach er in Tränen aus.

»Ihr Schweine!«, schrie Julian immer wieder. »Ihr elenden Schweine!«

»Nun mach mal nicht so ein Theater, hast es doch gern von hinten, oder?«, sagte der eine Beamte hämisch, ein drahtiger Blonder.

Julian sackte auf der Bank zusammen. Er wollte ihnen drohen, sagen, dass ihnen das noch einmal Leid tun würde. Und doch kam kein Wort über seine Lippen, es gab keinen Trost, er war entrechtet, er war ein Vogelfreier, ein Gejagter, und das hier war erst der Anfang.

»Kein Drogenbesitz feststellbar«, gab der Blonde zu Protokoll. »Und nun der Bluttest. Was ist, willst du Prügel, oder machst du das freiwillig?«

Weinend rollte Julian den Ärmel hoch. Er war gebrochen. Warum nur hatte er sich überreden lassen, hierher zurückzukehren, in dieses Land, das ihn nicht mehr wollte?

»Lassen Sie mich durch, verdammt!«

Alexas Stimme überschlug sich und zerschnitt die muffige Luft wie eine Machete. Dann stand sie in der engen Zelle und betrachtete entsetzt Julian, der sich halb ausgezogen auf der Holzbank krümmte.

»Julian! Was haben sie mit dir gemacht?«

Der kleinere Beamte, ein dicklicher junger Mann, schob sich dazwischen.

»Gnädige Frau, Ihr Begleiter steht unter dem Verdacht, Drogen zu konsumieren und damit zu handeln. Bitte behindern Sie nicht die Kontrolle, Sie machen sich sonst strafbar.«

»Sie damischer Polyp! Das gibt Ärger, das verspreche ich Ihnen. Und was soll das jetzt werden? Eine Blutspende fürs Rote Kreuz? Sie werden den Herrn auf der Stelle ins Flughafenkrankenhaus begleiten, hier holt er sich ja sonst was, so schmutzig, wie das hier aussieht, pfui Deibel!«

»Bitte, wie Sie wollen«, sagte der Polizist beleidigt und trat beiseite. Alexa kniete sich neben Julian.

»Ist gut, ist alles gut, wir schaffen das schon«, flüsterte sie, während die beiden Beamten einander angrienten.

Zwei Stunden später stand Julian unter der Dusche. Er stellte das Wasser immer heißer, obwohl sein ganzer Körper bereits hochrot war. Alles wollte er abduschen, die Entwürdigung, die Müdigkeit, die Angst. Die Münchner Wohnung machte ihn nervös. Tommy war verschwunden. Julian hatte ihn aus New York angerufen und ihm alles gebeichtet, die neue Liebe, sein neues Leben. Gut, hatte Tommy gesagt, du steckst bis zum Hals in der Scheiße, du verlässt mich, gut, gut, aber tu mir den Gefallen und rechne nicht weiter mit mir. Ich gehe.

Wie ein ungebetener Gast streifte Julian durch die Wohnung, ein Handtuch um die Hüften geschlungen. Überall Fotos, überall Erinnerungen. War das wirklich erst zwei Wochen her, diese heile Welt?

Er versuchte sich zu beruhigen. Mechanisch spulte er alle Rituale seines alten Lebens ab. Legte die CD mit Mozart-Sinfonien auf, warf die Espressomaschine an, griff zur Zeitung, die wie immer auf dem Küchentresen lag. Alles war so wie immer.

Doch es half nichts. Sein altes Leben gab es nicht mehr. Er war nicht mehr derselbe. Ich muss in den Salon, dachte er hilflos, wenn ich erst mal wieder im Salon bin, wird alles gut. Dann sah er den Brief im Schlafzimmer, mitten auf dem Bett. »Lieber Julian«, las er, »es ist so weit. Du weißt, ich wollte immer schon mal eine Auszeit zu nehmen. Sie hatten im Kloster einen Platz für mich. Such mich nicht. Viel Glück.«

Julian sank auf das Bett. Seit Jahren hatten sie davon gesprochen, für eine Weile in ein zenbuddhistisches Kloster zu gehen. Der Welt den Rücken zu kehren. Sich den zuchtvollen Ritualen heiliger Männer zu unterwerfen. Tommy hatte es geschafft.

Ich gehöre in kein Kloster, ich gehöre in den Salon, hämmerte es in Julians Kopf. Er vermisste den Moment, wenn er morgens den Laden aufschloss, ganz allein, das Licht und die Musik anstellte, einen ersten Kaffee kochte, lange bevor der Salon sich füllte. Ich gehöre in den Salon, wiederholte er sich stumm, wie ein Mantra. Dann bestellte er ein Taxi.

Das Taxi fuhr viel zu langsam. Aber München stand noch, stellte Julian erleichtert fest, die Kirchtürme waren unversehrt, die Glocken läuteten, am Viktualienmarkt lagen die ersten Kürbisse des Jahres auf den Ständen.

»Ich bin wieder da!«, rief er, als er die Glastür zum Salon öffnete.

Dann blieb er stehen. Es war still. Völlig still. Kein Föhn war zu hören, kein Geplauder, nichts.

»Hallo?«, fragte er unsicher.

»Julian, oh Gott!«

Vera Kallmeyer, die Münchner Salonchefin, kam auf ihn zugelaufen und umarmte ihn.

»Ich bin ja so froh, dass du wieder da bist«, sagte sie, doch sie wirkte ängstlich, nicht erleichtert. Julian stürmte an ihr vorbei, vorbei am Faun, vorbei an der Bar, er lief nach hinten, dorthin, wo die Haarfront war. Seine Haarfront.

Doch alle Stühle waren leer, es war kein Mensch da, bis auf einen Lehrling, der in der Ecke eine Perücke kämmte.

»Was ist hier los?«, schrie er.

Vera war ihm gefolgt.

»Nichts«, sagte sie und begann zu weinen. »Das ist es ja. Einfach nichts.«

Julian sank auf einen der schwarzledernen Drehstühle.

»Wo sind die Kunden?«, flüsterte er heiser. »Wo sind die Friseure?«

»Weg, alle weg«, sagte Vera und kniete vor ihm auf dem Boden. »Es ging alles ganz schnell. Am Tag nach dem Artikel in der ›Society‹ wurden fast alle Termine storniert. Sogar die Stammkundinnen sagten ab. Und dann kreuzte so ein Typ hier auf, wie hieß der noch, Hellmann oder Bellmann, der machte sich an die Friseure ran.«

Sie zündete sich eine Zigarette an.

»Einen nach dem anderen hat er abgeworben, die Ersten gingen gleich, und als nach einer Woche kein einziger Kunde mehr kam, da gingen auch die, die schon ganz lange bei dir waren, sie sagten, hier gibt es nichts mehr zu verdienen, Julian ist weg, und der Hellmann oder Bellmann zahlt das Doppelte, der hat Läden ohne Ende, und seitdem bin ich hier ganz allein, nur Richard ist noch da, der hat gesagt, er lässt dich nicht im Stich.«

Julian sah kurz zu dem Lehrling hinüber, der mit hängenden Schultern in der Ecke stand. Er ging zu ihm und nahm ihn in den Arm. Dann schlenderte er langsam durch die Räume, Schritt für Schritt, er strich über die Spiegel, er streichelte den Faun, dann sagte er: »Vera, den Schlüssel bitte.«

Sie sah ihn an, mit Tränen in den Augen.

»Den Schlüssel.«

Zögernd ging sie zum Tresen, holte den Schlüssel und gab ihn Julian.

»Wir machen zu. Aus. Vorbei«, sagte Julian.

Im Bayerischen Hof bestellte er einen Wodka Tonic. Der Barkeeper grüßte ihn freundlich.

»Na, wie geht's?«, fragte er so unverbindlich wie immer.

Las der keine Zeitung? Oder war das der pure Hohn? Egal. Julian bestellte einen zweiten Wodka Tonic.

»Ich habe Sie schon erwartet«, sagte der Mann mit der Aura eines Aktenordners. Julian spürte, wie eine Gänsehaut über seinen Körper kroch.

»Darf ich?«

Theo Wellmann wartete keine Antwort ab, sondern setzte sich direkt neben Julian an den Tresen.

»Dasselbe!«, rief er dem Barmann zu und sah an Julian vorbei. »Wie läuft's?«

Julian stellte überrascht fest, dass er nichts spürte. Einfach nichts. Keinen Zorn, keine Rachegefühle. Er war soeben erloschen.

»Sie haben wirklich tolle Leute, ich bin völlig begeistert. Solide Ausbildung, gute Ideen, perfekte Kundenbetreuung«, schnarrte der Manager.

Was wollte der denn noch? Zwischen den Flaschen entdeckte Julian sein eigenes Gesicht im Spiegel hinter der Bar, ein verwirrtes, blasses Gesicht. Und daneben die graue, unpersönliche Maske von Theo Wellmann, die weitersprach.

»Aber Sie, mein Lieber, Sie sind auf null. Es sind schon beträchtliche Schulden aufgelaufen. München, Hamburg – alles tot. Nur den Berlinern ist mal wieder alles egal. Da läuft noch was. Aber viel ist es auch nicht. Was ist, wollen wir verhandeln?«

Teilnahmslos starrte Julian in den Spiegel.

»Ich weiß, Ihr Name ist im Moment nicht das Schwarze unterm Nagel wert«, sagte Theo Wellmann und betrachtete zufrieden seine manikürten Hände.

»Aber das wird sich ändern. Ich habe gute Leute, Image-Spezialisten. Wir kriegen das schon hin. Die Leute interessieren sich für Sie. Darauf bauen wir auf. Wir entwickeln eine Strategie, ein Marketing-Konzept. Wie ich hörte, will Gabriele Himmerl von der ›Society‹ ein Buch über Sie schreiben. Die kaufen wir ein. Ganz easy. Ich habe das schon mal gecheckt. Für Geld macht die alles.«

Julian war nicht in der Lage, auch nur den kleinen Finger zu bewegen.

»Sagen wir mal, ich kaufe Ihnen den ganzen Kram ab, die drei Salons und die Haarpflege-Linie, der Preis ist Verhandlungssache, dann bügeln wir Ihr Image auf und – schwupps, sind die Läden wieder voll. Sie müssen da gar nicht mehr rein. Ein, zwei Auftritte im Monat, hier eine Party, dort eine Vernissage, schön das Gesicht in die Kamera halten, das reicht völlig. Das Business wuppen wir nach dem Franchise-System. Da können wir dann locker expandieren. Köln, Düsseldorf, Marbella und so weiter.«

In Julians Ohren kreiste ein Kinderkarussell. Die Blaulichter auf den winzigen Polizeiautos blinkten.

»Nun sagen Sie doch mal was. Aber wenn ich Ihnen einen Rat geben darf: Sie haben keine Wahl.«

Dann kippte Julian langsam vom Barhocker.

*

Hermann Huber riss die Tür zu Gabrieles Büro auf und warf sie krachend ins Schloss.

»Aufwachen! Er ist wieder da«, frohlockte er.

Gabriele sah geistesabwesend von ihrer Häkelarbeit auf, mit der sie sich die Zeit des Wartens vertrieb. Sie saß ihren Job nur noch aus. Geschrieben hatte sie keine Zeile mehr seit ihrem Artikel über Julian. Nur wenn sie zur Toilette musste, wagte sie sich auf den Flur und strich dann durch die Redaktion wie ein Geist.

»Na, komm, Mädel, auf geht's! Unsere grünen Freunde haben gerade angerufen, sie haben Julian gleich nach der Ankunft kräftig ...«, Hermann Huber schüttelte sich vor Lachen, »... kräftig auf den Zahn gefühlt, muss eine heiße Nummer gewesen sein, aber er war clean, der Süße, wer hätte das gedacht?«

Gabriele wandte sich wieder ihrem Häkeldeckchen zu. Es war die Idee ihrer Therapeutin gewesen, dass sie sich mit Handarbeiten von den Fährnissen ihrer Zunft erholte, und sie stürzte sich mit Eifer auf diesen Zeitvertreib, der bereits allen ihren Kollegen selbst gemachte Geschenke beschert hatte.

»Salzburg?«, sagte sie nur. Sie wiederholte seit Tagen dieses Wort, wie ein Kind, das ein ersehntes Geschenk durch die pure Magie der Sprache herbeizaubern will.

»Ja, von mir aus auch Salzburg«, sagte Hermann Huber und blickte mit Abscheu auf das rosa Deckchen herab, das zwischen Gabrieles Fingern entstand.

»Wird das ein Klorollenkondom oder was?« fragte er ungeduldig.

»Nein, ein Untersetzer. Für deinen Schreibtisch. Das schont das Wurzelholz, verstehst du?«

»Also willst du nun die Julian-Story, oder nicht?«, fragte Hermann Huber und sah auf die Uhr.

Gabriele schwieg. Seit sie diese fantastischen Beruhigungsmittel nahm, ließ sie sich nicht mehr unter Zeitdruck setzen. Voller Elan war sie zunächst an ihren Arbeitsplatz zurückgekehrt, nach dem Intermezzo in dem Altöl-Schuppen, wie Herrmann das Vital-Resort nannte. Doch inzwischen hatte sie kapituliert vor diesen ganzen Melanies, die ihr Ressort wie Hyänen unter sich aufgeteilt hatten. Und der Cocktail bunter Tabletten, den sie all-morgendlich nahm, ließ das Ganze wunderbar undramatisch wirken.

Dann regte sich dunkel eine Erinnerung in ihr.

»Julian?«, fragte sie.

»Er ist wieder da«, sagte Hermann Huber mit mühsam gespielter Geduld und setzte sich an Gabrieles Schreibtisch. Auf dem Monitor des Computers schwammen bunte Fische umher. Mit einem Klick entfernte Herrmann den Bildschirmschoner. Während Gabriele stumm vor sich hin häkelte, begann er mechanisch, ihre E-Mails zu lesen. Die gute Gabi hat sowieso den Überblick verloren, dachte er, da kann man ja mal ein bisschen stöbern.

Plötzlich stutzte er.

»Ja, sag mal, Gabimaus, was machst du denn für Sachen? Wieso will denn ausgerechnet der Wellmann was von dir? Was läuft denn da?«

Aufgeregt las er die umfangreiche Mail.

»... großzügiges Honorar wird es Ihnen leicht machen, ein positives Bild von unserem gefallenen Engel zu zeichnen ... also, verdammt noch mal, das ist ein Kündigungsgrund, weißt du das überhaupt? Läufst hier Undercover mit, ziehst dir alle Infos rein und häkelst klammheimlich an deinem eigenen Ding?«

»Wieso?«, fragte Gabriele.

»Jetzt pass mal gut auf, ja?«

Hermann Huber sprang auf und trat dicht an Gabriele heran. Schwer atmend legte er einen Finger unter ihr Kinn.

»Die Mata-Hari-Nummer ist durch. Pack deine Sachen. Du bist gefeuert.«

»Ach so«, sagte Gabriele gleichmütig. »Aber darf ich diese Reihe noch zu Ende häkeln? Ist nämlich so gut wie fertig.«

Hermann Huber lachte höhnisch auf.

»Fertig? Ja, genau. Ich bin fertig mit dir. Ich will dich hier nie wieder sehen. Pack endlich deine Sachen!«

»Salzburg?«, fragte Gabriele.

*

Alexa war in Form. Das Hotel Sacher war ihr Wohnzimmer, ihr Refugium. Und heute Abend, nach der Premiere, würde sie hier den sechzigsten Geburtstag ihres Mannes feiern.

Sie hatte alles perfekt vorbereitet. Die Miniaturkanonen, aus denen mit Mozartkugeln um Mitternacht Salut geschossen werden sollte. Die Tango-Truppe aus Buenos Aires, die ihrem Brilli beim letzten Südamerika-Trip so gut gefallen hatte. Und eine Geburtstagstorte, deren Dekoration eine frivole Liebeserklärung sein würde, ganz nach dem exzentrischen Geschmack ihres Gemahls. Sechzig Phalli in Marzipan waren von Konditorhand geformt und naturgetreu koloriert worden, und zwei kichernde Küchenhilfen klebten sie gerade mit Zuckerwasser auf die Torte.

Verstohlen betrachtete sie sich in einem der goldverzierten Spiegel. Die Schwangerschaft stand ihr gut. Ihre Haut war prall und rosig, das kleine Bäuchlein sah allerliebst aus. Und ihr Ruf hatte wundersamerweise kaum gelitten. Im Gegenteil. Bis auf ein paar eisgraue Honoratioren hatten alle die Skandale mit größter Nonchalance hingenommen. Julian stand am Pranger, sie aber blieb, was sie war: eine etwas exaltierte Fürstin mit hohem Unterhaltungswert, die zwar zuweilen einen zweifelhaften Umgang hatte, deren gesellschaftliche Position aber unanfechtbar war. Man sah ihr die Capricen nach und führte ihre Jugend als Entschuldigung an. Selbst die Abmahnung durch ihren Gatten war eher sanft ausgefallen, denn die Aussicht, Vater zu werden, hatte ihn milde gestimmt.

Unternehmungslustig trank Alexa ihren morgendlichen Cappuccino und ging mit dem Küchenchef das Menü durch. Den Brotsalat mit Wachtelbrust und Traubenkernöl. Die mit Birne und Ricotta gefüllten Ravioli zur rosa gebratenen Hirschlende. Das Champagnersüppchen mit dem Zitronengrassorbet. Auf jedem Tisch stand ein Familienwappen aus Schokolade.

Nur Julian machte ihr Kummer. Sie hatte ihn direkt vom Bayerischen Hof abgeholt, tags zuvor, aus einem verdunkelten Zimmer, in das man ihn nach seinem Zusammenbruch transportiert hatte.

Er wollte nicht reisen, nirgendwo hin. Er hatte sich gewehrt, aber sie hatte kurzerhand den Flieger abbestellt und einen Johanniter-Unfallwagen geordert, der mit Blaulicht über die Autobahn gerast war. Nun lag er oben in seiner Suite und sah fern, murmelte irgendetwas von »Baseball« und zappte sich durch die Sportkanäle.

Als sie kurze Zeit später bei ihm anklopfte, blieb alles still. Sie öffnete vorsichtig die Tür und erschrak. Julian hatte eine Flasche Rotwein geöffnet und den größten Teil im Bett verschüttet. Verwirrt saß er in den Laken aus Satin und betrachtete die roten Flecken um sich herum.

»Blute ich?«, fragte er, als Alexa sich zu ihm setzte.

»Aber nein. Du bist völlig in Ordnung. Nur ein bisschen erschöpft.«

Julian nahm ihre Hand, und Alexa schrie auf. Aus seinen Handgelenken tropfte es. Das war kein Rotwein. Erst jetzt sah sie die Scheren auf dem Nachttisch. Blank glänzende, kostbare Friseurscheren, die er sogar ins Flugzeug mitnehmen durfte, mit einem Spezialausweis.

»Um Gottes willen, Julian, was soll das? Warum zum Teufel schnitzt du hier an dir herum? Weg mit diesem verdammten Zeug!«

Sie schleuderte die Scheren auf den Teppich.

Julian presste seinen Kopf in die Kissen und sah an ihr vorbei.

»Das ist schließlich mein Handwerkszeug«, flüsterte er.

»Julian mit den Scherenhänden, sehr witzig. Hast du Heftpflaster?«

Er reagierte nicht.

Wortlos sammelte Alexa die Scheren ein.

»Die kommen in Sicherheitsverwahrung. Und ich hole mal Pflaster. Wenn wir einen Arzt kommen lassen, steht es morgen in der Zeitung.«

Kurze Zeit später war sie wieder da.

»Hier, es gab nur Kinderpflaster an der Rezeption. Knatschgelb, mit Dinosauriern. Egal. Und heute Abend feiern wir deine Rettung.«

Julian schloss die Augen.

»Danke. Du meinst es gut, ich weiß. Aber ich schaffe das alles nicht. Nicht heute Abend. Vielleicht morgen früh. Oder übermorgen.«

Er ließ sich zurücksinken und zog die Beine dicht an den Körper.

»Ruh dich noch ein bisschen aus«, flüsterte Alexa. »Und heute Nachmittag fahren wir ins Grüne, an den Wolfgangsee vielleicht, wir lassen die Füße ins Wasser baumeln und reden über alles.«

Julian hielt weiter die Augen geschlossen.

»Ich hatte gerade einen Anruf«, sagte er.

Alexa ließ seine Hand los.

»Robert«, sagte Julian kraftlos. »Er hat sich durchtelefoniert. Hat irgendwie herausbekommen, wo ich bin. Er will sich von seiner Frau trennen. Er will mit mir leben. Er hat schon einen Innenarchitekten bestellt für den Laden an der Fifth Avenue.«

Es klopfte. Ein Page brachte einen großen weißen Umschlag. Alexa riss ihn auf.

»Ein First-Class-Ticket nach New York«, sagte sie und stöhnte auf.

Julian blickte zur Zimmerdecke und begann, die Stuckrosetten zu zählen. Alexa ließ sich vom Bett gleiten.

»Los, anziehen. Wir fahren zum See.«

Gehorsam stand Julian auf, während Alexa das Ticket in ihrer Handtasche verschwinden ließ.

Er hatte fast vergessen, wie schön die Landschaft rund um Salzburg war. Kein Vergleich mit der ausgedörrten Wüste von Detroit, wo nur die Tag und Nacht rieselnden Wassersprenger kleine grüne Inseln ertrotzten. Und doch sehnte er sich nach den Reklametafeln, nach der Yacht, nach Robert. Gedankenversunken hockte er im Fond der Limousine neben Alexa, die mit dem Chauffeur plauderte.

»Heuer hat's ein Bombenwetter«, sagte der Mann am Steuer und schob die Mütze gerade. »Aber den Schnürlregen, den kriegen wir auch noch hin.«

»Wenn auch nur eine Wolke am Himmel auftaucht, sind Sie entlassen«, erwiderte Alexa und drückte auf den Knopf, der eine gläserne Trennwand hochgleiten ließ.

»Kaum ist man leutselig, werden die Burschen frech«, beschwerte sie sich.

Julian hörte gar nicht hin.

Der Wolfgangsee sah aus wie ein Vierfarbdruck auf Hochglanzpapier. Ruderboote strichen darüber hinweg, ein paar Kinder spielten am Ufer.

Alexa und Julian gingen vorbei an den rotkarierten Tischdecken des kleinen Ausschanks, der sich einige Berühmtheit durch die alljährliche Anwesenheit eines ehemaligen Kanzlers erworben hatte. Etwas abseits von den picknickenden Familien breiteten sie eine Decke aus. Stumm lagen sie eine Weile da und betrachteten den Himmel.

»Und?«, fragte Alexa schließlich.

»Was – und?«

»Fliegst du rüber?«

»Keine Ahnung«, sagte Julian. »Das heißt – ja.«

Resigniert öffnete Alexa ihre Handtasche und überreichte ihm den Umschlag mit dem Ticket. Julian überflog den Brief, der an dem Ticket hing, dann setzte er sich unvermittelt auf.

»Was schreibt er denn?«, wollte Alexa wissen.

»Er? Der Brief ist von Chantal! Und das Ticket auch! Sie heiratet, das verrückte Hascherl. In New York, genauer gesagt in Harlem. Arme Marina.«

Alexa streichelte die Dinosaurier auf seinen Handgelenken.

»Morgen fliegen wir«, sagte sie. »Aber vorher ziehen wir hier noch ein paar Sachen durch.«

Julian ließ sich zurückfallen auf die Decke.

»Ich ziehe hier gar nichts mehr durch. Ist mir alles völlig egal.«

»Null Bock steht dir nicht«, antwortete Alexa und holte einen Joghurtbecher und einen kleinen Löffel aus ihrer Tasche. Sie hatte neuerdings ständig Hunger.

»Egal.«

»Egal?«, fragte Alexa aufgebracht, während sie den Stannioldeckel des Joghurtbechers ableckte. »Du hast mit drei Jahren unterm Zug gelegen, schon vergessen? Und du hast überlebt. Ein Wunder. Ein echtes Wunder! Die Votivtafeln hängen immer noch in der Wieskirche. Danke für die Rettung des kleinen Julian, haben deine Großeltern darauf geschrieben. In Sütterlin. Ich war neulich da, mit einer Freundin aus Italien, die Dinger hängen da wirklich noch. Und eben war's auch mal wieder knapp. Aber du lebst. Weißt du, was das bedeutet? Der liebe Gott hat noch was vor mit dir. Du kannst jetzt nicht einfach sagen: April, April, ich mache nicht mehr mit.«

Julian schaute weiter nach oben.

»Du gehst heute mit mir auf die Vernissage bei Ruben Leszek. Nur mal so zum Üben. Die Premiere kannst du von mir aus knicken, aber bei der Geburtstagsfeier schlägst du auf. Und morgen machen wir den Abflug, klar?«

Ein kleines Mädchen kam auf sie zugelaufen.

»Habt ihr meinen Ball gesehen?«, fragte es.

Julian starrte das Mädchen an. Es war blond wie er und trug eine Brille. Er schüttelte nur den Kopf. Enttäuscht hüpfte es davon.

»Ich wollte immer Kinder«, flüsterte er.

Alexa streichelte ihren Bauch.

»Die Kleine hier wird dein Patenkind. Und wenn dir das nicht reicht, dann lass mal ein bisserl was einfrieren, wir finden noch eine empfangsbereite junge Dame, die sich dafür hergibt. Oder willst du dein Erbgut persönlich einarbeiten?«

»Ich kann darüber nicht lachen. Du verstehst das nicht. Damals, als ich noch …«, er brach ab.

»Als du was?«, fragte Alexa und ließ den Löffel sinken.

»Es war noch nicht so klar, ob ich, du weißt schon. Herrgott, sie war irgendein nettes Mädel, irgend so ein Schwabinger Schmetterling. Sie wurde schwanger.«

»Nein!«

»Doch. Sie wollte es unbedingt haben. Aber nicht mit mir, verstehst du? Nicht mit so einem hergelaufenen jungen Friseur, der sich nicht zwischen Jungs und Mädels entscheiden konnte.«

Alexa betrachtete ihn entgeistert.

»Und?«

»Und irgendwo läuft jetzt mein Kind herum, verstehst du, ich habe keine Ahnung, wo und wie, ich weiß nicht einmal, ob es ein Junge oder ein Mädchen geworden ist, aber ich denke so oft daran, es ist furchtbar …«

Alexa saß eine Weile wortlos neben Julian, dann reichte sie ihm ein Papiertaschentuch.

»Nicht weinen«, flüsterte sie.

»Das habe ich mein Leben lang gehört«, sagte Julian. »Nicht weinen! Nicht schreien! Schön brav sein! Ich kann das nicht mehr!«

»Dann schrei«, sagte Alexa. »Los! Schrei! Laut! Mach schon!«

Julian sah etwas unsicher in ihr Gesicht, dann holte er Luft und schrie.

»Lauter!«, rief Alexa.

Die ersten Familien starrten herüber.

Und Julian schrie. Sein Gesicht rötete sich, die Adern an seinem Hals zeichneten sich deutlich ab.

Plötzlich stand das kleine Mädchen wieder vor ihnen. Halb interessiert, halb mitleidig betrachtete es Julian und zupfte an seinem rotgeblümten Kleid herum.

»Hast du ein Aua?«, fragte es unbefangen.

Julian verstummte. Dann begann er zu lächeln. Schließlich lachte er laut und überschwänglich.

»Ja, ich habe ein Aua. Ein großes Aua.«

»Heile, heile Segen, sieben Tage Regen, sieben Tage Sonnenschein, dann wird's wieder besser sein!«, sagte das Kind sein Sprüchlein auf.

»Marie! Komm sofort hierher!« Ein dicker Mann kam angerannt, er trug eine kurze Sporthose und ein verschwitztes T-Shirt. Wütend baute er sich vor Julian und Alexa auf.

»Kinderschänder!«, stieß er zwischen den Zähnen hervor und zerrte das Mädchen mit sich fort.

»Lass uns gehen, bevor sie den Dorfgendarmen holen«, sagte Alexa. »Die Kinderschänder-Schlagzeile sollten wir uns schenken. Und knöpf bitte deine Manschetten zu, die Pflaster gehen keinen was an.«

*

Die Gemälde waren wie immer avantgardistisch genug, um nicht als spießig zu gelten, und doch hinreichend couchkompatibel, um erfolgreich verkauft zu werden. Der Galerist Ruben Leszek begrüßte gerade Beate Budenbach, was zu einer tänzerischen Einlage führte, denn sie hatte ein bemerkenswertes Geschick, ihre Umarmungen immer im optimalen Winkel für die anwesenden Fotografen zu inszenieren. Ruben Leszek ließ es widerspruchslos geschehen, dass die beleibte Journalistin ihn am Arm herumdrehte wie eine unnachgiebige Tanzlehrerin und lächelte willfährig in die Kameras.

Er war ein noch junger Mann, der wie ein sympathischer Konfirmand wirkte, stets in schwarze Anzüge gekleidet, die eine Spur zu eng zu sein schienen. Die rechteckigen Brillengläser seiner zu großen Hornbrille verliehen ihm einen gleichermaßen klugen wie hilflosen Blick, der in den weiblichen Gästen verlässlich mütterliche Gefühle weckte. Das hatte zu seinem Erfolg als Galerist nicht unwesentlich beigetragen.

Alle waren sie da: Münchner Hochadel und Hamburger Kaffeeadel, dazu der regionale Landadel und ein paar medial nobilitierte Schauspielerinnen, und alle hatten den Nachmittag als modische Aufforderung verstanden, folkloristische Statements auf Haute-Couture-Niveau abzugeben. Die Herren trugen mit Cashmere verfeinertes Loden oder hatten zumindest Hirschhornknöpfe auf ihre Mailänder Leinenjackets nähen lassen, die Damen kamen allesamt leicht verdirndlt daher, was den Bildern an der Wand eine ernst zu nehmende Konkurrenz bescherte, so farbenfroh und blütenselig leuchteten die Stoffe.

Es war das erste Mal, dass Julian diese Galerie in Jeans betrat. Er, der immer in Maßanzügen auftrat, untadelig, elegant, er genoss heute das noch ungewohnte Gefühl, den Dresscode zu ignorieren. Sogar die rosafarbenen Flecken, die Alexas Erdbeerjoghurt auf seinem Hemd hinterlassen hatte, störten ihn nicht im Geringsten. Er wollte nicht mehr schön brav sein, oh nein.

Alexa hatte ihr Sommerkleidchen zwar noch rasch mit einem Pashminaschal gehypt, dennoch wirkten die beiden wie zwei verirrte Ausflügler, die offenbar die Galerie mit einem Biergarten verwechselt hatten. Lauernde Blicke trafen Alexa und Julian, instinktiv wichen alle zurück, wenn sie sich näherten.

»Siehst du das? Diese Spraywolke über Salzburg?«, raunte Julian. »Verklebt sind sie alle, hart und verklebt.«

»Alexa!« Mit einem Freudenschrei trat Beate Budenbach auf die junge Fürstin zu. Umarmung, Lächeln, Foto. Julian stand abwartend daneben.

»Ich habe einen Begleiter«, insistierte Alexa.

»Ach ja, Entschuldigung, natürlich, hallo Julian, auch mal wieder im Lande?«

Ihm entging nicht, dass die Profifrau unverzüglich den Fotografen ihren Rücken zuwandte, während sie ihm kühl die Hand reichte.

»Schad um das schöne Foto«, sagte Alexa ungerührt und hakte Julian und Beate unter, um sich mit einer abrupten Drehung den Fotografen zu präsentieren.

»Julian! Wie geht's? Hierher! Und noch einmal!«

Das übliche Geschrei der Fotografen stand in merkwürdigem Kontrast zu der Stille, die ringsum eingetreten war. Alle beäugten das schrille Trio, die wie immer nachtschwarz verhüllte Beate, die peinlich berührt das Gesicht zu einem verrutschten Grinsen verzog, die sommerlich hübsche Alexa und den lässig gekleideten Julian, der ohne das übliche Lächeln selbstbewusst die Objektive fixierte.

Schließlich löste Alexa das lebende Bild auf und ging auf Klaus-Dieter Weber zu.

»Hallo, mein Kläuschen«, lachte sie, »schön, dass …«

»Sag mal, musste das sein?«, fragte der Journalist statt einer Begrüßung und hob die Augenbrauen, während er zu Julian hinüberblickte. »Der Mann ist doch nicht mehr gesellschaftsfähig, meine Liebe.«

»Total déclassé«, fiel Ellen von Anhalt ein, die empört ihr Pradatäschchen schwenkte. »Liest du keine Zeitung?«

Alexa stutzte kurz.

»Adieu, mein Kläuschen, ciao, Ellen«, sagte sie nur und zog Julian zum Tresen, der sich daraufhin merklich leerte.

»Ich habe es dir ja gesagt, für die bin ich durch«, sagte Julian leise. »Und Brillis Geburtstag musst du ohne mich feiern.«

»Wer sind die denn schon?« erwiderte Alexa. »Ist doch ein B-Picture hier.«

Doch sie schien selbst ein wenig überrascht zu sein, wie rasch der Mechanismus einklickte, mit dem die gute Gesellschaft Freund und Feind einsortierte. Sie hatte ihre Macht überschätzt, durch pure Solidaritätsbezeigungen war Julian nicht zu rehabilitieren. Aber wie denn bloß, wenn es so nicht klappte, wenn ihr guter Name nichts ausrichten konnte?

Nervös trank sie ein Glas Mineralwasser und suchte das Publikum nach jemandem ab, der den Bann brechen würde. Irgendwer musste doch Herzensbildung genug haben, um sich dem allgemeinen Kesseltreiben zu verweigern. Doch sie suchte vergeblich. Plötzlich hielt sie inne.

»Ich glaub's ja nicht«, presste sie hervor.

Julian folgte ihrem Blick. Ungeschminkt, ein graubraunes Tuch um den Kopf geschlungen, schlich eine Frau durch das Gewühl. Sie hatte die Schultern nach vorn geschoben und das Kinn gesenkt, ihr Schritt war unsicher, manchmal taumelte sie fast. Ihre Augen glitten unstet über die Gesichter, die sie mit einem gleichsam vernarbten Lächeln grüßte, sie summte leise vor sich hin und zog unablässig ihren Häkelschal fester um den Hals. Es war Gabriele Himmerl.

»Oh Gott«, flüsterte Alexa.

Sprachlos betrachtete Julian die Frau, die mit ein paar Federstrichen sein Leben zerstört hatte. Sie war es. Sie war es wirklich. Er hatte bisher nicht die Energie besessen, sich irgendwelche Rachefantasien auszudenken. Dennoch war er dunkel entschlossen gewesen, sie zu verletzen, so, wie sie ihn verletzt hatte.

Aber jeder Gedanke an Revanche prallte ab an diesem bejammernswerten Geschöpf, das orientierungslos durch die Galerie irrte. Er schloss die Augen. Schreien wäre jetzt gut, dachte er, warum schreit denn keiner? In diesem Moment entdeckte Gabriele Julian und Alexa. Sie blinzelte, dann flackerte etwas in ihrem leblosen Gesicht auf, und sie bewegte sich langsam auf den Tresen zu.

»Julian«, sagte sie mit mürber Stimme. »Julian?«

Als sei er ein verschollener Verwandter, der nach jahrelangen Kriegswirren wieder aufgetaucht war, nahm sie ihn in Augenschein, ungläubig und verstört.

»Julian und Alexa?«, fragte sie noch einmal, dann neigte sie den Kopf zur Seite und sah durch sie hindurch. Ihr beigefarbenes Kostüm war fleckig, und statt einer Handtasche trug sie einen schmierigen Beutel, aus dem Wollknäuel herausragten. Ein paar Tränen lösten sich aus ihren Augen, ohne dass sie es zu bemerken schien. Julian und Alexa waren unfähig, etwas zu erwidern.

»Salzburg«, sagte Gabriele zum Abschied. »Ich bin da. Ich bin in Salzburg.«

Ihre Lippen zitterten, als sie sich ein hellblaues Dragee in den Mund schob. Sie hob die Hand zum Gruß, und es schien sie ungeheuer anzustrengen, die Mundwinkel noch einmal nach oben zu ziehen. Dann wankte sie davon.

»Ach, du grüne Neune«, sagte Alexa und nahm ein zweites Glas Mineralwasser.

Julian schwieg. Durch seine Erschütterung hindurch fühlte er mit ungeheurer Erleichterung, wie mit einem Mal alle Rachegedanken von ihm abfielen. Statt Hass gewahrte er staunend so etwas wie Empathie. Gabriele Himmerl, du bist eine arme Sau, dachte er. Und plötzlich sagte er sich: Ich habe es geschafft. Ich mache nicht mehr mit bei diesem Spiel, in dem Gefälligkeiten und Bösartigkeiten wie eine Währung ausgetauscht werden. Ich bin frei.

Sie standen nun ganz allein am Tresen, wie unter Quarantäne, nur ein junger Mann und seine Begleiterin waren noch da, versunken in ihr Gespräch.

»Ein einziges Bild ist richtig gut, der Farbrausch da drüben, dieses Grün, der Künstler malt in Schichten, wie die alten Meister, sieh doch nur, wie es glüht, aber leider ist es viel zu teuer …«

Julian drehte sich um. Er kannte das Gesicht. Er kannte diesen jungen Mann.

»Was ist los?«, fragte Alexa.

»Kakerlakenrennen«, sagte Julian.

»Was?«

»Es war beim Kakerlakenrennen.«

Nun wandte sich auch der junge Mann um. Er musterte Julian kurz, dann lächelte er.

»Wir – kennen uns, oder?«

»Kennen ist – ist, äh, zu viel gesagt«, stammelte Julian.

Das Mädchen stieß den jungen Mann an.

»Das ist doch ...«, flüsterte sie, doch er achtete nicht auf sie.

»Das war – sehr schön, was Sie da gerade über das Bild gesagt haben«, fuhr Julian fort. Schade, dachte er, die richtig tollen Männer sind immer Heteros. Wirklich schade.

»Gefällt es Ihnen auch?«, fragte der junge Mann.

»Es ist wunderbar«, sagte Julian. Herrgott, warum fiel ihm jetzt nicht mehr ein? »Und Sie sprechen so schön darüber.«

»Ach wirklich?«, fragte der junge Mann. »Na, hoffentlich klang es nicht wie die übliche Beeindruckungsprosa, die hier abgesondert wird.«

Das Mädchen kicherte. Sie trug ein grauseidenes Etuikleid und hatte besitzergreifend eine Hand auf die Schulter ihres Freundes gelegt.

»Das Bild ist wirklich wunderbar. Nur ein bisschen zu teuer«, sagte der.

»Ich möchte es Ihnen gern schenken«, sagte Julian. »Ruben wird mir einen guten Preis machen.«

»Ich heiße Benedikt«, sagte der junge Mann. »Und ich bin zwar zuweilen bestechlich, aber durchaus nicht käuflich«.

Er sagte es ohne Vorwurf, ohne Schärfe, einfach nur selbstbewusst, und Julian hätte ihn dafür am liebsten umarmt.

»Julian«, stellte er sich vor. »Und das ist Alexa.«

Sie gaben sich alle steif die Hand, und Julian registrierte mit einer unerklärlichen Erleichterung, dass Benedikt seine Freundin nicht namentlich vorstellte.

»Lass uns gehen, ich komme zu spät zur Premiere«, sagte Alexa.
»War nett, Sie kennen zu lernen.«
Dann nahm sie Julian an die Hand und durchquerte mit ihm die Galerie.
»Wer ist denn der?«, fragte sie im Gehen.
»Warte mal, Schatzerl, erst kaufe ich noch das Bild«, rief Julian und machte sich los.
Und so kam es doch noch zu einer blitzlichterhellten Umarmung mit Ruben Leszek, der an diesem Nachmittag sein teuerstes Exponat verkaufte.

*

»Halleluja!«, rief der rundliche Priester und riss die Arme hoch. Die Gemeinde echote prompt.
»Halleluja! Halleluja!«, schallte es durch die kleine, heruntergekommene Kirche, in der wegen notorischen Geldmangels neben Madonnenstatuen und Heiligenbildchen auch Cola-Reklamen und Neonschriftzüge hingen, die zum Kauf von »Bud light« aufforderten.
Chantal trug ein schwarzes Lackensemble, dessen Dekolletee genau genommen am Bauchnabel endete; ihre Füße steckten in Lackstilettos und die stachelige kleine Bürste auf ihrem Kopf war kobaltblau gefärbt.
»Praise the Lord!«, skandierte der Priester, und Julian sang aus vollem Halse »Praise the Lord!«
Er war wie die anderen aufgesprungen. Alle hielten sich an den Händen und wippten im Rhythmus der grell wimmernden Wurlitzerorgel. Ja, dachte er, ich singe, ich schreie, immer raus damit, Halleluja, praise the Lord! Voller Inbrunst fiel er in den Refrain ein, denn er hatte allen Grund dazu. Er lebte, er hatte überlebt, und die Versöhnung mit Robert war ein glückseliges Erdbeben gewesen, das sie einen Tag und eine Nacht lang im Bett begangen hatten. Und sie hatten Pläne gemacht, hatten sich

eine herrliche Zukunft ausgemalt, mit dem Salon an der Fifth Avenue und einer Dependance in Grosse Pointe, und Julian spürte, wie das Ungemach seines Absturzes sich in heiter hingetuschte Sonntagswölkchen auflöste.

»Wahnsinn!«, rief Alexa in den allgemeinen Taumel hinein, »das ist die schönste Hochzeit, die ich jemals erlebt habe!«

»Take care, sweety«, sagte Eva Garbor und hob warnend den schwer beringten Zeigefinger. »Die Planeten schützen dich, aber du solltest das Schicksal nicht herausfordern! Es sind so divergente Vibrations hier drin, außerdem läuft der Stiermond gerade durch den Widder.«

»Aha«, sagte Alexa. »Divergente Vibrations.«

In der ersten Reihe saß unbeweglich Marina von Wetterau. Sie hatte ein Gesangbuch aufgeschlagen und hielt sich mit beiden Händen daran fest.

Schon auf der Fahrt nach Harlem war sie dermaßen unpässlich gewesen, dass der Taxifahrer zweimal hatte anhalten müssen, um ihr Gelegenheit für einen Toilettenbesuch zu geben. Sie war einiges gewohnt von ihrer Tochter, doch diesmal zerrten die Eskapaden ihrer Tochter besonders schmerzhaft an ihrem Herzbändel. Chantal hatte sie nach New York eingeladen, angeblich, um ihren Geburtstag zu feiern, aber schon beim ersten eiligen Lunch hatte sie ihrer Mutter eröffnet, dass noch am selben Nachmittag die Hochzeit anberaumt sei.

»Abhotten!«, kreischte Chantal in die Menge hinein und schmiegte sich an den Bräutigam, der von atemberaubender Schönheit und tiefschwarz war, wie die meisten anderen Hochzeitsgäste. Das schäbige Gestühl bebte, und die Hitze des New Yorker Spätsommers trieb allen Schweißperlen auf die Stirn.

»Oh – yeah!«, schloss der Priester den Gesang und bedeutete der Menge, sich zu setzen. Alexa ließ sich schwerfällig auf die Holzbank fallen.

»Das wird ein sehr musikalisches Kind«, seufzte sie. »Was meint ihr, soll ich die Kleine hier in Harlem taufen lassen?«

»Na klar, und das Nächste bestellst du in Milchkaffeebraun, klar?«, sagte Julian.

»Sorry, da macht mein Brilli nicht mit«, kicherte Alexa.

Aus den Lautsprechern dröhnte die sonore Stimme des Priesters, der den Segen sprach. Dann setzte die Musik wieder ein, und singend und tanzend verließ das frisch getraute Paar die Kirche, gefolgt von der Hochzeitsgesellschaft. Mit stoischer Miene schritt Marina von Wetterau in einigem Abstand hinterher.

»Na, wie gefällt es dir?«, fragte Julian vorsichtig.

»Tja, ist nicht gerade Altötting, aber was soll man machen, wir können sie ja nicht für den Rest ihres Lebens in irgendwelchen Resorts auf Bali einsperren, gell?«

»Wie lange gibst du der Sache?«, fachsimpelte Alexa.

»Vier Wochen«, sagte Marina von Wetterau. »Keinen Tag mehr.«

»Sie können bei Gelegenheit gern eine genauere Prognose bekommen«, schlug Eva vor und lächelte, denn sie hatte die Konstellation schon geprüft und war auf eine noch geringere Halbwertzeit gekommen.

»Auf zur Pyjamaparty!«, rief Chantal und küsste ihre Mutter auf die Wangen, während ihr Bräutigam auf den Schultern seiner Freunde weggetragen wurde.

Marina von Wetterau stöhnte.

»Kind, was soll das nun wieder heißen?«

»Party natürlich. Total abgetrommelt. Wenn du nichts Passendes für das Motto dabei hast, kein Problem. Wir haben einen ganzen Schrank mit Schlafanzügen und Nachthemden!«

»Du glaubst doch nicht im Ernst, dass ich …«

»Aber klar doch, Mutter. Julian, sag doch auch mal was.«

Julian stützte die Gräfin, die leicht schwankte, und flüsterte: »Komm, Marina, es ist ihr Hochzeitstag …«

»Aber bei der nächsten Hochzeit nehme ich eine Auszeit, verstanden?«

Ihr Blick blieb an Evas türkisfarbenem Sari haften, der in mehreren Schichten den Körper umspielte.

»Hat die Lady das Motto schon vorher erfahren?«, fragte sie herablassend.

»Nein, ich sehe immer so aus. Nur im Bett, da trage ich Chanel-kostüm und Hut«, antwortete Eva, indem sie den blasierten Tonfall der Gräfin imitierte.

Dann stiegen sie in die wartenden Taxis.

Chantal hatte den Ort der Festlichkeiten umsichtig ausgesucht, eine ehemalige Großschlachterei im Butcher's District, der so-eben zum neuen In-Viertel aufgestiegen war. An den gekachelten Wänden klebten noch Blutspritzer, und die Fleischerhaken wa-ren behängt mit riesigen Würsten.

Ein kleiner Disput entstand, als sich Chantals Mutter standhaft weigerte, wie Julian und Alexa einen Pyjama anzuziehen, aber die Braut überredete sie schließlich zu einer Nachtmütze im vik-torianischen Stil.

Unglücklich über ihre alberne Kostümierung stand Marina von Wetterau zwischen all den fremden Leuten und zog schließlich mit stählernem Blick einen silbernen Flachmann aus ihrer Kro-kohandtasche.

»Die Gläser rühre ich nicht an. Hier holt man sich ja sonst was«, zischelte sie.

Julian blieb an ihrer Seite, während Alexa andächtig die Würste betrachtete.

»Ich habe Hunger«, sagte sie. »Mann, sehen die gut aus! Und so herrlich phallisch. Dagegen fallen die männlichen Pendants ja wohl eher in die Kategorie Erfrischungsstäbchen!«

»Wenn hier einer gut aussieht, dann Robert«, strahlte Julian und winkte seinem Geliebten zu, der soeben die Schlachterei betrat. »Einfach zum Anbeißen!«

In der Tat hatte Robert das ästhetische Soll dieses Abends mehr als erfüllt. Sein schwarzseidener Schlafanzug demonstrierte die konsequent sommerliche Variante nächtlicher Bekleidung und bestand aus einem winzigen Muscle-Shirt und äußerst knappen Boxershorts. Eine verspiegelte Sonnenbrille rundete das Outfit ab, und Robert bewegte sich dermaßen selbstsicher darin, als sei dies ein in New York hochzeitsüblicher Dress. Der Stolz auf seinen professionell trainierten Körper war unübersehbar. Mit federnden Schritten bahnte er sich einen Weg durch die Menge.

Auch die übrigen Gäste hatten das Motto der Party eher freizügig interpretiert, und schon in diesem frühen Stadium wirkte das Hochzeitsfest wie ein halbherzig getarnter Nudistenball.

»Endlich sieht man mal Haut«, sagte Eva und sah zwei Mädchen nach, deren Pyjamaoberteile wirkungsvoll nachlässig geknöpft waren. »Diese Klimaanlagen haben ja die Jahreszeiten total gecancelt, alle laufen immer gleich herum, aber heute ist Summer in the City!«

»Well, was für eine splendous location!«, rief Robert und hinterließ nach den körperbetonten Begrüßungen langhaftende Duftmarken.

»My little Schatz«, gurrte er glücklich und schob seine Zunge zwischen Julians Lippen.

Marina von Wetterau schraubte unverzüglich ihren Flachmann wieder auf.

»Das schrammt aber haarscharf an Mundraub vorbei«, kicherte Alexa.

»Wenn ich das sehe, bekomme ich Appetit auf frische Strangolapetris mit Entenleber«, sagte Eva und rückte ihren Turban zurecht. Sie schien das Geschnäbel mit allergrößter Skepsis zu betrachten.

»Darf ich die Damen einen Moment lang sich selbst überlassen?«, schrie Julian gegen die Musik an, denn gerade hatte die Band zu spielen begonnen, eine aufgekratzte Gitarrencombo, deren Leadsänger eine Pelzmütze trug.

Ausgelassen zog er Robert auf die Tanzfläche. Sein dunkelblauer Satinpyjama leuchtete im zuckenden Licht.

»Schönes Paar«, sagte Alexa.

»Jedenfalls im Vergleich zu Chantals neuer Entgleisung«, grummelte Marina von Wetterau.

»Die vier Wochen werden Sie doch überstehen, verehrte Gräfin«, sagte Alexa artig. »Außerdem ist Multikulti der Trend der Saison.«

»Unsere Familie hat vier Jahrhunderte ohne Trends überstanden«, erwiderte Marina von Wetterau frostig. »Chantal ist mein einziges Kind, verstehen Sie?«

»Der Bräutigam sieht aber gottlob überaus zeugungsfreudig aus«, gluckste Alexa, worauf sich die Gräfin bekreuzigte. »Das nächste Jahrhundert ist gesichert, wenn Sie mich fragen.«

»Verbindlichsten Dank«, sagte Marina von Wetterau. »Ich fahre ins Hotel, was ist, kommen Sie mit, Kindchen? Immerhin müssen Sie die Zukunft eines amtierenden Herrscherhauses sichern.«

Alexa warf noch einen letzten Blick auf die Würste, dann spürte sie Evas vorwurfsvollen Blick und führte die Brautmutter zum nächsten Taxistand.

Als Julian und Robert zu den Fleischerhaken zurückkehrten, waren die Damen bereits verschwunden.

»Man war erschöpft und wollte heim«, erklärte Eva.

»Schade«, sagte Julian. »Aber wir können morgen mit Alexa frühstücken gehen. Was ist, Eva, bist du dabei?«

»But now ...« sagte Robert und legte einen Arm um Julian.

»Hi, ihr hungry hearts«, rief ein Mann, dessen Verkleidungsfreudigkeit an Opportunismus grenzte. Er trug das ganze partytaugliche Sortiment, einen gestreiften Schlafanzug, Pantoffeln mit Paisleymuster und Ohrenschützer aus pinkfarbenem Webpelz.

»Lenny Backwitz! Was machst du denn hier?«, fragte Julian, der sich nur zögernd aus Roberts Umarmung löste. Eva zog eine Brille aus ihrem strassbesetzten Rucksack und überprüfte die seltsame Gestalt.

»Sternzeichen?«, fragte sie im Tonfall einer Staatsanwältin.

»Äh – Skorpion, warum?«

»Dann ist es gut«, antwortete Eva ohne weitere Erklärung. »Ich geh mal die Nase pudern.«

»Das ist ja 'ne scharfe Mutter. Du kennst immer die witzigsten Fräuleins. Julian, wie er leibt und lebt. Und wer ist der Süße da?«

»Obacht. Das ist Robert, mein Lebensgefährte. Was machst du überhaupt hier?«

»Lenny ist überall, wo die werberelevante Zielgruppe rumtrüffelt. Moment, Julian, nicht weglaufen, ich habe ein Mädel, aus der wird noch mal was ...«

»Besten Dank, Lenny, heute nicht. Das hier ist privat.«

Doch Lenny Backwitz ließ nicht von Julian ab.

»Pass mal auf, altes Haus«, sagte er und umfasste Julians Arm, »ich weiß, meistens schleppe ich dir irgendwelche verheimerten Vorstadt-Tussen an. Aber jetzt habe ich eine Sache laufen, die ...«

»Kein Interesse«, sagte Julian und hängte sich bei Robert ein. »Komm, wir tanzen weiter. Ciao, Lenny.«

»Hör doch mal zu. Es geht um Kohle. Eine halbe Mio cash. Und du bist doch blank, oder?«

Julian machte sich wütend los. »Also, wenn du mir jetzt auch noch mit der Drogennummer kommst, dann bist du tot!«

»Nix Drogen, eine wirkliche Story ist das. Von ganz oben runter gespielt. Es geht um einen echten Prinzen!«

»Um einen Prinzen?«

»Ja, komm, wir gehen rüber zur Bar, diese lärmigen Dotcom-Typen sind nichts für mich.«

Zögernd sah sich Julian nach Robert um, der abwartend neben den Fleischerhaken stand. Er hatte extra einen wichtigen Termin abgesagt, um mit Julian auf die Hochzeitsparty zu gehen. »Auf unsere Reunion Party«, hatte er glücklich hinzugefügt.

»Nur eine Minute, Robert. Business«, entschuldigte sich Julian. »Du kannst ja eine Runde mit Chantal tanzen, right?«

»Okay darling. Aber just eine Minute, sure?«

»Sure«, bekräftigte Julian und folgte Lenny Backwitz an die Bar. »Was willst du trinken?«, fragte Lenny und pulte sich die Ohrenschützer vom Kopf.

»Nichts. Schieß los. Ich will meinen Freund nicht so lange warten lassen.«

»Also gut. Kennst du Prinz René?«

Julian nickte. Natürlich kannte er Prinz René. Er war der Stammhalter eines mediterranen Zwergstaats, dessen geringe politische Bedeutung sich umgekehrt proportional zu dem Interesse verhielt, das die Medien ihm entgegenbrachten, vorzugsweise die Yellow Press.

»Und du kennst sein, äh, kleines Problem?«

Julian überlegte kurz. Zum großen Kummer der adeligen Familie zeigte sich der Prinz zwar mit immer neuen, immer hübscheren Begleiterinnen, gab sich aber durchaus nichts heiratswillig. Wieder nickte er.

»Dann hör gut zu. Lenny Backwitz ist der Richtige für solche Fälle.«

»Und?«, fragte Julian.

»Ich steig jetzt da ein. Ins ganz große Verlade-Business. Der Typ soll heiraten. Und zwar flotti. Eine Braut muss her. Und nun rate mal, wer das Mädel unter Vertrag hat, das ein tränentreibendes Ja-Wort hinlegen wird?«

»Nein«, sagte Julian.

»Doch«, grinste Lenny Backwitz und wand sich vor Mitteilsamkeit.

»Sie war immer eine Nummer zu groß für mich, ich betreue ja eher die Super-Illu-Abteilung. Aber ich habe sie damals eigenhändig aufgegabelt, am Frankfurter Bahnhof, als sie mit zwei Kunstledertaschen aus Rumänien ankam. War purer Zufall. Aber sie war einfach nicht zu übersehen: einsachtzig groß, solche Augen ...« Er machte eine Geste, als ob er zwei Medizinbälle auffangen wollte.

»Und obwohl sie inzwischen auf den ganz großen Catwalks läuft, ist sie immer bei mir geblieben. Aus Dankbarkeit. Das gute Ding. Sie ist die reinste Goldgrube. Doch wenn dieser Gig schnackelt, dann können wir sie in Platin aufwiegen.«

Julian schüttelte fassungslos den Kopf. Und doch war es nur die Self fulfilling Prophecy des ganzen glamourösen Schwindels, dessen Teil er gewesen war. Und dessen Teil er nicht mehr sein wollte.

»Na, und welche Rolle habe ich dir wohl zugedacht?«, fragte Lenny, wobei er sich vertraulich vorbeugte. Julian wollte gerade zu einer Antwort ansetzen, als er einen flüchtigen Kuss auf seiner Wange spürte.

»Darling, ich gehe home, ich hatte eine hard day, und du musst go business, I don't mind, take meine key, und komm später zu mich, okay?«

Robert ließ einen goldenen Schlüssel vor Julians Augen baumeln.

»Aber …«, sagte Julian, doch Robert legte ihm einen Finger auf die Lippen.

»It's okay«, sagte er. »Wann kommst du home?«

Julian sah auf die Rolex, die er seit seiner Rückkehr nach New York wieder trug.

»Robert, ich muss hier noch ein bisserl bleiben, sagen wir mal bis Mitternacht. Ich verspreche dir auch, dass ich den Brautstrauß auffange. Chantal ist eine sehr gute Freundin, da kann ich nicht einfach verschwinden, verstehst du? Aber willst du nicht hier auf mich warten? Lenny und ich, wir sind gleich durch!«

Robert streckte sich und führte gekonnt vor, was sein Personal Trainer ihm an Muskelmasse beschert hatte.

»No, I'm fine but du verstehst, ich bin eine bisschen freaked out, see you, darling«, und damit küsste er Julian auf den Mund und verschwand.

»Geiler Typ, hat er schon eine Agentur?«, fragte Lenny.

»Er besitzt sechs Banken und kann sich jede Agentur dieser Welt kaufen«, sagte Julian trocken.

»Schon gut. Kommen wir zurück zu dir. Ich weiß, im Moment will dich keine Sau. Sorry, ich rede deutsch. Aber das wird sich ändern. Du bist bekannter als je zuvor. Skandal ist gut für's Geschäft, verstehst du? Eine Celebrity wirst du nicht, weil du was kannst, und schon gar nicht, weil du ein guter Junge bist. Alles, was zählt, ist Emotion. Wenn du es schaffst, die Gefühle der Leute zu treffen, dann musst du dir um deine Rente keine Gedanken mehr machen.«

Julian winkte müde ab, aber Lenny Backwitz redete sich weiter in Begeisterung.

»Ich sage immer: There's no motion like e-motion. Alle docken sie jetzt an, nach deinem Schlamassel, alle reden nur noch über dich, alle wollen wissen, wie's weitergeht. Wenn du irgendwo auftauchst, dann hängt sich die ganze Meute dran. Halali. Und genau deshalb brauche ich dich.«

»Wofür denn?«, fragte Julian.

»Die Kleine ist absolut top unter den Models, sie läuft für alles, was gut und teuer ist, aber das wissen nur die Insider. Die Zeit der Supermodels ist doch vorbei. Naomi, Claudia, das war gestern. Jetzt sind die Modemädels wieder no names. Heute hip, morgen clip. Wenn es noch eine schafft, in die A-Liga zu kommen, dann nur mit jemandem, der selbst schon A-Liga ist.«

»Verbindlichsten Dank«, sagte Julian. »Ich bin gerade bei Z angelangt.«

»Blödsinn. Das ist nur eine Phase. Bald bist du wieder drin. Und sie muss ein echter Star sein, um Fürstin in dieser Dingsda-Monarchie zu werden, klar? Topmodel reicht nicht. Sie muss rein in das Delikatessengeschäft, oberstes Regal. Pferderennen, Premieren, Galas, capisce?«

»Selbst wenn ich wollte, Lenny, es würde nicht funktionieren. Ich bin seit Wochen von den Gästelisten gestrichen, keine Gala, kein Filmpreis, nicht mal eine Telefonzelleneröffnung. Nichts.«

Lenny Backwitz lächelte schlau.

»Du hast was vergessen.« Er rieb Daumen und Zeigefinger aneinander.

»Ich habe Connections bis zu Fürst Daddy persönlich. Frag mich jetzt nicht wieso, ich sag nur mal, in diesem komischen

Fürstentum gibt es jede Menge Leute, die bis ins Frankfurter Bahnhofsviertel hinein operieren. Lange Rede, gar kein Sinn: Da ist Kohle ohne Ende drin. Und damit kriegst du alles. Jede Einladung, jede Karte. Einfach alles.«

In Julians Kopf meldete sich wieder das Kinderkarussell. Die goldgeschmückten Pferdchen hoben und senkten sich, die Feuerwehrautos heulten.

»Ich weiß nicht«, murmelte er.

»Es ist ein Job«, sagte Lenny. »Ein simpler, verdammter Job. Aber es gibt einen Benefit für dich, bei dem kannst du nicht nein sagen: Du bist mit einem Schlag wieder ganz oben. Wie du willst, wo du willst, wann du willst.«

Er legte beschwörend seine Hände auf Julians Schultern.

»Und das Beste ist – du musst nicht zu Kreuze kriechen. Keine TV-Beichte, kein Ehrenwort-Pressekonferenz, kein weinerliches Geständnis, so nach dem Motto: Es ist anders, als ihr denkt. Nichts davon. Du zeigst es allen. Du bist einfach wieder da. Du sitzt in der ersten Reihe. In der Präsidentenloge, wenn du willst. Und alle werden grün vor Neid und fragen sich: Wie hat er das gemacht? Was ist das bloß für ein Teufelskerl?«

Julian sah durch Lenny hindurch. Kurz zuckte eine Vision vor ihm auf. Er sah sich rehabilitiert, hofiert wie einst, ein unangefochtener Star. Aber was sollte das alles noch? Seine Zukunft lag in New York. Bei Robert. Ein neues Leben begann.

»Lenny, ich danke dir für dein Angebot, ehrlich«, sagte er langsam. »Aber ich werde hier in New York bleiben. Ich komme nicht nach Deutschland zurück.«

Lenny ließ die Arme sinken.

»Schade«, flüsterte er. »Es gibt noch andere Kandidaten. Und die werden es sich nicht zweimal überlegen. Ich gebe dir Zeit bis morgen Mittag. Denk drüber nach. Hier, das ist die Nummer von meinem New Yorker Büro.«

Er steckte Julian eine magentafarbene Visitenkarte in die Tasche seiner Pyjamahose.

»Danke noch mal und viel Glück«, sagte Julian.

Er zerknüllte das Stückchen weicher Pappe in seiner Hosentasche. Es war ein verführerisches Angebot. Aber er hatte sich entschieden. Kein Aufguss, kein Comeback, er wollte ein anderes Leben.

Sehnsucht überkam ihn. Robert wartete auf ihn, sicherlich lag er schon im Bett und hatte eine Flasche Champagner geöffnet. Er sah auf die Uhr. Erst zehn. Aber Chantal würde ihn verstehen.

Als er die Braut fand, ließ sie sich gerade auf eine Schlachterbank fesseln und rauchte einen Joint.

»Hi Julian, wir machen auf der Hochzeitsreise Kanu-Rafting in Bangladesh, oder Wüstenmarathon in der Mongolei. Komm doch mit, Schätzchen.«

»Aber sicher«, sagte Julian. »Ich bin dabei. Du Chantal, jetzt muss ich zu Robert, verstehst du …«

»Alles easy«, hauchte sie. »Make love, not war.«

Der Taxifahrer, ein Inder mit einem orangefarbenen Basecap, fragte zweimal nach, ob Julian auch wirklich in die Park Avenue wolle. Vom Butcher's District in die Park Avenue, das war eine Fahrt, die seiner Erfahrung nach jeder Logik entbehrte. Zumal sein Fahrgast einen Pyjama trug.

Entnervt holte Julian einen Fünfzigdollarschein heraus.

»Take the tip. And get me there, as soon as possible.«

Er hatte die New Yorker Taxifahrer unterschätzt. Auf der Stelle trat der Mann auf das Gaspedal und ließ es nicht mehr los, bis die gestreifte Markise von Roberts Appartementhaus in Sicht kam. Es gab praktisch weder rote Ampeln noch andere Verkehrsteilnehmer für diesen Afficionado der Straße, und als Julian ausstieg, zitterten seine Knie.

»See you!« Der Inder winkte ihm freundlich zu und fuhr aufreizend langsam davon.

Julian sah ihm noch eine Weile nach, dann begrüßte er den Doorman und fuhr mit dem Lift in den zwanzigsten Stock. Die Hände hatte er in den Pyjamahosentaschen, und er ertastete in der rechten Roberts Wohnungsschlüssel und in der linken die zerknüllte Visitenkarte von Lenny Backwitz. Komisch, dachte er, in jeder Hand ein anderes Leben.

Leise schloss er auf, streifte die Schuhe ab und tappte zum Schlafzimmer. Er hörte Stimmen. Alle Achtung, staunte er, Robert junkt nicht nur Baseballspiele und Ballerstreifen, manchmal sieht er auch Spielfilme mit echten Dialogen. Im Gehen knöpfte er die Pyjamajacke auf und öffnete erwartungsvoll die Schlafzimmertür.

Dann stand er eine Weile wie gefroren da, unfähig, sich zu rühren, unfähig zu begreifen, was er sah.

Auf dem Bett lag ein ineinander verkeiltes Knäuel keuchender Leiber, Arme, Beine, Münder. Alle bewegten sich, alle stöhnten und murmelten durcheinander, es roch nach Schweiß und Sperma, und mitten in diesem schwitzenden Inferno lag Robert, die Augen fest geschlossen, während sich mindestens fünf asiatisch aussehende Halbwüchsige an ihm zu schaffen machten.

Gebannt starrte Julian auf die Szene, so als ob er versehentlich in ein Pornokino geraten wäre und nun den Blick nicht mehr abwenden könnte. Allmählich begriff er, was er sah.

Und dann begann er zu schreien, heiser erst, dann tierhaft laut, er brüllte und heulte, und dann rannte er los, verirrte sich im Labyrinth der dunklen Flure, fiel hin, rappelte sich auf, lief weiter. An der Haustür fing ihn Robert ab. Er war völlig nackt und atmete schwer.

»Come on, das ist nur Spaß!«, rief er. »Nothing serious, das sind good guys, vietnamese Jungs, und alle clean, understand? Stop das screaming, please, be with us, und in eine hour wir schmeißen die raus!«

»Du hast mich gerade rausgeschmissen, understand?«, schrie Julian und hielt sich an der Türklinke fest, um nicht elend in sich zusammenzusacken.

»Damned, ich habe verlassen meine wife, just for dich, bloody idiot, und jetzt du maken solche trouble!«

261

»Have fun!«, schleuderte Julian ihm mit letzter Kraft entgegen, dann rannte er hinaus zum Lift.

Im Spiegel des Aufzugs begegnete er seinem Gesicht, seinem geröteten, verquollenen Gesicht, und er weinte weiter, er konnte gar nicht wieder aufhören, wie sollte er bloß an diesem blödsinnig freundlichen Doorman vorbeikommen, und als der Lift sich unten öffnete, drückte er erneut auf die Knöpfe, wahllos, auf die zehn und die zweiunddreißig, und so fuhr er eine Viertelstunde auf und ab, heulte und schluchzte und trat mit dem Fuß gegen die Aufzugtür.

Als er sich schließlich stark genug fühlte, den Aufzug zu verlassen, wurde er von drei Polizisten empfangen. Sie lasen ihm seine Rechte vor, das ist eine Scheißszene aus einem dieser Scheißfilme, die sich Robert immer reinzieht, dachte er, und dann klickten auch schon die Handschellen, die Polizisten schleiften ihn aus dem Haus und Julian bemerkte, dass er nicht einmal Schuhe trug. Unter der gestreiften Markise warteten die Fotografen, die sich bekanntermaßen in stetem freundschaftlichen Kontakt zur New Yorker Polizei befanden.

»Super!«, schrie Julian. »Endlich kriege ich auch mal eine Schlagzeile im Amiland! Na los, ihr Arschlöcher, knipst, bis ihr umfallt«, und dann zerrte man ihn in einen Streifenwagen, der mit Geheul losbrauste.

Auf der Wache wurde er sofort in eine Zelle gesperrt, in der bereits andere Gestrandete übernachteten. Junkies in verschmutzten Jogginganzügen, wüst dreinblickende Kleinkriminelle, streunende Gelegenheitsdiebe. Niemand wunderte sich über Julians Pyjama.

»Ich will meinen Anwalt sprechen«, sagte er mechanisch. Er hatte gar keinen Anwalt in New York, aber so hatte er es immer in den Filmen gesehen, und deshalb erschien es ihm als das einzig Richtige, was er tun konnte.

»Anwalt!«, rief er und rüttelte an den Gitterstäben wie ein aufsässiger Neuzugang im Zoo, der noch an die Freiheit glaubt.

»I want a lawyer!«

Eine verfettete Polizistin erschien.

»You want me to call your lawyer?«, fragte sie gelangweilt durch die Gitterstäbe hindurch.

»Ja. Bitte. Please«, flüsterte Julian. Er konnte das Himbeeraroma ihres Kaugummis riechen.

»Phone number?«, fragte sie ebenso gelangweilt.

Verdammt. Die Telefonnummer. Er könnte Eva anrufen lassen, die würde ihm sofort helfen. Wie war noch Evas Nummer? Er versuchte sich zu erinnern, doch die Zahlen stolperten übereinander und durcheinander in seinem Kopf, alles war wie implodiert in seinem Kurzzeitgedächtnis.

»No number, no call«, sagte die Polizistin und wandte sich zum Gehen.

In diesem Moment fühlte Julian etwas in seiner linken Hosentasche. Mit zitternden Händen wühlte er die Reste einer magentafarbenen Visitenkarte hervor.

»Wait!«, schrie er. »Wait a minute!«

Er kniete sich auf den Zellenboden und setzte die Fetzen zusammen, ein völlig irrwitziges Puzzle, bei dem alle wichtigen Teile zu fehlen schienen.

Endlich las er eine Nummer.

Er las sie laut. Er brüllte sie geradezu.

»Wait«, sagte jetzt die Polizistin, entfernte sich und kam kurz darauf mit einem Block und einem Stift zurück. Dann notierte sie die Nummer, die Julian mit brechender Stimme diktierte.

*

»Hier entlang, gnädige Frau.«

Theo Wellmann schob Gabriele an grün glänzenden Plastikpalmen vorbei zu einem der winzigen Tische und rückte einen Stuhl zurecht. Dann nahm er gegenüber Platz.

Forschend betrachtete er ihr Gesicht. Sie wirkte entspannt. Zu entspannt, fand er. Ihr Aufzug war abenteuerlich, nichts passte zusammen: Die blaugetupfte Bluse, die violette Hose, der rosa Häkelschal, die Wollsocken, die aus den Pumps herausschauten. Ganz offensichtlich hatte Gabriele ihren häuslichen Trümmer-Look in die Öffentlichkeit getragen.

Schon bedauerte er, dass er sie zu diesem hochfeinen Italiener eingeladen hatte, denn ihre Gemütsverfassung schien dermaßen eingedunkelt, dass er genauso gut eine Imbissbude hätte vorschlagen können.

»Einen Apéritif?«, fragte er vorsichtshalber. Vielleicht war dieser demonstrative Gleichmut ja nur eine Tarnung. Gabriele holte statt einer Antwort ihre Häkelarbeit aus dem Beutel und begann sorgsam, die Maschen zu zählen.

»Ein Bier!«, rief Theo Wellmann dem herbeieilenden Kellner zu. »Und für die Dame einen, na, einen Bananensaft.«

»Bananen?«, fragte Gabriele und blickte auf. »Ausgerechnet Bananen?«

»Die haben hier eine tolle Calvadoscrème zum Wachtelparfait, das sollten Sie probieren«, sagte er ohne Überzeugung.

Gabriele sah wieder auf.

»Wachteln?«, fragte sie langsam. »Haben Sie Wachteln gesagt?«

»Okay, vergessen Sie's einfach. Nun zum Geschäft. Sie schreiben ein Buch über Julian, richtig?«

»Julian?«, fragte Gabriele und förderte eine silberne Dose aus ihrem Beutel zu Tage. Sie griff hinein und stopfte sich zwei, drei bunte Dragees in den Mund.

Theo Wellmann wurde nervös. Er hatte schon einiges Alarmierende über den Gesundheitszustand von Gabriele Himmerl gehört, doch er hatte nicht mit einem Wrack gerechnet. Der Ober kam und stellte mit einem Gesichtsausdruck allergrößter Geringschätzung die Getränke ab.

»Zweimal das Tagesgericht«, sagte der Friseur-Tycoon, ohne der hochqualifizierten Servicekraft Gelegenheit zu geben, die Vorzüge dieses Gerichts detailreich zu erläutern.

Gabriele trank den Bananensaft auf einen Zug aus, dann erhob sie sich.

»Halt, hier geblieben!«, rief Theo Wellmann.

Die Tante ist durch, dachte er. Das ist schlecht. Aber vielleicht ist es auch wieder nicht so schlecht. Sie hat immer noch ihren Namen. Man darf sie nur nicht in die Öffentlichkeit lassen. Ihm fiel ein, dass die Wohnung im Souterrain seiner Stadtvilla frei war, da er soeben das Aupairmädchen hinausgeworfen hatte. Er hatte sie im Verdacht gehabt, heimlich das Shampoo seiner Frau zu benutzen, und da er den Geiz zu seinen Tugenden zählte, war das für ihn Anlass genug für eine fristlose Kündigung gewesen.

»Setzen Sie sich«, befahl er.

Er ließ die Schließen seines Aktenkoffers knallen und reichte Gabriele ein Schriftstück. Sie nahm es freundlich in Empfang und stopfte es auf der Stelle in ihren Beutel.

»Halt, erst noch unterschreiben«, rief Theo Wellmann und beugte sich über den Tisch. Eine kleine Rangelei entstand, bei der er Sieger blieb. Der Kellner beobachtete sie aus der Ferne. Gabriele sah unglücklich dem Papier hinterher, während Theo Wellmann ihre Hand ergriff.

»Liebe Gabriele, Sie brauchen einen Freund. Einen echten Freund. Sie müssen runter von dem bunten Zeug, und dann schreiben Sie ein göttliches Buch. Aber erst mal brauche ich Ihre Unterschrift. Hier …«, er schob ihr einen Kugelschreiber über den Tisch, ein Give Away der Annabelle Hair Group, wie in Neonbuchstaben darauf zu lesen war. Den Montblanc-Füllfederhalter, den er besaß, schonte er lieber. Eigentlich hatte er noch nie etwas damit geschrieben.

Gabriele nahm den Stift und fragte: »Was denn?«

»Unterzeichnen«, ermunterte Theo Wellmann sie und hielt ihr den Vertrag hin, den er hatte vorbereiten lassen. »Geht ganz einfach. G – A – B …«

Gabriele malte mit dem Eifer einer Erstklässlerin eine leicht verwackelte Variante ihres Namens auf das Blatt.

»Und nun?«, fragte sie hilflos.

»Jetzt wird schön gegessen. Dann kommen Sie mit zu uns nach Hause. Meine Frau wird sich freuen.«

Wortlos aßen sie die Nussravioli, dann bezahlte Theo Wellmann und bugsierte die dankbar lächelnde Gabriele zur Tür. Der Kellner sah ihnen leise fluchend nach. Der Top-Manager hatte nicht das kleinste bisschen Trinkgeld gegeben.

*

»Los, trink noch einen. Jetzt starten wir durch.«

Lenny Backwitz stöberte klirrend in dem kleinen Kühlschrank herum und kam mit einer Hand voll Fläschchen zurück.

»Hier wird die Minibar nicht von innen zugehalten, mein Lieber. Hau rein, ich bestelle nachher einen Kaffee, und dann geht das Leben los.«

Julian lag abgekämpft auf Lennys Bett. Er hatte seine besudelten Sachen ausgezogen und sich in den brettartig verwaschenen Hotelbademantel gewickelt. Wahllos griff er sich eins der Fläschchen, schraubte es auf und trank. Dann noch eins.

Schaudernd dachte er an die Nacht im Gefängnis, eingekeilt zwischen seine Zwangskumpanen, die sich keinerlei Mühe gegeben hatten, die unfreiwillige Enge wenigstens durch den Verzicht auf peinigende Geräusche und Gerüche erträglicher zu machen.

Früher Morgen war es gewesen, als ein smarter Anwalt erschienen war, ein völlig unpersönlich wirkender Mann im grauen Nadelstreifenanzug, der Julian mit jenem freundlichen Desinteresse mitgenommen hatte, mit dem man einen vergessenen Schirm abholt.

»Das war knapp, du Idiot«, sagte Lenny Backwitz und öffnete eine Bierflasche mit den Zähnen. »Die Kaution schluckt die Hälfte von deinem Honorar. Na, egal. Hauptsache, ich habe dich rausgepaukt. Die Cops waren übrigens voll daneben. God piss America.«

Er warf sein großkariertes Jackett in die Ecke und setzte sich zu Julian auf das Bett. Die Bierflasche leerte er auf einen Zug.

»Prost! Schicker dich mal schön an, Onkel Lenny arbeitet derweil schon ein bisschen vor. Wir machen jetzt einen Plan. Eventtechnisch. Pass mal auf, bald bist du wieder ganz oben gelistet. Dann küssen sie dir die Budapester, so wie früher, ach, was sag ich, ablecken werden sie dich. Also, erst mal der Kulturquatsch. Bayreuth?«

Julian nickte schwach.

»Schön. Salzburg? Okay. Sagen wir mal, noch eine Opernpremiere in Paris, die Kunstmesse in Basel und, na, reicht. Sport ist klar, Pferderennen, Golfturnier, das ganze Zicken-Repertoire. Jetzt die Deppenparade. Preisverleihungen und so. Mach ich selber, streng dich nicht an. Und dann Charity. Da kenn ich mich nicht so aus. Also, leg mal los.«

Julian hatte Mühe, sich zu konzentrieren. Nur allmählich kehrte er auch innerlich zurück aus der Hölle. Er überlegte kurz.

»Charity, das ist das Einzige, was du nicht kaufen kannst, komischerweise. Die wollen zwar dauernd Geld von dir, aber sie suchen sich die Sparschweinchen am liebsten selber aus.«

»Wieso 'n das?«

Lenny Backwitz zündete sich einen Zigarillo an.

»Das ist wie der Übersee-Club in Hamburg, da darf nicht jeder einfach so hineinspazieren, und schon gar nicht einer, dem sie ein Drogenproblem angehängt haben. Schließlich machst du auch nicht einen Einbrecher zum offiziellen Sponsor des Polizeiballs.«

»Wir brauchen das aber. Unesco-Bankett, Aidsgala, der ganze edelmütige Zauber …«

»Keine Chance«, hustete Julian, denn Lenny Backwitz hatte sich den Zigarillo zwischen die Lippen geklemmt, während er seine Liste schrieb, und paffte unaufhörlich.

»Was für ein Schweine-Verein«, schimpfte Lenny vor sich hin.

»Aber warte mal, jetzt habe ich's, au, das ist gut. Weißt du, was wir machen?«

Julian drehte sich zur Seite, um dem Rauch auszuweichen. Der Bademantel scheuerte auf seiner Haut.

»Wir gründen selbst so einen Drogenclub. Die Flucht nach vorn, klar, das ist es!«

»Drogenclub? Jetzt bist du völlig verrückt geworden«, sagte Julian.

»Von wegen. Wenn die dich nicht in ihr Boot ziehen wollen, dann musst du eben einen Luxusliner kaufen. Kapiert? Du gründest selbst so einen daddeligen Charityhype, und dann kaufen wir sie alle ein, einen nach dem anderen, für Geld machen die doch alles, wir laden sie ein zur Gründungsversammlung auf Barbados, Learjet und First-Class-Hotel inklusive, pass mal auf, wie die alle angehudelt kommen, nein, Julian, wie nett, was für eine fantastische Idee, dass du dich um die armen Drogenabhängigen kümmerst, hach ...«

Das Telefon klingelte. Lenny Backwitz stürzte zum Apparat und legte sofort den Finger an die Lippen, während er Julian angrinste.

»Ja, Hermann, was für eine Überraschung, wie spät ist es denn jetzt bei euch, was, Nachmittag schon? Ach so, Julian. Keine Ahnung, nee, die Verhaftung war ein Missverständnis, soweit ich weiß. Der ist hier in New York voll gebacked und gesettled, doch, ich habe ihn gesehen, war ja auf Chantals Vermählung, er schwimmt in Geld, ist wohlauf, voll drin in der New Yorker Gesellschaft. Was? Wieso? Nö, es geht ihm blendend, er macht hier demnächst einen Top-Laden auf, wird gemunkelt, doch, doch, ich weiß es aus sicherer Quelle, der ist wieder obenauf. Wie? Versteh ich nicht. Habe ich nicht mitgekriegt. Also, hier ist er der Star, und du weißt ja, if you can make it there, you can make it ... Was? Ja, ich melde mich, wenn ich ihn sehe. Ciao, mein Lieber, see you.«

Lenny Backwitz ließ sich wieder auf das Bett fallen.

»Hermann Huber, der Armleuchter. Wollte mich aushorchen. Aber da hat der sich geschnitten. Apropos: Offiziell gehen wir ab jetzt auf Distanz. Ich habe das schon gedealt, die Kleine ist jetzt offiziell bei Gudrun Klein, bei dieser Mädchenhändlerin, du übersiehst mich auf allen Events, wir treffen uns ab jetzt gar nicht mehr, wir machen alles übers Telefon, klar?«

»Klar«, sagte Julian. »Und jetzt?«

»Jetzt schläfst du dich erst mal aus. Du kannst hier ein paar Tage im Hotel wohnen, ich bereite alles vor, ich kaufe dir ein First-Class-Ticket, und dann geht's heim.«

*

»Sie ist weg, einfach spurlos verschwunden«, jammerte Melanie und ließ sich auf das schwarze Ledersofa sinken, direkt unter den erigierten Penis in goldgerahmter Airbrush-Technik, auf den Hermann Huber so stolz war.

»Hast du dieses Vitaldings angerufen? Die Eltern? Freunde? Na ja, Freunde hat sie ja eher nicht«, fragte Hermann Huber und legte die Beine auf seinen Schreibtisch, in der Hoffnung, er sehe aus wie ein cooler Privatdetektiv.

»Klar, ich habe alles gecheckt. Nichts, einfach nichts. Sie ist abgetaucht.«

»Das ist sie schon seit Wochen«, grunzte Hermann Huber und zündete sich eine Zigarette an. »Mental jedenfalls. Aber dass sich Gabriele Himmerl einfach so in Luft auflöst, kommt mir ausgesprochen verdächtig vor.«

Melanie zog den kleinen roten Lederrock glatt, der am Beginn ihrer berufsbegleitenden Liaison mit dem Chef die Wirkung einer Familienpackung Viagra ersetzt hatte.

»Vielleicht ist sie in dieser Clinique des Pages bei Paris. Da gehen sie alle hin, wenn sie durch sind.«

»Und was gibt es da Schönes?«, fragte der Magazin-Chef und begann, sich mit einem Zahnstocher die Nägel zu säubern. »Ölgüsse intravenös?«

»Schlafkur«, antwortete Melanie. »Ist so eine Art künstliches

Koma. Einfach genial. Die Ärzte lassen ihre Kunden wegdämmern und verdienen sich dabei dumm und dusselig.«

Hermann Huber vervollständigte sein Körperpflegeprogramm, indem er nun den Zahnstocher zur Gebissreinigung benutzte. Melanie sah es mit Grausen und betrachtete daraufhin eingehend ihre roten Pumps.

»Aber die New Yorker Fotos sind voll fett«, schwärmte sie, »du meine Güte, Julian im Würgegriff von echten Cops, das wird doch ein Titel, oder was?«

»Ein Foto ohne Story ist wie ein Sack ohne Haare!«, brüllte Hermann. »Hast es wohl immer noch nicht geschnackelt, was hier abgeht.«

»Aber wir können doch irgendwas hinterherhäkeln, Spekulationen sind doch deine Spezialität«, versuchte Melanie ihren Chef zu beruhigen.

»Ich will das Wort ›häkeln‹ nie wieder hören, verstanden? Wenn irgendwer die echte Story hat, dann stehen wir jedenfalls schön blöd da. Was weiß ich, wer da schon drin rumwühlt? Gabriele ist zur Zeit etwas gaga, aber wenn sie ihr Dope absetzt, kann sie gefährlich werden. Sie weiß mehr über Julian als irgendwer sonst. Was ist mit Alexa? Lenny hat sie bei der kleinen Chantal gesehen. Organisier mal Fotos, warum wussten wir nichts von Chantals Hochzeit?«

»Alexa ist in der Tat auch in New York, aber unerreichbar. Chantal ... «

Melanie machte eine obszöne Geste, die in den Genitalbereich zielte.

»Und Tommy?«

»Ins Kloster gegangen, der Arme.«

Hermann Huber überprüfte gewissenhaft die Ausbeute seiner Gebisspflege.

»Lenny Backwitz sagte gerade, dass es Julian überhaupt nicht schlecht geht. Macht voll den Promi in New York, angeblich. Irgendwie passt das nicht zusammen.«

»Stimmt«, sagte Melanie. »Wir sollten vorsichtig sein.«

Ihr schnelles Umschwenken ärgerte Hermann Huber und reizte ihn zum Widerspruch.

»Ach egal, wir bringen den Titel. Julian ist weit weg, der kriegt das sowieso nicht mit. Warte mal, wie findest du das: Titelfoto – Julian wird abgeführt. Schlagzeile – ›Voll daneben. Julian in der Drogenhölle‹.«

»Du solltest Julian nicht unterschätzen«, sagte Melanie, legte sich quer auf das Sofa und ließ ihre roten Strapse aufblitzen. »Das ist nicht so ein kleiner Streuner, der hat Connections bis ganz oben.«

»Was soll das heißen, ganz oben?« Hermann Huber sprang auf und warf seinen Zahnstocher in den Aschenbecher. »Oben ist, wo wir sind! Merk dir das! Geld bedeutet gar nichts. Kein Milliardär kann verhindern, dass wir ihm eine Sauerei reinschieben, und zwar rektal! Wir sind die Macht!«

Melanie sah einen Moment lang fast beeindruckt aus. Dann spitzte sie die Lippen.

»Wer bezahlt dich eigentlich?«, fragte sie leise.

»Raus!«, brüllte Hermann Huber. »Raus jetzt!!«

*

Julian zog die Decke bis ans Kinn. Gleich zwei Stewards hatten ihm das Nachtlager bereitet und sich alle Mühe gegeben, ihn freundlich zu betören. Doch es war zwecklos. Er stellte ein Foto von Robert auf das kleine Tischchen, schenkte sich ein neues Glas Rotwein ein und begann lautlos zu weinen.

Dann zog er sich die Decke über den Kopf. Wenn doch dieser Flieger einfach abstürzen würde, dachte er, dann wäre endlich alles vorbei. Sie werden mich steinigen. Sie werden mich anspucken. Nichts wird jemals wieder gut.

Er sah wieder auf das Foto und schluchzte auf. Fröhlich winkte Robert ihm darauf zu, auf seiner Yacht, die Haare flatterten im

Wind. Penalty Box, dachte Julian. Genau das. Die Welt ist eine Penalty Box. Kein PartnerShip.

»Robert«, flüsterte er unter Tränen. »Mein Robert.«

Einer der Stewards erschien aufs Neue und beugte sich zu ihm.

»Kann ich noch irgendetwas für Sie tun?«, fragte er.

Julian sah sich um. Die erste Klasse war ziemlich leer, zwei Reihen vor ihm schlief, bereits leise vor sich hin schnarchend, ein älteres Ehepaar im Halbdunkel der Nachtbeleuchtung, und schräg gegenüber spielte ein gesichtsarmer Geschäftsmann auf seinem Laptop herum, wobei die üblichen Fiepser der Ballerspiele umweltschonend direkt in seinem Kopfhörer landeten.

»Könnten Sie mich bitte in den Arm nehmen?«, fragte Julian.

Der Steward stutzte einen Moment. Auch er sah sich unwillkürlich um. »Später«, flüsterte er. »In Frankfurt.«

Julian schüttelte den Kopf.

»Nein, jetzt. Hier«, sagte er fordernd.

Der Steward berührte ihn leicht an der Schulter, und Julian erschauerte.

»Mehr«, flüsterte er.

Während der uniformierte junge Mann sich entfernte, griff Julian zu Roberts Foto und presste es an seine Brust. Was für eine berührungsarme Welt, dachte er, was für eine sterile, ängstliche Welt. Er wusste, dass sein Erfolg vor allem in der Kunst der taktilen Annäherung bestanden hatte, in der souveränen Missachtung der erlernten Sozialdistanz. Wie oft hatte er bei seinen körperlich verwaisten Kundinnen den Schauer gespürt, den er selbst gerade erlebt hatte, die jähe und verstörende Nähe, die zu seinem Beruf gehörte wie Kamm und Schere, und plötzlich wurde ihm bewusst, wie sehr er das alles vermisste, die Salons, die Frauen, das Gefühl, etwas herzuschenken, was es mit Geld nicht zu kaufen gab – die Anteilnahme an einem fremden Körper, und, ja, und das Mitleid. Geschundene waren sie ja alle, diese Frauen, verunsicherbar, getrieben von dem Wunsch, angenommen zu sein, und das, er begriff es plötzlich, das trieb diese Frauen ihm zu, sie sahen so fragend und skeptisch in den Spiegel wie er selber, sie mussten Tag für Tag neu laufen lernen in einer Welt, die nur auf den Fehltritt wartete, auf das verräterische Straucheln, auf das falsche Wort, den falschen Lippenstift, die falsche Adresse und die falsche Frisur.

Noch tiefer verschanzte er sich in seiner Deckenburg, so wie früher, wenn er sich einsam fühlte, ein kleiner Junge ohne Vater, den es fröstelte im Sonnenschein der Almwiesen.

Ich muss in die Wieskirche, ja, das mache ich als Erstes, ich werde eine Kerze anzünden, einfach dasitzen und Zwiesprache halten mit dem lieben Gott, und vielleicht ist Großmutters Votivtafel ja wirklich noch da, dachte er. Und ich werde Haare schneiden, das ist es, was ich kann, das ist es, was ich wirklich möchte, wenn's denn sein muss, auch im Salon Moni oder Vroni, und er trank den roten Wein und zerkrümelte das Baguette, Brot und Wein, dachte er, ich habe zu essen und zu trinken, und ich werde nicht untergehen.

*

»Was soll das heißen – ein Hausgast? Ich will einen Fitnessraum!«

»Aber die Aupairwohnung ist doch perfekt eingerichtet, sie kann da sofort einziehen!«

Ingrid Wellmann betrachtete feindselig Gabriele, die es sich auf dem Sofa gemütlich gemacht hatte und eine Nachmittags-Talkshow anschaute.

»Wer ist die überhaupt?«

Theo Wellmann zog seine Frau aus dem Wohnzimmer und schloss die Tür.

»Das ist Gabriele Himmerl«, sagte er.

»Was? Die Himmerl? Die ›Gabi, die coole, die macht ein Gehänge ...‹«

»Sei doch endlich mal still!«, rief Theo Wellmann.

»Papi, da ist so eine komische Frau im Wohnzimmer, ist die etwa das neue Aupairmädchen?«, fragte Keanu, der fünfjährige Sohn der Wellmanns.

»Ja, genau«, antwortete der Vater geistesgegenwärtig und brachte mit einem hiebartigen Blick seine Frau zum Schweigen, die gerade protestieren wollte. »Das ist die neue Kinderfrau. Sei so nett und stich sie nicht gleich ab mit deinem Laserschwert, okay?«

»Die kann bestimmt kein Fußball spielen«, beschwerte sich der Junge. »Die hat so komische Schuhe an.«

»Die ist überhaupt komisch«, setzte Ingrid Wellmann nach, verstummte aber, als ein weiterer Vernichtungsblick ihres Gatten einschlug.

»Zahlt hier irgendjemand Miete?«, fragte er schmallippig. »Na also. Wer hier wohnt, das entscheide immer noch ich. Nun koche unserem Gast mal einen schönen starken Kaffee, mein Schatz. Und einen Keks wird es ja wohl auch in diesem Haushalt geben. Nimmst du eigentlich noch diese Appetitzügler?«

Ingrid Wellmann sah ihn entgeistert an.

»Wieso? Stimmt was nicht? Bin ich etwa immer noch zu dick?«

»Nein, nein, ich will nur wissen, ob du noch welche hast.«

»Ja, es ist noch eine halbe Packung da. Aber jetzt erkläre mir mal bitte ...«

»Wo?«, fragte Theo Wellmann.

»Im Kühlschrank. Zur Abschreckung.«

Der Hausherr ging in die Küche und kehrte mit einer rot gestreiften Pappschachtel zurück.

»Nun mach schon, wir warten auf den Kaffee«, sagte er statt einer Erklärung.

Resigniert steuerte Ingrid Wellmann nun ihrerseits die Küche an. Dann drehte sie sich noch einmal um.

»Wie lange?«, fragte sie.

»So lange wie nötig«, befand Theo Wellmann und öffnete die Tür zum Wohnzimmer.

Gabriele kicherte gerade in sich hinein.

»Den kenne ich«, sagte sie, stolz wie ein Kind, das soeben entdeckt hat, dass seine bunte Stoffpuppe ein Fernsehstar der Sesamstraße ist, »sehen Sie doch mal, das ist Julian!«

Er blickte zum Fernsehgerät. Die Szene wirkte wie ein Routine-Shot aus einer gängigen amerikanischen Krimiserie. Dramatisch entstellt und völlig außer sich wurde Julian, nur mit einem Pyjama bekleidet, von Polizisten in einen Streifenwagen gedrängt.

»Und nun möchte ich Ihnen eine Weggefährtin von Julian vorstellen, die uns sicherlich etwas zum Aufstieg und Fall unseres Promi-Friseurs erzählen kann«, sagte Mareike Zimmermann, die farbintensiv eingekleidete Moderatorin, und wandte sich einer dicklichen Dame mit einer eigenwilligen Ponyfrisur zu. Es war Beate Budenbach.

»Die kenne ich auch!«, freute sich Gabriele.

»Verdammt«, entfuhr es Theo Wellmann.

»Wie soll ich sagen«, begann Beate Budenbach und strich sich mit gut gespieltem Zögern über ihr schwarzes Seidencape, »ein bisschen suspekt war mir der Julian ja immer schon. Ein netter Kerl eigentlich, aber ich habe schon immer gedacht, wer ist er eigentlich, wer geht da ein und aus in Fürstenhäusern und Salons, wie …«

»Wahnsinn«, sagte die Moderatorin, »Sie haben es also immer schon geahnt! Ich meine, dass er ein unsicherer Kandidat sein könnte …«

»Na ja, gewundert hat es mich einfach, dass die gute Gesellschaft so leichtfertig ist. Julian ist ein begabter Friseur, ohne Frage, aber muss man ihn deshalb gleich nach Hause einladen?«

»Was sagt sie denn?«, fragte Gabriele und griff nach ihrem silbernen Döschen.

»Bullshit«, erwiderte Theo Wellmann und setzte sich neben Gabriele. Vorsichtig angelte er nach der Pillendose.

»Ich habe etwas Besseres für Sie«, flüsterte er, während er keinen Blick vom Fernseher wandte. Er öffnete die rot gestreifte Schachtel und drückte zwei Dragees aus dem Stanniol.

»Hier. Ist gut für die Seele.«

Gabriele griff zögernd zu, betrachtete die roten Pillen kurz und schluckte sie dann ohne weiteren Kommentar herunter.

»Aber Sie selbst, liebe Beate, wurden recht häufig mit Julian gesehen, und wenn mich nicht alles täuscht, waren Sie auch bei ihm zu Gast?«, fragte die Moderatorin gerade.

»Wissen Sie, Schätzchen, in meinem Beruf ist alles Recherche, auch das so genannte Privatleben«, erklärte Beate Budenbach. »Befreundet waren wir nie. Ich bin außerordentlich wählerisch, verstehen Sie? Und dieser Julian hatte immer schon einen gewissen Hautgout. Du lieber Himmel, Drogen! Sexuelle Verirrungen! Wer weiß, was da noch alles zu Tage kommt, es ist ein Sumpf, ein widerwärtiger Sumpf, den wir noch trockenlegen müssen!«

»So weit Beate Budenbach, unsere charmante Kennerin des Parketts«, sagte die Moderatorin. »Und nun begrüße ich sehr herzlich Professor Doktor Haberwasser, Chef des ›Vital Resort High Energy‹!«

»Und den ... kenne ich ... auch«, murmelte Gabriele sichtlich irritiert.

Das Talkshow-Publikum applaudierte, während Mareike Zimmermann ihren neuen Gast in Empfang nahm und auf einen Sessel drückte.

»Sie sind ja unser Trendapostel, wenn es um Gesundheit und Wellness geht«, ergriff sie das Wort. »Herr Professor, was sagen Sie als Mediziner zum Fall Julian?«

Der Modearzt rückte energetisch aufgeladen zur vorderen Kante seines Sessels. Sein frisch blondiertes Haar wirkte fast weiß im Kontrast zum dauerpigmentierten Gesicht, und der missionarische Eifer seines Berufes schien aus jeder Pore zu strömen.

»Vielen Dank für die Einladung. Nun, wir sollten uns noch einmal die Szene in New York anschauen.«

»MAZ ab!«, ordnete die Moderatorin an, und wieder sah man Julian, wie er unter wüstem Gerangel abgeführt wurde, doch diesmal in der wattigen Unwirklichkeit der Slow Motion. Bei einer Großaufnahme von Julians Gesicht fror das Bild ein.

»Sehen Sie?«, dozierte Professor Haberwasser. »Der Mann schwitzt. Sicher ist er gerade in einem Versorgungstief, was seine Droge betrifft. Typisches Indiz. Seine Pupillen wirken überdies erweitert.«

»Schrecklich«, raunte die Moderatorin wohlig.

»Dann sein Outfit«, fuhr der Arzt fort. »Wie wir erkennen konnten, trägt er nur einen Pyjama und nicht einmal Schuhe, erste Anzeichen also einer ernst zu nehmenden äußerlichen Verwahrlosung, die ganz eindeutig mit einem desolaten Zustand seelisch-geistiger Verwahrlosung korrespondiert. Wir haben oft mit Drogen-Patienten zu tun, die Tag und Nacht verwechseln. Eine Folge des exzessiven Drogenkonsums, der nur im Anfangsstadium das äußere Erscheinungsbild unberührt lässt, dann aber unaufhaltsam zu einem allgemeinen Verfall führt.«

»Wie furchtbar«, sagte die Moderatorin und hatte sichtlich Mühe, ein Lächeln der Genugtuung zu unterdrücken, während Beate Budenbach, die soeben von einer zweiten Kamera erwischt wurde, ungeniert grinste. »Wie ist denn seine – Perspektive?«

»Die Folgen dieser tragischen Drogenkarriere sind noch gar nicht abzusehen«, sagte Professor Haberwasser ernst. »Haben Sie gesehen, wie aggressiv er bereits ist? Da hilft nur eine intensive Therapie, und darüber hinaus empfehle ich einen Aufenthalt im ›Vital Resort High Energy‹, wo wir uns dem Menschen als Ganzes widmen. Das fängt bei der Ernährung an. Der Mensch ist, was er isst. Deshalb haben wir einen echt indischen Ayurveda-Koch eingekauft.«

»Wie interessant«, staunte die Moderatorin.

»Der Kaffee ist fertig!« Mit diesen Worten betrat Ingrid Wellmann das Wohnzimmer und stellte zwei Tassen mit Kaffee und eine Schale mit Keksen auf den Couchtisch. »Bitte sehr!«

Gabriele griff zur Tasse und prostete dem Fernseher zu.

»Auf die Gesundheit, Herr Professor«, sagte sie grimmig. »Dieser Typ hat mir nämlich den Kaffee verboten. Immer nur Yogitee, von morgens bis abends. Aber damit ist jetzt Schluss!«

Theo Wellmann sah Gabriele erstaunt an. Es war das erste Mal an diesem Tag, dass er einen zusammenhängenden Satz von ihr hörte.

»Das ›Vital Resort High Energy‹ ist spezialisiert auf Menschen, deren große berufliche und gesellschaftliche Belastung zum Burnout geführt hat«, erläuterte Professor Haberwasser mit erhöhtem Tempo. Ganz offensichtlich war ihm bewusst, dass sich die ihm zugemessene Sendezeit ihrem Ende näherte. »Wir öffnen für diese Menschen ganz behutsam wieder ein Fenster zur Außenwelt ...«

»Papperlapapp«, sagte Gabriele.

»... damit sie das Licht am Ende des Tunnels wahrnehmen, aufnehmen und annehmen können ...«

Die letzten Worte sprach Gabriele synchron mit.

»Sehr, sehr interessant«, unterbrach ihn die Moderatorin, »aber hat Julian überhaupt noch eine Chance?«

»Er muss seine Wut leben, erleben und ausleben«, schnarrte der Professor seinen Text herunter, »er wird sich im ›Vital Resort High Energy‹ wiederfinden und sich neu erfinden, und ...«

Die Moderatorin erhob sich.

»Danke, herzlichen Dank! Bleiben Sie dran, gleich geht es weiter mit ...«

Theo Wellmann schaltete den Fernseher aus.

»Was hat das alles zu bedeuten?«, fragte Gabriele.

»Arbeit, jede Menge Arbeit«, sagte ihr Gastgeber.

*

»Ich bin gerade öffentlich hingerichtet worden«, sagte Julian und stellte den Ton des Fernsehers leiser. Soeben begann die

Werbung. Die fröhlichen Kleinfamilien, die nun in Reihenhäusern herumzappelten und begeistert Cornflakes und Früchtequark zu sich nahmen, gaben der inquisitorischen Talkshow einen beruhigend virtuellen Charakter.

Ich bin Kamerafutter, bestes Kamerafutter, mehr nicht, ein Amuse gueule für den Verzehr synthetischer Lebensmittel, dachte Julian. Was für eine Karriere.

»Gut, gut, Lenny. Auch das werde ich überleben. Wie heißt sie eigentlich?«

Er stand telefonierend am Hotelfenster und sah in das weiche fränkische Sommerlicht, das die übersichtlich angeordneten Häusergiebel in das Abendrot alter Kinderbücher tauchte.

Lenny hatte ihm das Handy geschenkt, nur er kannte die Nummer und hatte Julian beschworen, es immer bei sich zu tragen. Du hängst jetzt am Tropf, hatte er gelacht, klink dich bloß nicht aus.

»Natascha? Du liebe Güte. Klingt nach russischer Seele.«

Während halb verhungerte Singles in riesigen, leeren Designerkühlschranken nach Diätmargarine suchten, hörte er sich Lennys Instruktionen an.

»Also gut. Um vier an der Hotelbar. Ich werde sie schon erkennen. Klar, die Barbiequote ist hier eher niedrig. Also, drück mir die Daumen.«

Noch einmal sah er nach draußen, wo sich bereits die Limousinen auf der schmalen Straße stauten. Dann öffnete er den Kleidersack. Lenny hatte an alles gedacht. Vom Smoking bis zu den brillantbesetzten Manschettenknöpfen. Langsam kleidete er sich an, mit der umsichtigen Sorgfalt eines Ritters, der seine Rüstung anlegt.

Forschend sah er in den Spiegel. Ein bisschen blass war er noch. Die Bräune von Grosse Pointe war längst dahin, und unter seinen Augen schimmerte es bläulich. Aber die Wirren der vergangenen Wochen hatten ihm immerhin ein paar Kilo weniger beschert, was bei Lennys Smokingbestellung zu vorübergehenden

Irritationen geführt hatte, doch die dritte Variante hatte schließlich tadellos gepasst.

Er band mit der ruhigen Konzentration eines Zenmeisters seine Fliege. Zu verlieren habe ich nichts, dachte er. Ich habe bereits alles verloren. Unter dem Smokinghemd spürte er die geweihte Medaille, die er nach seinem Pilgergang zur Wieskirche gekauft hatte.

Als er die Bar betrat, verebbte das Geplauder. Zögernd durchschritt er das Spalier der überwiegend schwarz gekleideten Menschen, und er hätte sich nicht gewundert, wenn man ihm ein Kondolenzbuch gereicht hätte. Was für eine hübsche Beerdigung, dachte er. Sie sind alle da. Der Adel des Geistes und die Nachfahren europäischer Herrscherhäuser, die arrivierten Schuhmöbelfabikanten und die misslaunigen Amtsträger der Politik.

Dann entdeckte er Natascha. Er hatte ein paar Fotos von ihr gesehen, doch ihre leibhaftige Präsenz übertraf bei weitem die kalkulierte Eleganz der Bilder.

Sie lehnte am Tresen. Sie war groß, mindestens einen halben Kopf größer als er. Das schwarze enge Abendkleid drängte sich an ihren vollkommen proportionierten Körper, das dunkle Haar umfloss sie wie ein Trauerflor, und die tiefbraunen Augen glänzten wie Julians nagelneue Lackschuhe. Er verlangsamte seinen Schritt.

In diesem Moment wechselte der Barpianist die Tonart. Er delirierte sich durch ein diffuses Zwischenspiel, dann kristallisierte sich aus den üppigen Tongirlanden der Bodensatz einer Melodie heraus, es war einer dieser Evergreens, die Julian so sehr mochte, und dann erkannte er das Stück, er atmete tief ein und hätte am liebsten lauthals mitgesungen, die Stimme von Gloria Gaynor drang aus den entlegenen Zonen seines musikalischen Gedächtnisses zu ihm, und dann stand er vor Natascha.

»I will survive«, sagte er statt einer Begrüßung, und sie beugte sich leicht zu ihm herunter und küsste ihn auf beide Wangen.

Unverzüglich blitzten die Kameras auf. Er nahm ihre Hand und berührte die zartrosa lackierten Nägel mit den Lippen, sie begann zu lächeln, umfasste ihn wie einen minderjährigen Schützling, und so schritten sie aus der Bar, im zuckenden Blitzlicht, das wie ein fernes Wetterleuchten jener Discokugeln der siebziger Jahren wirkte, als Gloria Gaynor ihre Überlebensparole herausgeschrien hatte.

Vorbei an der prozessionsartig schreitenden Menge fuhr das Taxi den Hügel hinauf. Scheu betrachteten die beiden sich von der Seite, wie zwei Königskinder, die der Staatsraison wegen einander versprochen waren. Sie schwiegen verlegen.

Als das Taxi hielt, sagte Natascha mit einem rauen, östlichen Akzent: »Es ist ein Job. Und wir werden ihn sehrr, sehrr gut machen.« Julian nickte stumm. Dann stiegen sie aus.

Die Fotografen balgten sich bereits um die Plätze, gierig ballten sie sich zusammen und zerrten an den roten Kordeln der Absperrungen. Ein Kamerateam stürzte herbei, und eine sehr blonde Dame richtete atemlos ein Mikrofon auf Julian, wie eine Waffe.

»Sie trauen sich hierher?«, fragte sie keuchend.

»Es ist mir ein Vergnügen«, sagte Julian förmlich.

Ein zweites Team rückte an.

»Alles clean?«, witzelte der Reporter, ein smartes Jüngelchen mit Seidenschal.

Julian umklammerte Nataschas Hand. Nur nicht provozieren lassen, hörte er Lennys Stimme.

»Sssauber sssamma«, antwortete er und schob sich weiter.

»Julian! Julian!«, gellten die Rufe aus dem Rudel der hungrigen Menge, er aber schritt mit Natascha an der Hand zum Festspielhaus, vielleicht träume ich es ja nur, dachte er, gleich werde ich aufwachen, doch alles fühlte sich überaus echt an, die warme Sommerluft, Nataschas kühle, längliche Hand in der seinen, und endlich erreichten sie den geweihten Platz vor der Freitreppe, wo der greise Intendant Hof hielt.

Julian blieb unwillkürlich stehen. Doch Natascha hatte sich perfekt vorbereitet. Die zukünftige Landesmutter besaß bereits das ganze Know-how ihrer avisierten Rolle. Alle Achtung, Lenny, dachte Julian, gute Arbeit, als sie ohne jede Befangenheit auf den schlohweißen Herrn zutrat, ihm huldvoll die Hand reichte und sagte: »Wie sehrr ich mich freue auf den Abend. Danke für die Einladung.«

Als sei ein Bann gebrochen, wurde Julian plötzlich bewusst, dass Lenny Backwitz eine absurde Summe für die harten Holzstühle bezahlt hatte, die auf ihn und Natascha warteten. Maria und Josef, dachte er, auch Seine Heiligkeit der Intendant liebt das Geld mindestens so heftig wie die Kunst, und er musste sich überhaupt keine Mühe geben zu lächeln, er berührte Nataschas Ellenbogen und sagte: »Es ist mir eine große Ehre, Ihr Gast zu sein, gerade der Parsifal ist meine Lieblingsoper. Der reine Tor, der nach Erlösung sucht, wie für mich gemacht.«

Das war immer Tommys Spruch gewesen, der ein geradezu libidinöser Wagner-Fan war. Ganze Nächte hatten sie sich durch großformatige CD-Boxen gehört, und Tommy war es nie müde geworden, seinem Freund die Feinheiten der Wagner'schen Konzepte zu unterbreiten.

Julian beobachtete vergnügt, wie die umstehenden Journalisten mitschrieben. Die helmartig frisierte Intendantengattin verzog die Lippen in die Horizontale, was für die Teleobjektive der Kameras als ein Lächeln durchgehen mochte, aus der Nähe betrachtet aber winterlich wirkte. Julian verzichtete auf den üblichen Handkuss, nein, sagte er sich, keine Demutsgeste, hier nicht, er reichte der Dame burschikos die Hand und nickte dem Intendanten zu.

Sie flanierten zu dem Zelt, das neben dem Festspielhaus aufgeschlagen war, eine Art Luxusbiwak, wo deutlich mehr gegessen als getrunken wurde, denn die Akte waren lang und die Pausen spärlich. Wagner ist nichts für inkontinente Blasen, sagte Tommy immer.

Während Julian appetitlos an einer Brezel knabberte, sah er aus dem Augenwinkel die feindlich verminten Gesichter, die sich ihm und Natascha zuwandten, das sorgfältig geröstete Fleisch unter den Spaghettiträgern, das schwere Geschmeide. Er kannte viele der Umstehenden, doch er ging nicht wie früher auf sie zu, sondern wartete gelassen ab, wer sich zu ihm gesellen würde. Es war ein Test, ein Experiment, von dem er sich allerdings nicht allzu viel versprach.

»Magst du Wagner?«, fragte er Natascha zerstreut, ohne eine Antwort zu erwarten. Doch er hatte nicht mit der Gewissenhaftigkeit seiner Partnerin gerechnet.

»Im Parrsifal zeigt sich der ewigmenschliche Konflikt zwischen Geist und Trrieb«, sagte sie völlig beiläufig.

»Wo hast du das denn her?«, fragte Julian.

»Aus einem Lexikon. Das gehört zu meinem Job«, lächelte Natascha. Lenny, du bist genial, dachte Julian. Ich habe dich unterschätzt.

Dann entdeckte er Beate Budenbach. Sie hatte ihn noch nicht wahrgenommen und ging nichtsahnend in seine Richtung, vertieft in eine vertrauliche Unterhaltung mit Klaus-Dieter Weber. Nur noch wenige Schritte und sie würde ihm nicht mehr ausweichen können.

»Achtung«, flüsterte Julian, »gleich kannst du das Erlernte am lebenden Objekt testen!«

Und schon rempelte das Paar sie fast an. Beate Budenbach wich erschrocken zurück, so, als sei sie in der falschen Oper und hätte den Steinernen Gast vor sich. Panik glomm in ihren Augen auf, doch für jede Flucht war es nun zu spät.

»Julian …«, sagte sie schuldbewusst, während Klaus-Dieter Weber sein Champagnerglas sinken ließ.

»Gerade noch im Fernsehen und schon an der Kulturfront, du bist die perfekte Allzweckwaffe«, bemerkte Julian, während die Journalistin beschämt die Augen niederschlug. »Wie gut, dass der Trash aufgezeichnet wird, nicht wahr? Oder hast du das Geheimnis der Omnipräsenz gelöst?«

Klaus-Dieter Weber hüstelte geziert.

»Darf ich vorstellen, Beate Budenbach, die Königin der ›Lebens-ART‹ und Klaus-Dieter Weber, die unermüdliche Edelfeder. Und das ist Natascha«, sagte Julian.

»Niedliches Mäuschen«, nuschelte Beate Budenbach, die sich wieder ein wenig gefangen hatte.

»Und was schätzen Sie am Parrsifal?«, fragte Natascha unvermittelt.

Julian sah, wie die beleibte Journalistin zu schwitzen begann unter ihrer schwarzsamtenen Robe. Sie warf einen kurzen Seitenblick auf Klaus-Dieter Weber, der nicht daran dachte, ihr zu helfen, sondern sardonisch grinste.

»Also, nun, die Musik, will ich doch meinen«, brachte sie hervor und sah sich unsicher um, denn inzwischen hatten sie Publikum, das sich immer näher herantraute, nachdem Julian und Natascha nicht mehr isoliert dastanden. Auch ein paar Edelpaparazzi mit der Lizenz fürs Zelt rückten an und ließen ihre Kameras in die entstandene Stille hinein klacken.

»Was halten Sie denn von Wieland Wagners Regie-Idee des Parrrsifal-Kreuzes?«, fragte Natascha unbeirrt weiter. Beate Budenbach sah sie entsetzt an. In der Runde begann man zu murmeln.

»Nun, ich meine, leuchten Ihnen die Pole ›Mutter-Heiland‹ und ›Klingsor-Titurrrel‹ ein als Spannungsfeld, in dem sich Parrrsifals seelisch-geistiger Werrdeprozess vollzieht?«, insistierte Natascha mit der Unbarmherzigkeit einer Mathematiklehrerin, die eine unbegabte Schülerin peinigt.

»Doch, schon, ich meine …«

Erste Lacher waren zu hören. Beate Budenbach fuhr empört herum, doch es fiel ihr beim besten Willen nichts ein, was sie hätte erwidern können. Klaus-Dieter Weber erinnerte sich nun endlich seiner Kavalierspflichten und sagte: »Das, äh, Parsifal-Kreuz ist doch eine hübsche Idee, oder?«

Bernhard Leser, ein ausgemachter Wagner-Spezialist und weltlicher Hohepriester des Hügelkults, hatte sich neugierig herangeschoben und hielt es nun nicht mehr aus.

»Na, hübsche Idee ist ja wohl eine fahrlässige Untertreibung. Immerhin geht es hier um die Urbilder Schwan und Taube, Speer und Kelch«, warf er tadelnd ein, denn er war schon seit Jahrzehnten in tiefer Liebe zu Wagner entbrannt und konnte es schwer ertragen, dass sich eine ahnungslose Schickeria mit den Eintrittskarten behängte wie mit Cartier-Uhren.

»Ich danke Ihnen«, sagte Natascha ruhig. »Nur auf diese Weise werden ja auch die Entsprechungen der Weißen Magie Titurrrels und der schwarrrzen Magie seines Gegenspielers Klingsorrr deutlich.«

»Ganz genau so ist es, gnädige Frau«, sagte Bernhard Leser.

Natascha nickte ihm verständnisvoll zu und wandte sich dann an Julian.

»Was für ein kultivierterrr Mann«, befand sie.

»Ein Spezialist für den Schwanengesang«, fügte Julian hinzu. Von ferne hielt Tommy seine schützende Hand über ihn. »Also, meine Lieblingsszene ist das Erlebnis der verzweifelten Ritter und das Eingehen in die mütterliche Gralsgemeinschaft.«

Beate Budenbach stierte ihn tief verwundet an. Drei zu null, Beate, dachte Julian frohgemut.

»Julian!« Am Arm ihres Gatten flanierte Alexa heran. Sie trug in Ermangelung adäquater Haarbetreuung einen kecken kleinen Hut zum gebauschten Umstandskleid und begrüßte aufgeregt ihren Freund und Schöpfer. Sofort waren die Fotografen zur Stelle. Erleichtert umarmte Alexa Julian. Sie hatte die Salzburger Sippenhaft noch nicht vergessen. Und sie wusste, dass eine Einladung zur Festspielpremiere das sichere Zeichen absoluter Gesellschaftsfähigkeit war.

Der Fürst stand steif daneben, die Hemdbrust verhängt mit buntfarbigen Orden, und es war ihm deutlich anzusehen, dass er hier ein ungeliebtes Pflichtprogramm absolvierte.

Er gab niemandem die Hand, außer Julian, den er solcherart

auszeichnete, und dieser Händedruck war wie ein Pakt gegen die Meute, eine Geste der absoluten Missachtung, was die plebiszitäre Öffentlichkeit von Talkshows und Boulevardzeitungen betraf – der Fürst leistete sich diese Freundschaft über die Untiefen der Ins und Outs hinweg mit einer Unerschütterlichkeit, die ihn über den allgemeinen Opportunismus erhob.

»Wie geht es Ihnen?«, fragte er, und in dieser Floskel lag mehr Wärme als in allen Bussibussis, mit denen Julian in den vergangenen Jahren auf vergleichbaren Events bedacht worden war.

»Sehr gut, vielen Dank. Und Ihnen?«, fragte Julian ebenso förmlich zurück. Er genoss die gentlemanhafte Stilisierung, die in diesem Austausch von vorgefertigten Konversationseinheiten lag und jetzt mehr bedeutete als aller menschelnd angewärmte Smalltalk.

»Bestens, mein Lieber«, erwiderte der Fürst.

Eine Fanfare erklang, das Signal für den nahenden Beginn der Vorstellung.

»Mein alter Freund Arthur sagt immer: Die Musik ist die Melodie, zu der die Welt der Text ist«, sagte Bernhard Leser in das entstandene Schweigen hinein.

Ja, dachte Julian, von Richard Wagner bis Gloria Gaynor.

Natascha hatte die Begegnung mit allergrößter Aufmerksamkeit verfolgt. Julian sah ihr an, dass sie akribisch alles aufnahm und speicherte, was sie beobachtete, jeden noch so mikroskopisch kleinen Augenaufschlag, jede winzige Gebärde, jede kopierbare Formel des hier üblichen Umgangs, der schon bald zu ihrem Leben gehören würde.

»Was für eine reizende Begleiterin du hast«, stellte Alexa ohne Eifersucht fest und hakte sich wieder bei ihrem Gatten unter.

»Das ist Natascha, ich habe sie bei Freunden in New York kennengelernt«, sagte Julian getreu des Backwitz'schen Wortlautes, den sie abgesprochen hatten.

»Bring sie doch bald einmal zum Tee mit, wir würden uns freuen«, schlug Alexa vor und winkte zum Abschied, ohne Beate

Budenbach und Klaus-Dieter Weber zu beachten, die wie Domestiken herumgestanden und bis zuletzt gehofft hatten, gesprächsweise in die illustre Runde aufgenommen zu werden.

Natascha stellte ihr Glas ab.

»Komm, lass uns hineingehen, denn ich liebe es sehrrr, das Orchester beim Stimmen zu belauschen. Dann schon dann kann man sich einen errsten Eindrrruck von seiner Qualität verschaffen.«

»Bravo«, sagte Bernhard Leser. Er musterte Beate Budenbach verächtlich und sah dann Julian und Natascha hinterher, die sich entfernten.

»Ein schönes Paar. Und eine erstaunliche Frau«, schwärmte er. »Endlich mal Kompetenz im Abendkleid!«

»Ich sehe kurz nach Ellen«, rief Klaus-Dieter Weber unvermittelt und ließ Beate Budenbach stehen, die hilflos im Programmheft blätterte, während eine unbändige Wut sie fast zerriss.

»Du warst wunderbar«, flüsterte Julian. »Einfach umwerfend!«

»Wie gesagt – das ist mein Job«, sagte Natascha gelassen. »Und vergiss nicht, das Handy auszustellen.«

*

»Scheiße, Scheiße, Scheiße!«, schrie Hermann Huber. »Warum hast du mich bloß zu dieser blöden Titelstory überredet?«

»Überredet? Gewarnt habe ich dich!« Melanie rührte erregt mit einem Strohhalm in ihrem Campari-Cocktail herum und zündete sich eine Zigarette an.

»Du warst es, der gesagt hat: Der Julian ist weit weg.«

»Ja, Scheiße, wir sülzen was von Drogenhölle, und drei Tage später kreuzt er bei den Festspielen auf, tadellos drauf und dann auch noch in Begleitung dieser, wie heißt sie noch, Natalie oder …«

»… Natascha«, verbesserte Melanie.

»Genau. Und das Miststück redet über Wagner, als sei es statt auf der Sonnenbank in der Bibliothek gewesen, Scheiße noch mal, er ist wieder ganz oben eingestiegen, hast du die ›Blitz am Sonntag‹ gelesen? Die eiern erst rum, Drogen, bla, finanzielle Schwierigkeiten, blabla, aber dann feiern die ihn ohne Ende! Und wir Idioten seifen ihn ein!«

Er machte eine heftige Armbewegung und fegte zwei Gläser von der Theke.

»Könnt ihr eure Redaktionskonferenzen nicht woanders abhalten?«, fragte Jacques Bermann.

»Was soll das?«, brüllte Hermann Huber. »Wie viele Jahre habe ich dich eigentlich gesponsert? Schon vergessen? Dein Laden brummt, seitdem ich dir die Promis serviert habe, ganz zu schweigen von den müden Tussen, die ich hier bespielt habe!«

»Geh, Hermann, nun führ dich nicht so auf, der Koitus ist für dich doch nichts weiter als eine Kampfsportart«, antwortete Jacques Bermann.

»Da fällt mir ein – hast du in letzter Zeit mal Gabriele gesehen?«, fragte Hermann Huber.

»Die Gabriele? Naa, die macht sich rar. Ich würde sie auch gar nicht mehr reinlassen, nach der Dreck-Kolumne damals. Die ist durch für mich. Oh, hallo Daniel, was macht Hollywood?«

Ein schlaksiger Mann in einem zu großen weißen Leinenjackett näherte sich. Sein Gesicht war empfindsam ermüdet, der Dreitagebart vergraut. Er bestellte einen Whisky-Soda.

»Ja schau, der Hermann«, sagte er düster. »Ich wollte dich schon anrufen. Es hat da so eine Idee …«, er brach ab und sah fragend zu Melanie hinüber.

»Melaniemäuschen, sei doch mal so gut und mach den U-Turn«, befahl Hermann Huber.

»Wie bitte?«

»Ein Gespräch unter Männern, kapiert?«

Melanies Züge verhärteten sich kurz zu einer feindseligen Grimasse, dann rutschte sie gehorsam vom Barhocker und setzte sich an einen Tisch. Aufmerksam verfolgte sie das Gespräch, auch wenn sie kein Wort verstand.

»Also? Spuck's aus«, ermunterte Hermann Huber den preisge-
krönten Filmregisseur. Daniel Rother lehnte sich an den Tresen.
»Nettes Haserl«, sagte er. »Schick sie mir mal bei Gelegenheit
vorbei. Du, was gibt's Neues über Julian?«

»Wieso? Spielst du jetzt auch schon Gerüchtelotto?«

»Ist doch ein Sssuperfilmstoff. Wir arbeiten gerade dran. Der Julian steht für die Qualen des Daseins, verstehst? Er ist der Elek-
triker des Glamours, er knipst das Lächeln der Untoten an und
kommt selber im Scheinwerferlicht um, mei, was für eine hübsche Tragödie.«

»Julian, Julian ... ich kann's nicht mehr hören«, knurrte Her-
mann Huber mit der Wachsamkeit eines Kettenhunds. Den
Trend zu verpassen war die einzige Todsünde, die er gelten ließ.
Und diesmal lag er ganz offensichtlich Lichtjahre daneben.

»Also, weißt nun was oder nicht?«, fragte Daniel Rother nach.

»Natürlich weiß ich was«, log Hermann drauflos. »Julian und
ich, wir kennen uns seit Ewigkeiten.«

»Also nix«, sagte Daniel Rother süffisant. »Na gut, mein Bester,
misshandle ihn nur weiter, dann schreibt sich die Story ganz von
selbst.«

*

»Namen, ich brauche Namen!«, sagte Theo Wellmann.
Er hockte auf dem Sperrmüllsessel der Au-pair-Wohnung und
hatte einen Schreibblock auf den Knien. Gabriele lagerte auf
dem abgewetzten Schlafsofa und trank Kaffee aus einer Ther-
moskanne. Die Einrichtung der Souterrainwohnung war so etwas wie das ästhetische Pendant ihres verkorksten Schlampen-
looks. Während die Beletage der Wellmann'schen Stadtvilla mit
gewienertem Marmor aufwartete, strahlten die niedrigen Räume hier unten einen kümmerlichen Nachkriegscharme aus.
»Erst mal möchte ich wissen, was eigentlich läuft«, sagte Gabriele.

Seitdem ihr Gastgeber die Beruhigungsmittel mit Appetitzüglern vertauscht hatte, klagte sie zwar über Magenschmerzen, doch ihre Geistesgegenwart kehrte nun unaufhörlich zurück.

»Es geht um eine Ehrenrettung. Um eine Imagekorrektur, genauer gesagt«, antwortete der Friseur-Tycoon.

»Und was habe ich davon?«, fragte Gabriele.

»Ein fürstliches Honorar«, antwortete Theo Wellmann. »Können Sie jederzeit in dem Vertrag nachlesen, den Sie unterschrieben haben.«

»Und was haben Sie davon?«, fragte Gabriele schnell nach.

»Julian ist finanziell am Ende. Deshalb hat er mir seine Salons zum Kauf angeboten. Ein etwas zwiespältiges Angebot, aber nach langem Überlegen habe ich mich entschlossen, ihn zu unterstützen.«

»Ich glaube Ihnen kein Wort«, sagte Gabriele.

»Liebe Frau Himmerl, der Mann ist am Ende. Er hat Verpflichtungen. Die Mieten laufen weiter, die Gehälter. Wenn ich ihn nicht kaufe, kann er sich gleich erschießen. Und ich bin großzügig: Sein Name bleibt, sein Lebenswerk wird weitergeführt.«

Gabriele stopfte sich ein Kissen in den Rücken und umschlang ihre Knie.

»Und deshalb soll ich ein Buch schreiben?«

»Ich sehe zwei Phasen«, erläuterte Theo Wellmann. »Mit meinen Beratern habe ich Folgendes durchgesprochen: zunächst eine mediale Offensive. Wir brauchen Namen, Gesichter. Menschen, die sich positiv über Julian äußern. Im Fernsehen natürlich, so penetrieren wir optimal den Markt. Dann das Buch. Eine Hommage, eine Würdigung, kurz, die ultimative Lobhudelei. Auf diese Weise unterfüttern wir die Imagekorrektur, kommunizieren das Label Julian und werten es wieder auf.«

»Kommunizieren und penetrieren? Und Sie denken, dass ich da mitmache?«

Theo Wellmann sah von seinem Block auf.

»Erstens ist das für Sie ausgesprochen lukrativ. Und zweitens haben Sie was gutzumachen, wenn mich nicht alles täuscht«, sagte er streng. »Sie haben Ihren Freund ganz schön über den Löffel barbiert.«

Statt einer Antwort griff Gabriele zu den roten Dragees.

»Nicht übertreiben mit den Dingern«, sagte Theo Wellmann ängstlich. In den drei Tagen, die Gabriele bei ihm zugebracht hatte, schien sie ihm bereits stark abgemagert zu sein.

»Sie können die Namen haben«, sagte Gabriele. »Aber ich garantiere für nichts. Es gibt keine loyalen Freunde in diesem Zirkus.«

»Warten wir's ab«, erwiderte Theo Wellmann, der Gabriele die »Blitz am Sonntag« vorenthalten hatte.

»Und wenn die nun Julian niedermachen?«, fragte Gabriele.

»Das lassen Sie mal meine Sorge sein«, erwiderte er und griff zum Handy. »Jetzt kaufe ich erst mal die Prime Time.«

*

Julian nahm den Nachtzug. Die Flughäfen waren unsicheres Terrain, er wollte niemanden sehen, niemanden sprechen.

Seit Jahren war er nicht mehr mit der Bahn gefahren. Er hatte es sich zur Gewohnheit gemacht, nur noch das Flugzeug zu nehmen, und für fluguntaugliche Strecken heuerte er einen Limousinenservice an. Selbst zu den Festspielen war er dank Lenny Backwitz chauffiert worden. Diese Hinterglaswelt komfortablen Reisens verließ er nun und begab sich in den Strudel der anonymen Nichtsesshaften, die sich dem Unterwegssein ungeschützt ausliefern mussten.

Neugierig streifte er durch die Großraumwagen des neuen Hochgeschwindigkeitszuges, der zwischen München und Berlin verkehrte, eine Strecke, die in seinem alten Leben zu einer Dreiviertelstunde kondensiert war, in der er Zeitschriften durchblätterte oder mit dem Glas in der Hand die Vexierspiele der Wolkengebilde betrachtete. Jetzt aber würde aus dem flüchtigen

Intermezzo eine lange, anstrengende Reise werden, und er genoss den Gedanken an die Zeitvergeudung, die ihm bevorstand, und die er als den Luxus seiner neuen Situation empfand.

Die Waggons waren nur spärlich besetzt. Er hatte sich gerade in ein leeres Abteil gesetzt, als sein Handy klingelte.

»Hallo Lenny«, sagte er. »Kaum zu glauben – Bayreuth hat funktioniert.«

Dann wurde er ernst.

»Pleite? Ja, mein Gott, natürlich verdiene ich kein Geld mehr, aber bis jetzt …«

Atemlos hörte er zu.

»Ich bin auf dem Weg nach Berlin. Das ist der einzige Salon, wo noch was läuft. Ich muss wieder an die Haarfront, verstehst du? Ich muss wieder schneiden, sonst werde ich verrückt. Morgen früh rufe ich meinen Notar an.«

Er drückte auf den kleinen roten Telefonhörer und lehnte sich zurück. Gepfändet. Das Wort hing flaumig in der Luft und lud sich mehr und mehr mit Bedeutung auf, bis es sich schwer lastend auf seine Schultern legte. Die Salons in München und Hamburg waren versiegelt worden. Und auch in Berlin war es nur eine Frage der Zeit, wann der Gerichtsvollzieher allem ein Ende setzen würde. Er war bankrott.

Ein Schaffner riss die Tür auf.

»Personalwechsel«, sagte er. »Die Fahrkarte bitte.«

Julian reichte ihm seine Kreditkarte. Die Kreditkarte. Ausgerechnet. Ich lasse anschreiben, hätte er am liebsten gesagt. Der Mann mit der Mütze las den Namen auf der Karte, sah Julian kurz an und grinste. Ganz offensichtlich sahen auch Schaffner zuweilen fern. Und zum Zeitunglesen hatten sie ja mehr als genug Zeit auf den langen Fahrten.

»Einmal nach Berlin, bitte.«

»Rückfahrkarte, der Herr?«, fragte der Schaffner.

Julian überlegte. Er hatte in der Vergangenheit nie selber gebucht, alles war nach einem festen Plan verlaufen, irgendwer hatte immer alles organisiert, Tommy, oder seine Presseleute, sein ganzes unstetes Leben schnurrte nach einem Fahrplan ab, den andere für ihn machten, und er spürte eine leichte Panik bei der Vorstellung, dass er jetzt selber entscheiden sollte, ob und wann er irgendwohin fuhr.

»Oder eine einfache Fahrt?«, versuchte der Bahnbeamte zu helfen.

»Klingt gut. Eine einfache Fahrt. Her damit.«

»Bitte sehr. Haben Sie sonst noch einen Wunsch? Einen Wein vielleicht?«

»Das ist aber nett«, sagte Julian dankbar.

»Das ist unser Service am Platz«, belehrte ihn der Schaffner.

»Also – einen Barolo oder einen Cabernet Sauvignon?«

»Suchen Sie was aus«, antwortete Julian, um wenigstens einen Teil der Verantwortung zu delegieren. Wenig später war der Schaffner wieder da und überreichte ihm zwei dunkle kleine Flaschen.

»Viel Glück«, raunte er. »Und nicht unterkriegen lassen!«

Er nahm den hingehaltenen Geldschein, hob kumpelhaft den Daumen und verschwand.

Während Julian die Schraubverschlüsse öffnete und abwechselnd aus der einen und der anderen Flasche trank, setzte sich der Zug in Bewegung. Eigenartig, dachte er, hier ist Niemandsland, man kann einfach dasitzen, unbehelligt vom Leben da draußen. Und wenn ich nun einfach im Zug bleibe, tagelang, wochenlang? Ohne Ziel, ohne Plan? Wer würde mich vermissen? Wer wartet eigentlich auf mich? Er stellte das Handy aus.

Es stimmte, Bayreuth war ein gelungener Auftakt gewesen für Lennys Strategie. Doch verwundert stellte Julian fest, dass dieser Etappensieg ihn nicht freute, ja, dass er ihn nicht einmal mit Genugtuung erfüllte. Ich bin eben unterwegs, dachte er. Ziel unbekannt.

Es war bereits hell, als der Zug am Bahnhof Friedrichstraße einfuhr. Schlaftrunken suchte Julian nach seinen Schuhen und griff zur Reisetasche aus grauem Flanell. Noch auf dem Bahnsteig stellte er das Handy an. Fünfzehn Anrufe, blinkte es auf dem Display. Zu viele, beschloss er und löschte sie. Vom Strom der frühmorgendlichen Betriebsamkeit ließ er sich zu einer Rolltreppe schieben und geriet auf der Suche nach einem schnellen Frühstück in einen Fischimbiss, dessen Namen er von Sylt kannte. Sylt? Gab es Sylt überhaupt noch?

Er lehnte sich an den eisernen Stehtisch. Ich muss es tun, dachte er. Ich muss es jetzt tun.

»Sepp? Ja, ich bin in Berlin. Ja, ich weiß. Verkauf den ganzen Kram. Ja, du hast richtig gehört. Der Wellmann war immer scharf drauf, also soll er von mir aus alles bekommen. Dann können wir wenigstens noch ein paar Gehälter auszahlen.«

Übelkeit überkam ihn. Er hielt sich am Stehtisch fest, auf dem Speisereste klebten.

»Wo ich wohnen werde? Keine Ahnung. Fax mir den Vertrag zur Unterschrift einfach in den Salon. Pfüat di.«

In diesem Moment sah er das Matjesbrötchen mit Zwiebelringen, das auf dem Nebentisch lag, und sein Magen bäumte sich auf. Er warf das Handy in die Tasche und floh.

Als das Taxi hielt, zögerte er. Er hatte wie immer die Adresse des Salons genannt, gewohnt, zielstrebig von einer Station zur nächsten zu eilen, ohne Umwege, ohne Nebenpfade. Aber jetzt? Ich habe ja neuerdings Zeit, dachte er verwundert, Zeit ohne Ende, mein neuer Luxus.

»Fahren Sie weiter«, sagte er, »fahren Sie einfach weiter.«

Der Taxifahrer, ein arabisch aussehender junger Mann, gab ohne weitere Fragen Gas. Er passierte das Brandenburger Tor, fuhr die Straße des 17. Juni entlang und hielt an einem Kreisel. Sofort schwärmte eine Gruppe abgerissener junger Männer aus, die ihre Dienste als Scheibenputzer anboten. Der Taxifahrer nickte, und prompt machte sich ein halbwüchsiger Junge mit verfilzten Haaren an die Arbeit. Jede seiner hurtigen Bewegungen spürte Julian am ganzen Körper, so, als sei es nicht die

Windschutzscheibe, sondern er selber, der da eingeschäumt und blankgeputzt wurde, so, als würde selbst das Auto ihn nicht mehr schützen vor dem Berührtwerden. Ich habe keine Haut mehr, dachte er. Sie haben mir die Haut weggeätzt. Schutzlos wie ein nasser Welpe sitze ich da.

Er reichte dem wartenden Jungen eine Münze aus dem Fenster. Die Ampel schaltete auf Grün, und der Fahrer ließ den Motor aufheulen, worauf die Fensterputzer behände zurück auf den Bürgersteig sprangen.

»Bleiben Sie im Kreisel«, sagte Julian. »Fahren Sie einfach immer rundherum.«

Der goldene Engel auf der Siegessäule reflektierte das erste Morgenlicht, martialisch wirkte er und stark, ein kriegerischer Verwandter der Schutzengel aus Julians Kindheit mit ihrer androgynen Lieblichkeit, dieser Engel kann kämpfen, dachte er, sein Flügelschlag tötet, sein Schwert ist bereit, oh Herr, hilf meiner Schwachheit auf.

»Okay«, sagte er schließlich, und der Taxifahrer beendete die Karussellfahrt, indem er die nächste Ausfahrt nahm. Plötzlich sah Julian ein großes, flaches Gebäude.

»Halten Sie bitte hier«, bat er. Unverzüglich trat der Fahrer auf die Bremse. Julian griff in seine Hosentasche, um zu zahlen. Wie viel Geld habe ich eigentlich noch?, fragte er sich. Ein ungewohnter Gedanke.

Frierend stand er auf den Stufen. Die Nationalgalerie wurde gerade aufgeschlossen. Es reichte noch für die Eintrittskarte.

Ohne Eile ging Julian mit seiner Reisetasche durch die leeren Räume, vorbei an missmutigen Museumsangestellten, die sich die morgendlich verschleimten Bronchien freihusteten. Sie wirkten wie Gefängniswärter, deren Aufgabe es war, die Bilder an der Flucht zu hindern. Es roch nach Automaten-Kaffee.

Vor einem großformatigen Bild sank Julian auf eine Bank. Die Farben flossen ineinander, die Leinwand schien sich zu blähen, sie lebte und atmete, ein rätselhafter Organismus, der die Welt nicht brauchte, der ganz für sich lebte und sich selbst genug war. Da hinein möchte ich verschwinden, dachte Julian. Da mitten hinein.

Als er Schritte hörte, sah er unwillig auf. Dann blinzelte er. Es war schwer zu begreifen, was er sah. Es war zu unwahrscheinlich, geradezu absurd. Reglos saß er da, während der zweite Museumsbesucher dieses kalten, hellen Morgens seinen Schritt verlangsamte und in einigem Abstand stehen blieb. Schließlich ging er auf Julian zu und setzte sich neben ihn. Beide sahen starr geradeaus.

»Es ist mein Lieblingsbild«, sagte Benedikt nach einer Weile. »Ein Graupner. Ich komme jeden Tag hierher.«

Julian wagte nicht, sich zu bewegen. Irgendetwas entstand gerade, etwas Unwägbares, Hochempfindliches, das so erschütterbar war, dass jede heftige Bewegung, jedes unbedachte Wort es zerstören konnte.

Einige Minuten saßen sie so da, dann sagte Benedikt: »Es ist ein Farbkissen, Hunderte von Pigmentschichten hat es in sich aufgesogen.«

»Es lebt, oder?«, sagte Julian.

Benedikt nickte. »Gehen wir frühstücken?«, fragte er vorsichtig.

*

Immer wieder rüttelte Gabriele an der Glastür.

»Kommen Sie, wir haben einen Termin«, ermahnte Theo Wellmann seine neue Mitarbeiterin.

Es war ein Unfall gewesen, eine dumme Panne. Auf der Fahrt zum Schneideraum hatte er direkt neben einem Kiosk halten müssen, und Gabriele hatte ohne Mühe die Schlagzeile entdeckt, die ihr zigarettenschachtelhoch die Neuigkeit zubrüllte: »AUSVERKAUF! JULIAN VOR DEM RUIN!«

»Das darf nicht sein! Das kann nicht sein«, wimmerte Gabriele und riss das Amtssiegel ab. »Das hier war mein Leben!«

»Herrgott, was tun Sie denn da? Nun beruhigen Sie sich doch. Heute Morgen hat Julians Notar mich angerufen. Ich kaufe den Laden. Und die anderen auch. Bald schon wird man Ihnen hier wieder Ihre Strähnchen verpassen!«

Behutsam löste Theo Wellmann Gabrieles Finger vom Messinggriff, den sie umklammert hielt.

»Wenn Sie ihm wirklich helfen wollen, dann kommen Sie jetzt mit«, befahl er.

Gabriele gab auf und ließ sich ohne weitere Gegenwehr zurück zum Auto führen. Die Stadt war überfüllt, wie immer am Spätnachmittag, und der Friseur-Multi war ein ebenso impulsiver wie unbeholfener Fahrer, der die Hupe so selbstverständlich benutzte wie das Gaspedal.

»Straßenbahnen! Was für ein Anachronismus! So geben Sie doch Acht auf das Kleid«, schimpfte er, als Gabriele die Asche ihrer Zigarette fallen ließ. Sie trug ein Kostüm seiner Frau, und das nicht nur aus repräsentativen Gründen, denn inzwischen brauchte sie zwei Kleidergrößen weniger.

Das Studiogelände war von bedrückender Hässlichkeit. Gabriele erkannte es sofort wieder. Hier hatte alles seinen Anfang genommen, damals, als sie sich als Tante Petra eingeschlichen hatte, auf der Suche nach der großen Story. Bei Tag wirkte das Ganze noch trostloser.

Die Cutterin hatte sie schon erwartet. Kauend wickelte sie ihr Butterbrot in ein Stück Alufolie und wischte ein paar Krümel vom Schneidetisch.

»Tschuldigung«, murmelte sie. »Aber ich habe schon eine Schicht hinter mir und fürs Essengehen war keine Zeit. Ihre Redakteurin ist mal für kleine Jungs. Das Material ist grottenschlecht, na ja, ich weiß ja nicht, was Sie vorhaben, aber … ach, da kommt sie ja schon.«

»Nein!«

Gabriele fühlte einen präzise geführten Degenstich in der Herzgegend und ließ sich auf den grau gepolsterten Drehstuhl fallen.

»Doch«, sagte die junge Frau in dem roten Ledermini. »Soll ich etwa mein Leben lang den Schlappenschammes von Hermann Huber spielen?«

»Nein«, wiederholte Gabriele. Dann begann sie zu lachen.

»Was ist hier los? Was ist hier um Gottes willen los?«, rief sie.

»Kaufen und verkaufen, das ist meine Profession«, sagte Theo Wellmann. »Und warum sollte sich eine junge aufstrebende Volontärin nicht ein Zubrot verdienen, zumal sie sich in der Materie bestens auskennt?«

»Hallo, Frau Himmerl«, sagte Melanie ungerührt.

»Nun zeigen Sie mal her, was Sie anzubieten haben«, ordnete Theo Wellmann in einem Tonfall an, als ginge es um die Speisekarte für ein Geschäftsessen, dessen Menüfolge er als zahlender Gastgeber zu bestimmen vorhatte.

»Tut mir Leid. Gestern wär's noch ein Spaziergang gewesen«, entschuldigte sich Melanie. »Aber die Schlagzeile heute Morgen hat sie alle umkippen lassen.«

Die Cutterin ließ das Band abfahren. Ein Reigen von Gesichtern tauchte auf, die frontal in die Kamera sprachen.

»Ich kann es nicht mehr hören, alle diese Schnepfen, die kreischen: Der Julian ist genial! Der Mann hat seine Zeit gehabt, der ist durch. Bald schon wird er vergessen sein. Skandale sind verderbliche Ware. Übermorgen interessiert sich kein Mensch mehr dafür«, sagte Beate Budenbach.

»Julian? Wer ist Julian? Ach, ich erinnere mich. War das nicht der, von dem immer alle sagten: Ich liiebe ihn! Er ist der Größte! Tja, auch Zwerge werfen lange Schatten, wenn ihre Sonne untergeht«, sagte Thorsten Schalke.

»Schad ist es schon um ihn. Er war immer mein Held. Wir hatten schöne Stunden. Aber das Maß ist voll«, sagte Ellen von Anhalt.

»Kaum zu glauben, wie dieser Mann uns alle getäuscht hat. Dieser Hallodri. Der ist doch unseriös«, sagte Bella Schnitzler.

»Julian? Ich habe ihn immer sehr geschätzt. Ein hochbegabter Entertainer. Ein begnadeter Dienstleister. Auch seine Eskapaden

298

waren in Ordnung. Doch nun geht es bergab. Ein Lehrstück«, sagte Klaus-Dieter Weber.

»Der denkt wohl, er ist ein kunstsinniger Mäzen. Wer zu meinen Vernissagen eingeladen wird, muss schon Geschmack und Kompetenz mitbringen, und da passt er nun gar nicht in mein Konzept. Mein Taktgefühl verbietet mir, weitere Details preiszugeben«, sagte Brunhild von Wotersen.

Melanie drückte die Stopptaste.

»Wollen Sie noch mehr?«, fragte sie.

Bis auf das leise Rauschen der Maschinen war nichts zu hören.

»Und Alexa? Chantal? Marina von Wetterau? Was ist mit dem harten Kern?«, fragte Gabriele verzweifelt.

»Die sind alle noch irgendwo in Amerika«, erwiderte Melanie. »Unauffindbar. Und bei dem Zeitdruck ist es völlig illusorisch, sie noch vor die Kamera zu bekommen.«

Theo Wellmann erhob sich.

»Es war den Versuch wert«, sagte er bitter. »Sie bekommen selbstverständlich ein Ausfallhonorar, sagen wir mal, ein Drittel der vereinbarten Summe. Gehen wir.«

Melanie zuckte mit den Achseln. Auch Gabriele stand auf, hin- und hergerissen, ob sie nun den misslungenen Rehabilitierungsversuch bedauern oder sich über Melanies Pech freuen sollte.

»Einen Moment mal«, sagte die Cutterin.

Überrascht sahen alle zu ihr hin. Sie war eine kleine, unauffällige Person, die die ganze Zeit geschwiegen hatte und nun geschäftig begann, das Band vor- und zurückzuspulen.

»Was wollen Sie denn haben?«, fragte sie mit stetem Blick auf die Monitore.

»Wir wollen etwas, was es leider nicht gibt: positive Statements über Julian«, seufzte Theo Wellmann. Offenbar fand er es ziemlich überflüssig, mit irgendeiner subalternen Angestellten über seine Pläne zu plaudern.

»Positive Statements? Die haben Sie doch«, lächelte die Cutterin schlau.

»Was?«

»Sekunde mal.«

Mit geübten Handgriffen ließ sie das Band zu Beate Budenbach fahren, stoppte, ließ einen Wortfetzen hören, fuhr quietschend weiter und drückte dann die Starttaste.

»Der Julian ist genial«, sagte Beate Budenbach.

Sprachlos starrten alle auf den Monitor. Wieder setzte die Cutterin die Maschine in Bewegung und verlangsamte das Tempo, als Thorsten Schalke ins Bild kam. Sie legte den Kopf schief, lauschte auf den Ton, der mit einem mickeymaushaften Quäken in doppelter Geschwindigkeit lief, und drückte aufs Neue die Starttaste.

»Ich lieebe ihn! Er ist der Größte«, sagte Thorsten Schalke.

»Wahnsinn«, hauchte Gabriele.

»Das ist, das ist …« stammelte Theo Wellmann, doch die Herrin des Schneideraums kam ihm zuvor.

»… unser täglich Brot«, führte sie seinen Satz fort. »Tarnen und täuschen, das machen wir doch mit links. Darf ich mal was fragen?«

»Ja sicher, alles, was Sie wollen«, antwortete er.

»Gibt es jemanden, der in dieser Geschichte den Bösewicht abgeben könnte?«

»Hermann Huber«, antwortete Melanie ohne Zögern und setzte sich wieder hin.

»Hermann Huber, aha. Ich habe zwar keine Ahnung, wer das ist, aber eines weiß ich ganz genau: Über den haben wir ganz furchtbar negative Statements. Passen Sie mal auf!«

Nach kurzem Suchen erschien Bella Schnitzler und sagte: »Kaum zu glauben, wie dieser Mann uns alle getäuscht hat. Dieser Hallodri. Der ist doch unseriös.«

Gabriele riss die Arme hoch.

»Ja!«, schrie sie. »Ja! Ja!«

Ergriffen stand Theo Wellmann da, dann umarmte er die kleine Frau am Schneidetisch und rief: »Dafür schenke ich Ihnen eine Flasche Prosecco.«

»Eine Kiste Champagner wäre wohl eher angemessen«, bemerkte Melanie.

»Wir brauchen Bilder für die Zwischenschnitte«, sagte die Cutterin ruhig. »Wann ist Sendung?«

Er sah auf die Armbanduhr.

»Punkt zweiundzwanzig Uhr startet das Magazin.«

»Also los«, ordnete die kleine, unscheinbare Person an, der man weder die Fähigkeit zu präzisen Befehlen noch die Begabung für die Kunst der meisterlichen Manipulationen ansah. »Wir müssen an die Archive ran. Ich brauche Material über diesen Julian und ein paar Einstellungen mit dem bösen Hermann Huber.«

Melanie griff zum Telefon.

»Es hat mich eine Menge Geld gekostet, die Sendezeit zu kaufen. Und ich glaube, dass dieses Geld exzellent angelegt ist«, sagte Theo Wellmann und küsste der Cutterin die Hand.

*

»Sind wir hier richtig?«, fragte Julian.

»Goldrichtig«, antwortete Benedikt und öffnete eine unscheinbare Holztür. Die Kunsthochschule war ein riesiger Gründerzeitbau, der wie ein gestrandeter Luxusliner im architektonischen Wirrwarr rund um den Bahnhof Zoo lagerte und dessen Innenleben labyrinthisch verworren wirkte. Sie waren dunkle Flure entlanggegangen und hatten mehrere Treppenhäuser erstiegen, bevor sie im Dachgeschoss angelangt waren.

»Bitte sehr, mein Atelier«, sagte Benedikt und deutete eine Verbeugung an. Neonlicht flammte auf. Überrascht sah Julian sich um. Der Raum war größer, als er erwartet hatte. An den weiß gestrichenen Wänden, die von bunten Farbspuren gezeichnet waren, hingen riesige Bilder, die aus einzelnen Platten bestanden. Julian ging auf eines zu, das silbrig glänzte.

»Ist das Metall?«, fragte er.

»Nein, silberner Sprühlack auf Pappe«, erklärte Benedikt und suchte einen Aschenbecher.

Seit dem Frühstück hatten sie sich nicht mehr getrennt. Sie waren durch den Tiergarten gelaufen, hatten zwischendurch irgendwo Kaffee getrunken, und sie hatten geredet, ohne Unterlass, während sie abwechselnd Julians Reisetasche trugen.

Julian konnte sich nicht erinnern, wann er zuletzt mit jemandem so ausgiebig gesprochen hatte, ohne den üblichen Klatsch auszutauschen.

Niemandsland, dachte er. Auch Benedikt ist Niemandsland. Alles hier ist Niemandsland. Der ideale Aufenthaltsort für einen frisch gebackenen Nobody. Er lachte in sich hinein.

»Alles in Ordnung?«, fragte Benedikt besorgt.

»Mach dir keine Gedanken, mir geht es bestens«, erwiderte Julian. Sie waren irgendwann zum Du übergegangen, ohne dass er hätte sagen können, wann genau.

»Deine Bilder sind – ach, ich kann gar nichts sagen. Sonst wird es doch nur Beeindruckungsprosa ...«

Benedikt holte einen mit Farbe bekleckerten Schemel.

»Setz dich. Du siehst so müde aus.«

»Ich will mir erst alles ansehen. Und ich habe Hunger.«

Benedikt deutete auf einen Rest Schokolade, der auf einem vermüllten Tisch lag, neben Farbtuben und verklebten Pinseln.

»Das ist leider alles. Aber hier in der Nähe gibt es jede Menge Restaurants, Italiener, Inder, Franzosen, auch die ›Bar Français‹.«

»Um Gottes willen!«

Die »Bar Français«, das war sein altes Leben. Doch plötzlich straffte Julian sich. Jetzt gerade, beschloss er. Was soll schon passieren? Ich bin bankrott, ich bin durch, na und?

Er betrachtete Benedikt. Eigentlich mochte er diesen Männertyp nicht. Benedikts Haar war hell, seine Haut weiß, und der leichte Anflug seines Bartwuchses hob sich als blonder Flaum von seinem blassen Teint ab. Außerdem war er jung, viel zu jung, zwanzig vielleicht. Und doch ... Aber es hatte sowieso keinen Sinn.

Bedächtig schlenderte Julian durch den Raum, dessen karge Zweckmäßigkeit ihm gut tat. Kein Schnörkel, kein Zierrat störte das Auge, hier ging es nur um Malerei. Nach einer halben Stunde wandte er sich zur Tür.

»Wir gehen in die ›Bar Français‹«, sagte er. »Kannst du mir ein bisserl Geld leihen?«

Schon von weitem leuchtete der grüne Schriftzug auf. Es war noch früher Abend, der Himmel verfärbte sich graurosa und verwischte allmählich die Konturen der Häuser, während sie langsam die Straßen entlanggingen.

»Du willst wirklich da rein?«, fragte Benedikt ein letztes Mal. Julian nickte.

Als sie das Restaurant betraten, hängte sich sofort ein rothaariges Mädchen an den jungen Maler.

»Dich habe ich ja eine Ewigkeit nicht gesehen«, rief sie erfreut und küsste ihn auf beide Wangen, ohne Julian zu beachten.

»Tut mir Leid, ich habe ein wichtiges Gespräch«, entschuldigte sich Benedikt und machte sich los.

Sie bekamen einen Tisch mitten im Lokal, mitten in der Arena. Alle Blicke richteten sich auf sie. Julian registrierte es ohne jede Panik. Er war verwundbar, er war sogar verwundbarer als je zuvor, aber es machte ihm nichts mehr aus.

»Du bist ganz schön umschwärmt«, sagte er hilflos zu Benedikt und sah dem rothaarigen Mädchen nach. Er hasste die Ohnmacht der Eifersucht. Ich sollte gehen, dachte er. Ganz schnell.

»Wie meinst du das?«, fragte Benedikt belustigt.

Vielleicht spielt er ein Spiel, eins dieser blöden Spiele, dachte Julian. Er schwieg verstimmt und schlug die Speisekarte auf.

»Julian!« Die Luft wurde jäh durchschnitten von einer Stimme, die Julian allzu gut kannte. Es war der gurrende Mezzosopran von Beate Budenbach. Sie winkte ihm zu, erhob sich und drängelte sich durch die eng stehenden Tische, wobei sie ein Glas mitriss und einige Gäste mit ihrer Leibesfülle bedrängte.

»Na, du hast dich ja schnell getröstet«, trillerte sie mit einem Seitenblick auf Benedikt. »Willst du mir den jungen Mann nicht mal vorstellen?«

»Nein«, antwortete Julian.

Beate Budenbach nestelte irritiert an ihrem schwarzen Cashmeretuch, dann beugte sie sich zu Benedikt herunter und raunte: »Wie ist es denn so, Sex mit einem älteren Mann zu haben?«

Benedikt starrte sie fassungslos an.

»Wenn wir Gleitcreme brauchen, sagen wir dir Bescheid. Du bist immer so schön schlüpfrig, Beate«, antwortete Julian und winkte dem Ober.

»Könnten Sie bitte dafür sorgen, dass wir hier nicht belästigt werden?«, fragte er so laut, dass es niemandem entgehen konnte.

»Achten Sie besser darauf, dass dieser Herr auch bezahlt. Er ist nämlich blank wie eine Glatze!«, schrie Beate Budenbach. Zitternd vor Wut wartete sie auf die nächste Replik, aber Julian wandte sich wieder Benedikt zu und sagte: »Es tut mir wirklich Leid. Aber diese Dame war schon immer sexuelles Notstandsgebiet.«

»Julian«, hörte er wieder seinen Namen. »Ich habe es heute in der Zeitung gelesen, ich muss mit dir reden, darf ich mich einen Moment setzen?«

Er sah auf. Es war Bodo Lansky. Sein dunkler Anzug zum weißen Stehkragenhemd gab ihm etwas Priesterhaftes. Die dunklen Augen hinter der Stahlbrille wirkten bekümmert.

»Aber ...«, protestierte Beate Budenbach, doch Bodo Lansky schob sie unwirsch zur Seite, worauf sie in Richtung Toilette verschwand.

»Hallo Bodo«, sagte Julian und spürte eine neue Leichtigkeit, eine Schwerelosigkeit geradezu. Die ewige Konkurrenz, die sich immer wieder zwischen sie gedrängt hatte, sie war dahin. Ich habe nichts mehr zu verlieren, dachte Julian wieder.

»Tja, jetzt bist du der King. Gratulation«, sagte er.

»Das ist doch völlig wurscht. Ich ...«, begann Bodo Lansky und rückte ganz dicht an Julian heran, »... ich weiß, es klingt verrückt, aber ich möchte dir einen Vorschlag machen. Hör mir bitte gut zu, ich möchte – deine Läden kaufen.«

Julian blinzelte nervös.

»Da bist du heute schon der zweite«, erwiderte er gequält. Bekam der denn nie genug? Wollte Bodo Lansky denn alles?

»Klar, der Wellmann will dich einsacken, darüber spricht die ganze Branche. Aber ich bin nicht so ein Kriegsgewinnler wie der. Ich mag dich. Und ich weiß genau, was da abgeht. Jetzt pass genau auf. Ich kaufe dich nur pro forma. Keine feindliche Übernahme, verstehst du?«

»Was denn sonst?«, fragte Julian mit gesenktem Kopf. Seine Finger krallten sich in die Tischdecke. Und plötzlich, ohne jede Vorankündigung, legte sich Benedikts Hand auf die seine.

Bodo Lansky achtete nicht darauf, sondern flüsterte beschwörend: »Die halten uns für ihre Unterhaltungsidioten. Für die Volksbelustigung der höheren Stände. Die benutzen uns ohne Ende. Die saufen unseren Champagner und beißen in die Hand, die sie frisiert. Die schreiben uns hoch und runter, wie es ihnen gerade passt. Aber wenn du hustest, ist die ganze Branche krank, verstehst du? Wenn sie dich abstürzen lassen, sind wir bald alle dran.«

Julian hörte nur halb hin, denn diese Hand, die sich auf seine Hand gelegt hatte, schien direkt vom Himmel zu kommen, sie war ein Wunder, eine Erscheinung, das sanfte Lächeln eines gütigen Schicksals. Er spürte ein Schluchzen in der Kehle.

»Betrachte es als zinsloses Darlehen, okay?«, sagte Bodo Lansky. Er nahm die Brille ab und legte sie auf den Tisch. »Wenn du wieder gebacked bist, zahlst du einfach alles zurück.«

Benedikt sah Julian fragend an. Und Julian, überwältigt, stumm, verwirrt, nickte.

»Champagner!«, rief Bodo Lansky.

Als die drei eine Stunde später das Lokal verließen, sah ihnen Beate Budenbach verbittert hinterher. Sie stützte die Ellenbogen auf, erhob ihr Glas zu einem Toast und kreischte: »Waschen, schneiden, flachlegen!«

*

»Dein Handy klingelt«, flüsterte Benedikt und küsste Julian, der sich in die Bettdecke eingerollt hatte wie ein Kind. Das winzige Appartement war völlig zerwühlt. Kissen lagen überall herum, auf dem Bett, auf den Dielen, und einige Bilder, die an der Wand gelehnt hatten, waren umgekippt.

»Ich bin nicht da«, murmelte Julian. Mit geschlossenen Augen tastete er nach Benedikt.

»Ich weiß, aber das Ding klingelt schon seit einer Viertelstunde. Irgendjemand versucht ziemlich verzweifelt, dich zu erreichen«, sagte Benedikt und setzte ein Tablett mit einer Flasche und zwei Gläsern ab.

Julian öffnete die Augen.

»Lenny Backwitz, der Unermüdliche. Na gut, aber nur eine Minute.«

Gleichmütig ergriff er das Handy, das Benedikt ihm hinhielt und sagte unvermittelt: »Sorry, du störst.«

Dann sagte er eine Weile nichts.

»Und?«, fragte Benedikt.

»Hast du einen Fernseher?«, fragte Julian zurück. »Meine Hinrichtung hast du verpasst, aber gleich kannst du meine Beerdigung erleben.«

Benedikt stand auf, klaubte zwei Hemden und zwei Hosen von einem winzigen Monitor und reichte Julian die Fernbedienung. Ungeduldig zappte sich Julian durch die Sender und hielt inne, als er das rote Logo von »Extrem« entdeckte, dem Magazin für Klatsch und Lifestyle.

Die schwarzhaarige Moderatorin mit den irritierend weit auseinander stehenden Augen blickte sorgenvoll in die Kamera.

»Er war der Liebling der Gesellschaft. Ein Star-Coiffeur. Ein Party-Löwe. Sein Absturz war so extrem wie sein Aufstieg. Drogenskandale, sexuelle Exzesse, Bankrott. Doch nun scheint das Blatt sich zu wenden. Sehen Sie selbst.«

Ein bunt flackernder Clip irrlichterte über den Bildschirm, eine auf dreißig Sekunden eingedampfte filmische Biografie, in der

Julian sein Leben vorüberziehen sah, als sei dies der finale Film im Angesicht des Todes. Den Höhepunkt markierte die bis zum Überdruss wiederholte Szene aus New York.

»Super-Styling«, raunte Benedikt. »Einfach unwiderstehlich. Du solltest öfter Pyjama tragen.«

Julian winkte erschöpft ab. Beate Budenbach erschien auf dem Monitor.

»Der Julian ist genial!«, rief sie.

»Wie bitte?«, flüsterte Julian.

Eine Szene der »Donnerwette!« schloss sich an, man sah Julian mit Alexa die Showtreppe herabsteigen und dann mit Thorsten Schalke auf dem Sofa sitzen. Dann kam der Moderator ins Bild und beteuerte: »Ich lieebe ihn, er ist der Größte!«

Julian setzte sich auf und suchte nach seiner Brille.

»Was – was ist denn nun los?«, stammelte er.

Ellen von Anhalt trat auf.

»Er war immer mein Held. Wir hatten schöne Stunden«, flötete sie, und Klaus-Dieter Weber ergänzte: »Ich habe ihn immer sehr geschätzt. Ein hochbegabter Entertainer. Ein begnadeter Dienstleister. Auch seine Eskapaden waren in Ordnung.«

Fassungslos hockte Julian in den Kissen.

»Sind die auf Dope?«, fragte er mit belegter Stimme.

»Nein, die stehen auf dich«, antwortete Benedikt und entkorkte den Rotwein.

Julian sah sich mit Natascha über den roten Teppich der Festspiele gehen. Die Kommentarstimme erging sich über seinen Hang zur Kunst.

Prompt tauchte Brunhild von Wotersen auf.

»Er ist ein kunstsinniger Mäzen«, erklärte sie. »Wer zu meinen Vernissagen eingeladen wird, muss schon Geschmack und Kompetenz mitbringen.«

»Die? Ausgerechnet die? Ja, sind die denn alle wahnsinnig? Wieso reden die so schleimig?«, rief Julian und trank wie in Trance sein Glas leer, worauf Benedikt es sogleich wieder füllte.

Dann verschluckte sich Julian fast. Hermann Huber war zu sehen. Selbstgefällig saß er an seinem riesigen Wurzelholzschreibtisch und brüllte Befehle ins Telefon. Die Kamera schwenkte kurz auf den erigierten Penis im Goldrahmen und kehrte dann zu dem Blattmacher zurück. Die Kommentarstimme erhob sich drohend.

»Und dies ist der Mann, der eine beispiellose Schmutzkampagne startete. Über die Motive wollte er uns nichts verraten, er verweigerte jedes Interview, die Haltung der guten Gesellschaft aber ist eindeutig.«

»Kaum zu glauben, wie dieser Mann uns alle getäuscht hat. Dieser Hallodri. Der ist doch unseriös«, sagte Bella Schnitzler und Beate Budenbach pflichtete ihm bei: »Der Mann hat seine Zeit gehabt, der ist durch. Bald schon wird er vergessen sein. Skandale sind verderbliche Ware. Übermorgen interessiert sich kein Mensch mehr dafür.«

Daraufhin sah man Hermann Huber, wie er in der »Bar Français« Hof hielt, umgeben von stadtbekannten Gesichtern.

»Tja, auch Zwerge werfen lange Schatten, wenn ihre Sonne untergeht«, kommentierte Thorsten Schalke die Bilder. »Doch nun geht es bergab«, verkündete Klaus-Dieter Weber, und Ellen von Anhalt ergänzte: »Das Maß ist voll!«

Julian stürzte auch das zweite Glas Wein hinunter und ächzte: »Zigarette, aber schnell.« Benedikt zündete zwei Zigaretten gleichzeitig an und steckte ihm eine davon zwischen die Lippen. Der Strand von Sylt tauchte auf, aus dem Hubschrauber regnete es Löwenzahn, und Julian stand inmitten seiner Gäste, fröhlich lachend und bestens gelaunt. Eine donnernde Orchestermusik ertönte. Die Kommentarstimme wurde weich.

»Es sieht ganz so aus, als ob dieser Mann gute Freunde hat. Sehr gute Freunde. Die Attacken einer fragwürdigen journalistischen Kampagne jedenfalls hat unser Lieblingsfriseur allem Anschein nach überstanden. In Kürze werden seine Salons wieder eröffnen. Wie man hört, hat ein internationales Unternehmen großzügige finanzielle Unterstützungen zugesagt. Julian wird schon bald seiner illustren Clientèle wieder den Kopf waschen!«

Während die Werbespots abfackelten, saß Julian wie gelähmt da.

»Ich verstehe es nicht. Ich verstehe es einfach nicht«, flüsterte er.

»Das Leben ist ein Roman.«

»Du musst ihn aufschreiben«, sagte Benedikt.

Dann klingelte Julians Handy und gab bis in den frühen Morgen hinein keine Ruhe mehr.

*

»Das Kleid ist märrrchenhaft, oder?«, flüsterte Natascha und alle nickten ergriffen. Allein die Schleppe war vier Meter lang und wurde von zwei stummen Zofen seit Stunden glatt gebügelt.

»Seine Mutter hat es einst getrragen. Die Arrrme.«

Der Palast befand sich im Ausnahmezustand. Unaufhörlich knatterten die Helikopter heran, der Verkehr kollabierte seit Stunden, und Julian war es nur mühsam gelungen, die Sicherheitsleute davon zu überzeugen, dass er seine Scheren brauchte.

»Die Kleine ist auch schon ganz aufgeregt«, sagte Alexa und streichelte ihren Bauch, der sich unter einem zartrosa Ensemble wölbte. Zufrieden lag sie auf einem ausladenden Diwan und breitete die verschiedensten Esswaren um sich herum aus. Zum obligatorischen Joghurt gesellten sich Brezeln, Salamiwürste und Mozartkugeln. Schon nach kurzer Zeit wirkte der verschwenderisch stuckatierte Ankleideraum wie ein Picknickplatz.

»Mein Patenkind«, lächelte Julian und widerstand dem Wunsch, ebenfalls Alexas Babybauch zu streicheln. »Pass bitte gut auf, ja?«

Er war damit beschäftigt, Nataschas dunkles Haar in Hunderte von Zöpfchen zu flechten.

»Ist das nicht ein bisschen verrwegen, dieser Rrrasta-Look?«, fragte Natascha und betrachtete sich zweifelnd im Spiegel.

»Schätzchen, du siehst hinreißend aus«, widersprach Alexa und leckte den Deckel eines Joghurts ab. »Wenn du den Hoffriseur rangelassen hättest, dann sähst du jetzt aus wie drei Engel für Charlie. Mach dir keine Sorgen. Du kriegst alle Titelblätter dieser Welt!«

»Die Fernsehrechte sind in siebenundzwanzig Länder verkauft worden«, sagte Julian. »Stellt euch das mal vor. Von Kapstadt bis Rejkjavik wird man über diese Zöpfchen diskutieren!«

»Und was machst du heute Abend? Schneidest du dann den ganzen Krempel wieder ab?«, fragte Uwe, der verschiedene Teintgrundierungen auf seinem Handrücken ausprobierte. Julian hatte darauf bestanden, ihn einfliegen zu lassen, und niemand hatte gewagt zu protestieren.

»Nein!«, schrie Natascha auf.

»Keine Angst. Hast du auch schön deinen Text memoriert?«, fragte Julian.

Natascha erhob sich.

»Oui«, sagte sie und strahlte. »Frranzösisch für Anfänger. Mit einem ausgesprochen attrrraktiven Frranzösischlehrer. Ich konnte ihm noch etwas beibrringen.«

Sie probierte eine kleine Drehung. Alle applaudierten beifällig.

»Begnadet«, rief Alexa. »Julian, wenn der Prinz das sieht, wird er dich auf der Stelle adoptieren!«

Julian griff zur Kaffeetasse. Man hatte eigens für ihn eine Espressomaschine aufgetrieben, die seit Stunden unablässig in Betrieb war.

»Mein alter Freund Michelangelo sagt immer: Die Skulptur steckt bereits im Marmorblock. Der Bildhauer muss sie nur herausholen.«

»Micky Angelo? Ist das ein Sänger?«, fragte Natascha wissbegierig.

»Buonarotti. Ein alter Italiener. Frag Lenny, der brieft dich bei Bedarf.«

»Du, ich habe tolle, tolle Wimpern mitgebracht«, schwärmte Uwe und öffnete ein silbernes Kästchen. »Ich habe welche mit winzigen Strass-Steinchen. Dann kannst du dir die Tränen sparen.«

»Sonst schreibt Gabriele ...«, begann Julian, und Uwe sprach im Chor mit: »... die Braut trug Bart!«

»Was ist eigentlich mit Gabrielemäuschen? Schlägt die auch hier auf?«, fragte Alexa.

»Na klar. Die ist völlig aus dem Häuschen. Schreibt seit Wochen nur über Natascha, über die Hochzeit, über das Kleid, die muss ja immer irgendwen bebrüten«, rief Julian und legte seine Zigarette auf den Rand des goldenen Schminktischchens. »Seitdem sie Chefredakteurin der ›Society‹ ist, lässt sie es richtig sülzen.«

»Und Hermann Huber?«, fragte Alexa.

»Der schlecht angezogenste Schwellkörper der Nation wird die Hochzeit wohl leider verpassen. Man sagt, dass er sich zurzeit im ›Vital Resort High Energy‹ aufhält«, erzählte Julian vergnügt.

»Haben die neuerdings eine Abteilung für dauererregte Bespringer?«, gluckste Uwe.

»Na ja, er war immer schon etwas holzig im Abgang. Aber ich würde die Libido nicht unbedingt als Krankheit bezeichnen«, gab Julian zurück und befestigte den Schleier auf dem Gewirr aus Zöpfchen, die nach allen Seiten von Nataschas Kopf abstanden. »Ganz im Gegenteil.«

Alexa öffnete einen zweiten Joghurt und lachte. »Apropos – wo ist eigentlich Benedikt?«

»Der findet solche Events nur bedingt genießbar. Ich nehme morgen früh die erste Maschine. Und am Nachmittag wird das Bild aus Ruben Leszeks Galerie geliefert. Was ist, Uwe, wie lange brauchst du noch?«

»Soll ich etwa hudeln? Die ganze Welt blickt heute auf mich!« Er improvisierte eine hüftbetonte tänzerische Einlage und puderte die ergebene Natascha ab. »Sssuper, die Lippen«, rief er. »Wo hast du die denn machen lassen?«

Die Kapelle war umstellt von Kamerateams und Fotografen, die innerhalb von Minuten die Blumendekoration zerquetscht hatten. Trompeter in mittelalterlich anmutenden Fantasieuniformen setzten zackig ihre Instrumente an und bliesen zur Vermählung, während die Mitglieder des Herrscherhauses über den blaugolden gemusterten Teppich schritten.

Alexa und Julian saßen bereits, als die Hochzeitsgesellschaft in die Kapelle einzog. Von fern winkte Gabriele ihnen zu.

»Die ist ja gertenschlank«, staunte Alexa. »Hat die sich einen Bandwurm einsetzen lassen?«

»Keine Ahnung«, antwortete Julian. »Aber sie schreibt nun endlich ihr Buch, wie ich hörte.«

»Was du nicht sagst. Das Buch über dich, mit dem sie alle angeödet hat?«

»Ach was«, erzählte Julian. »Sie schreibt eine Autobiografie. So nach dem Motto: Wie ich wurde, was ich bin. Du kommst auch drin vor.«

»Dann werden wir ihr mal vorsichtshalber eine einstweilige Verfügung reinbraten«, gluckste Alexa. »Wie findest du das?«

Statt einer Antwort deutete Julian zum Eingang der Kapelle. Alle erhoben sich.

Natascha sah aus, als ob sie in ihrem ganzen Leben nichts anderes getan hätte, als hoheitsvoll die gleichsam salutierende Armee des internationalen Jetsets abzuschreiten. Ihre dunklen Zöpfchen bewegten sich leicht, während sie unverwandt zum Altar blickte, dorthin, wo ihre Karriere einen vorläufigen Höhepunkt erreichen würde. Nur der angedeutete Hüftschwung, der ihrem Gang zu eigen war, erinnerte noch an ihre Modelzeiten.

Die Orgel setzte ein, und ein kühler Schauer lief über Julians Rücken.

»Heilige Lukrezia«, flüsterte er und griff schnell an seine Brust, wo er die geweihte Medaille auf seiner Haut spürte.

»Viel Glück«, wisperte Alexa.

»Das habe ich schon«, sagte Julian leise.

*

Das Restaurant war völlig leer, bis auf ein paar Kellner, die am Tresen gewartet hatten und sogleich auf Julian und Benedikt zueilten, als sie an der Tür erschienen.

»Ist ja schwer in der Krise, der Laden. Wo sind denn die Gäste?«, fragte Benedikt. Julian lächelte.

»Eigentlich hat das ›Margaux‹ schon geschlossen. Ich habe den ganzen Laden gemietet, nur für uns zwei!«

Benedikt ergriff ohne ein Wort Julians Hand. Sie nahmen einen runden Tisch am Fenster zum Innenhof. Ein erster kalter Herbstwind bog die Zweige der Bäume auseinander, und ein paar braune Blätter klebten an der nassen Scheibe.

Benedikt ließ kein Auge von Julian, der wiederum Benedikt mit einer Aufmerksamkeit musterte, als wolle er sich jeden Millimeter seines Gegenübers einprägen. Sein Blick glitt über das Haar, die Augen, den Mund, verweilte an der Kinnlinie und kehrte zu den Augen zurück. So sahen sie sich stumm an, in der unbestimmten Empfindung, dass sie nicht mehr sprechen mussten.

Während sie schweigend den Champagner tranken, servierte der Maître einen zweifarbigen Cocktail in winzigen Gläschen.

»Bitte sehr. Ein sommerliches Amuse Gueule. Eine leicht gewürzte Tomatenessenz auf Zucchinicreme mit einem gerösteten Liebstöckelblatt.«

Wortlos löffelten sie die Gläser aus, in denen sich die dünnflüssige rote Essenz träge mit den Zucchini mischte.

»Und nun«, meldete sich der Maître kurz darauf zurück, »ein Chaud-et-froid, die Reminiszenz des Sommers mit ersten Herbstanklängen. Tomaten, Basilikum, ein letzter Anhauch der sonnendurchtränkten Jahreszeit, dazu Steinpilze, man schmeckt schon das Herbstliche, die Blätter, die sich färben, den Duft der Kastanien, die feuchte Erde des Waldes. Und dazu ein aufgeschäumtes Steinpilz-Consommé, das heiß über das kalte Gemüse gegossen wird, sehen Sie, wir nehmen nur den Schaum, die tröstliche Wärme der herbstlichen Freuden vermählt sich mit dem letzten Sommergruß.«

Sie schlossen völlig synchron die Augen, als sie den ersten Bissen nahmen. Das feste Fleisch der Steinpilze gab sogleich den Ton vor, während die Schaumbläschen sacht auf der Zunge zerplatzten und die Tomaten sich mit einer säuerlichen Nebenrolle begnügten.

Beiden war heiß, und doch saßen sie völlig ruhig da. Eine neue Gelassenheit hatte von Julian Besitz ergriffen, eine Gelassenheit, die so fremd und ungewohnt war wie ein neuer Anzug.

Benedikt erhob das Glas mit dem Poulliy Fumé und prostete Julian zu. Sie kreuzten die Gläser zu einem kaum hörbaren Klang und nahmen dankbar die Abwesenheit jeglicher Hintergrundmusik wahr.

»Und nun: Der Winter. Adventliche Gefühle. Ein Rehrücken, im Wurzelsud geschmort, mit einer Sauce, die wir mit tiefschwarzer Schokolade abgebunden haben. Dazu Polentaschnee.«

Die gastrosophische Lyrik kommentierten sie nur mit den Augen und zerteilten dann in aller genießenden Umständlichkeit das mürbe Fleisch, schmeckten die süßlich-strenge Bitternis der Schokolade, kosteten von der Polenta, die in winzigen Tässchen serviert worden war.

Als der doppelte Espresso vor ihnen stand und ein Silberkännchen mit kalter Milch, näherte sich der Maître und flüsterte verschwörerisch: »Eigentlich verraten wir es unseren Gästen nicht, aber dies hier, dies ist feinster italienischer Biskuit, bestrichen mit weißer Schokolade und gewürzt mit – nun, das Schwarze ist nicht etwa Vanille, das sind fein gewiegte schwarze Oliven.«

Benedikt biss ein Stück ab, nahm einen Schluck Espresso, dann beugte er sich zu seinem Rucksack und holte ein schwarz verpacktes, eckiges Paket heraus. Er reichte es Julian.

Ohne die übliche Ungeduld löste Julian die graue Schleife und faltete das Papier auseinander. Es war ein Laptop.

Benedikt hob fragend die Augenbrauen. Julian nickte. Dann gab er Benedikt einen Schlüssel. Es war ein Hausschlüssel, an dem ein Adressschildchen aus Messing hing. Er erhob sich, küsste Benedikt auf den Mund und ging.

*

Bella Schnitzler war in ihrem Element. Unablässig begrüßte sie die Gäste, platzierte alle Neuzugänge nach einem ausgeklügelten System, mit dem sie jedes Mal neue Hierarchien installierte, und überreichte den Damen kleine Shampooschachteln, die mit weißen Lilien geschmückt waren.

Die Staatsoper Unter den Linden war angefüllt mit der Crème jener Gesellschaft, die wöchentlich von der »Society« gefeiert wurde, und unterlag strengster Bewachung. Ein Gong ertönte.

»Du sitzt in der ersten Reihe, nun geh schon«, flüsterte Bella und gab Julian einen neckischen kleinen Schubs.

Er konnte es noch nicht ganz glauben, was hier geschah, doch er beschloss, es als einen mittelmäßigen Kinofilm zu betrachten, als eine Gelegenheitsproduktion, bei der es nicht für ein anständiges Casting gereicht hatte. Festens Schritts ging er den Seitengang entlang und setzte sich auf den markierten Platz. Er sah sich um.

Die üblichen Verdächtigen meines alten Lebens sind zur Aufnahme der Personalien herbestellt, durchfuhr es ihn, gleich wird man sie alle abführen.

Beate Budenbach schickte ihm ein Lächeln mit fest verschlossenen Lippen, Gabriele tuschelte mit Theo Wellmann, Klaus-Dieter Weber und Ellen von Anhalt zeigten sich ihre Armbanduhren, Thorsten Schalke winkte leutselig und spähte zu den Kameras.

Alexa lag in den Wehen. Julian befühlte sein Handy in der Brusttasche und wollte es gerade ausstellen, als er zögerte und die Hand wieder sinken ließ. Nein, dachte er, den ersten Schrei darf ich nicht verpassen, auch wenn sie jetzt in München in dieser Privatklinik liegt und ich nicht bei ihr bin.

Neben ihm nahm nun Klaus-Dieter Weber Platz, nickte ihm zu

315

und erhob sich gleich wieder. Mit gezierten Bewegungen bestieg er die Bühne und ging langsam zum Rednerpult. Er legte sein Manuskript ab, nahm einen Schluck Wasser und sah aufmerksam in die Runde.

»Sehr verehrte Damen und Herren, lieber Julian«, begann er. »Wir ehren heute einen Menschen, den wir als idealtypischen Protagonisten einer widersprüchlichen Zeit betrachten dürfen, als Helden und Antihelden, als Heilsbringer und Märtyrer. Er ist der Popstar des postsäkularen Zeitalters, der uns zeigte, dass unsere Kultfiguren Passionen ertragen müssen, um uns das Ewigmenschliche vor Augen zu führen, den immer während Widerspruch zwischen Abbild und Vorbild, die Ambivalenz von Leiden und Lust, die unsere Ikonen stellvertretend für uns alle durchleben.«

Julian schlug nervös ein Bein über das andere. Bis zuletzt hatte er diese Veranstaltung als einen Scherz betrachtet, als ein grandioses Missverständnis, doch allmählich wurde ihm klar, dass dies alles offenbar ernst gemeint war. Bella Schnitzler, die direkt hinter ihm hockte, zog ein Taschentuch hervor und schnäuzte sich.

»Er war oben und er war unten, und er erhob sich aus der Asche böser Verleumdungen, um desto strahlender in den Zenith hinanzusegeln.

Sein Handwerk zu loben ist meine Sache nicht. Das tun bereits andere, die sich in den Necessitäten des frisurästhetischen Gewerbes besser auskennen. Heute soll es nicht um Haare gehen. Nein. Ich spreche heute vom Gestus des Altruismus, von der liebreichen Betreuung, von der – lassen Sie mich dieses Wort in seiner ganzen Bedeutung in diesem Kontext einfügen – von der Gnade der Erlösung.«

Ein Raunen ging durch die Reihen. Beate Budenbach, die zwei Sitze weiter saß, reckte empört den Kopf.

»Erlösung«, bekräftigte Klaus-Dieter Weber das Gesagte und sah bedeutungsvoll nach oben. »Wir alle sehnen uns nach Erlösung. Julian hat uns vorgeführt, und das mit dem Einsatz seiner ganzen Existenz, was dieses Wort bedeutet. Deshalb ist es mir eine Ehre, die Laudatio zu halten, bevor er heute das Bundesverdienstkreuz am Bande aus der Hand des wichtigsten Mannes im Staate erhält. Meine Damen und Herren, ich bitte um Applaus für Julian!«

»Los, los, nach vorn«, feuerte ihn Bella Schnitzler an.

Wie ferngesteuert setzte Julian sich in Bewegung und lief fast in Klaus-Dieter Weber hinein, der ihn mit einem zufriedenen Lächeln streifte.

Erst als er oben auf der Bühne stand, sah Julian den Politiker auf sich zu kommen, der eine rotseidene Schatulle vor sich her trug. Spontan ging er ihm entgegen.

»Da sind aber mal wieder ein paar Strähnen fällig«, raunte Julian ihm zu, und der Staatsmann lächelte bedeutungsvoll, bevor er sich am Rednerpult postierte. Er stützte die Arme auf, sah in die Runde und betrachtete einige Sekunden versonnen Julian, der die Arme verschränkte, als warte er auf eine Quizfrage.

»Dieser Mann«, setzte der Staatsmann an und nahm die Brille ab, »dieser Mann ist ein Beweis dafür, dass sich jeder mit seiner Hände Arbeit einen Platz in unserer Gesellschaft erobern kann. Die Durchlässigkeit des demokratischen Systems ist eine zutiefst beglückende Erfahrung für jeden, der an die freiheitliche Verfassung glaubt. An die Freiheit des Individuums. An die Freiheit der Presse. Meine Damen und Herren, verehrte Gäste, mein lieber Julian, ich beglückwünsche Sie zu …«

In Julians Brusttasche begann es zu vibrieren und eine feine Melodie erklang, der Walkürenritt im elektronischen Taschenformat.

»Entschuldigen Sie mich einen Augenblick«, murmelte Julian und holte das Handy heraus.

Gekicher und entrüstetes Raunen entstanden im Publikum, während Julian das Handy an sein Ohr presste. »Ja? Wie bitte? Sag schon? Ein Mädchen? Wirklich ein Mädchen? Wahnsinn. Wahnsinn!«

Einen Moment lang überlegte er, dann hielt er den Apparat ans Mikrofon, und das Schreien des Neugeborenen gellte durch den Theaterraum, ein vitales Geheul, ungefiltert, ungebremst, es wurde von den Wänden zurückgeworfen und löste eine grell pfeifende Rückkopplung aus.

»Ein Mädchen! Ich werde Patenonkel! Wahnsinn!«, schrie Julian immer wieder und umarmte den Politiker, der steif wie eine Schaufensterpuppe dastand mit seiner Schatulle und Hilfe suchend ins Publikum spähte.

»Ich würde Ihnen jetzt gern mal den Orden anstecken, wenn Ihre Zeit es erlaubt«, grinste er schließlich und öffnete die Schatulle.

Als Julian den Orden an seinem Jackett leuchten sah, spürte er die Erwartung in den Gesichtern. Er stellte das Handy aus.

»Die Dankesrede«, wisperte der Staatsmann ihm zu.

Julian ließ seinen Blick über die Gesichter wandern. Alle waren sie da. Aber wozu? Was sollte er hier? Wer war dieser Julian, den sie heute ehrten? Sie brauchten ihn nicht, sie brauchten die Bilder, die Storys, die Ereignisse, mit ihm aber hatte diese Figur nichts mehr zu tun. Ich bin ihnen entwischt, dachte er plötzlich, sie können nur meine äußere Hülle kaufen, die Bilder, die Zitate, aber meine Seele kriegen sie nicht, zum Teufel.

»Danke«, sagte er schlicht, »danke für alles, was Sie für mich getan haben. Ohne sie wäre ich heute nicht da, wo ich bin.«

Er kletterte von der Bühne und ging, vorbei an den fassungslosen Gesichtern, vorbei an den Kameras und Mikrofonen, vorbei an seinem alten Leben.

*

Julian zog die Haustür behutsam ins Schloss. In der Wohnung war alles still. Er zog die Schuhe aus. Vorsichtig schlich er zum Schlafzimmer. Benedikt umarmte das Kopfkissen und atmete leise und regelmäßig.

Leise schloss Julian die Schlafzimmertür und ging hinunter in sein Arbeitszimmer.

Gedankenverloren strich er über das helle Holz des Schreibtisches. Er holte sich Zigaretten und ein Glas Rotwein. Dann setzte er sich, stellte den Laptop auf den Schreibtisch und drückte auf die Starttaste.

Buchstabe für Buchstabe erschien auf dem bläulichen Display. Er hatte nie gelernt, mit zehn Fingern zu schreiben, aber seine Zeigefinger glitten mit sich steigernder Geschwindigkeit über die Tasten.

Als es draußen hell wurde, lehnte er sich zurück.

Er ließ die Maus zum Anfang des Textes klicken und begann zu lesen.

»Schutzlos wie nasse Welpen saßen sie da ...«